최신
약물치료학
(임상약료학)
문제집

PRIEF 약물치료학 (전문의약품) 대표강사
김영광 지음

최신 약물치료학 (임상약료학) 문제집

발　행 | 2024년 09월 01일
저　자 | 김영광
편집·디자인 | 김영광, 조민아
펴낸이 | 한건희
펴낸곳 | 주식회사 부크크
출판사등록 | 2014.07.15.(제2014-16호)
주　소 | 서울특별시 금천구 가산디지털1로 119 SK트윈타워 A동 305호
전　화 | 1670-8316
이메일 | info@bookk.co.kr

ISBN | 979-11-419-5493-2

www.bookk.co.kr

저자 약력

김영광 약사 (@n0stalgic_memory)

저서: 최신 약물치료학 (임상약료학) 문제집, 단원별 공무원 약물학 기출문제집 (편저/비매)
약사교육 플랫폼 PRIEF 약물치료학 (전문의약품) 대표강사

경희대학교 약학과 졸업
중앙대학교 심리서비스대학원 상담심리학 전공 석사과정
삼성서울병원 전공약사 수료
미국 임상약료 전문약사 (Board Certified Pharmacotherapy Specialist, BCPS) 취득
국가공인 노인 전문약사 취득
한국병원약사회 노인약료/심혈관계약료/내분비약료 전문약사 취득
국민건강보험공단 다제약물 관리사업 자문약사

(전) 경희대학교 약학대학 약물치료학 특강 출강
(전) 삼성서울병원 외래약제파트 및 항응고약물/호흡기약물상담실 담당약사 근무
(전) 삼성서울병원 외래약제파트 약대생 필수실무실습 담당 프리셉터
(전) 한국병원약사회 병원약학분과협의회 복약상담 분과위원
(전) 국제약학대학생연합 (IPSF) 세계총회 (WC)
"전문약사를 하며 느낀 국내외 제도 비교 및 직능 발전" 연사 참여
(전) 한국약학대학생연합 (KNAPS) 복약상담대회 심사위원 및 워크숍 연사 참여

(현) 한국임상약학회 정회원
(현) 한국약사커뮤니케이션과커뮤니티케어학회 (PHCCC) 정회원
(현) 한국상담심리학회 준회원
(현) 한국상담학회 준회원
(현) OTC 연구모임 (오연모) 6기 연구회원

(전) 한국약학대학생연합 (KNAPS) 교육학술국장
(전) KNAPS National Congress (NC),
"환자 상담, 앞으로 약사가 나아가야 할 방향" 세미나 Organizer
그 외 다수 약업계 인터뷰 및 연사 참여

머리말

안녕하세요, PRIEF 약물치료학 대표강사 김영광입니다. **약사 국가고시 대비를 주목적**으로 한 최신 약물치료학 (임상약료학) 문제집을 출판하게 되었습니다. **2022 최신 임상약료학 교재에 반영된 최신 가이드라인을 기준으로 문제가 제작**되었으며, 이후 교과서 업데이트에 따라 필요시 개정판을 주기적으로 출간 예정입니다.

목차는 약사 국가고시에서 중점적으로 공부해야할 것들 및 대부분의 약국/병원 약사님에게 중요한 부분인 '만성질환 관리'에 해당하는 부분들을 종합적으로 고려하여 구성하였습니다.
따라서 특별히 신경 쓰지 않고 공부하고 싶은 분들은 본 문제집의 첫 단원부터 순서대로 차근차근 공부해주셔도 무방합니다.

추천하는 공부 방법은 다음과 같습니다. **해설 강의 (PRIEF 사이트 런칭)**를 수강하는 대상을 기준으로, 약물치료학을 배우는 학부생 시절 중간/기말고사 대비 목적으로 이 문제집을 통하여 공부 및 강의를 수강한 후 약사 국가고시를 대비하는 6학년 하반기부터는 기존에 공부한 내용을 가볍게 복습하는 형태로 활용해주시면 가장 효율적으로 공부하실 수 있겠습니다.

약물치료학을 처음 공부하시는 분을 포함하여, 본 문제집으로 공부하시는 분들은 **PRIEF에 올라와있는 '오리엔테이션' 영상을 먼저 시청 후 공부**하신다면 어떤 부분을 포인트로 공부해야할지 최적의 학습 형태로 공부하실 수 있겠습니다.

본 문제집의 **총 문제 수는 819 문제**로, **중복되는 문제없이** 국가고시에서 다뤄질 수 있는 거의 모든 경우의 수를 문제화하여 출제하였습니다. 실제 국가고시에서는 **'모두 고르시오.'** 및 **'-않은 것은?'**의 부정 문제는 출제되지 않지만, 확실하게 공부해야 할 부분 및 틀린 보기를 제외한 4가지 보기를 모두 익혀야 할 필요성이 있는 내용의 경우 상기와 같이 문제를 출제하였음을 알려드립니다. 따라서 정확하고 확실하게 공부하지 않은 분들의 경우 문제집의 문제가 다소 어렵게 느껴질 수도 있겠으나, 핀트가 어긋난다거나 일부러 어렵게 만든 질이 낮은 문제는 단 한 문제도 없음을 알려드립니다.

이 문제집이 여러분들의 약사 국가고시와 중간/기말고사 및 전문약사 시험. 나아가 약사로서의 우수한 약료서비스 실현에도 도움이 될 수 있기를 진심으로 바랍니다. 감사합니다.

2024년 9월
PRIEF 약물치료학 대표강사 김영광 드림

CONTENTS

01 심혈관질환

02 내분비/신장/근골격계/비뇨기질환

CONTENTS

03 소화기질환

04 호흡기질환

05 신경질환

CONTENTS

06 감염질환

07 정신질환

CONTENTS

08 혈액/종양질환

09 산부인과질환

10 소화기/신장질환 (마이너)

CONTENTS

11 피부/안과/영양/기타질환

01 심혈관 질환

01 심혈관질환 1. 고혈압

1. 65세 남성의 병력과 투여약물, 검사 결과가 다음과 같을 때 치료 계획으로 적절한 방안은?

[병력] 고혈압, 이상지질혈증
[투여 약물]
발사르탄 (Valsartan)
암로디핀 (Amlodipine)
히드로클로로티아지드 (HCTZ)
로수바스타틴 (Rosuvastatin)
[검사 결과] 혈압 145/89 mmHg, 혈청 크레아티닌 (SCr) 0.8 mg/dL, 중성지방 205 mg/dL, LDL-C 117 mg/dL
혈소판수 300,000 mm^2 혈중 요산 농도 9.0 mg/dL

① 약물요법 유지
② 발사르탄 (Valsartan)을 카르베딜롤 (Carvedilol)로 변경
③ 히드로클로로티아지드 (HCTZ)를 퓨로세미드 (Furosemide)로 변경
④ 이제티미브 (Ezetimibe) 추가
⑤ 로수바스타틴 (Rosuvastatin) 용량 감소

2. 고혈압, 2형 당뇨병, 심방세동이 있는 64세 남성이 다음과 같은 약물로 치료받다가 마른기침이 발생해 잠을 잘 수 없다며 내원하였다. 다음 중 증상을 나타나게 한 원인 약물로 가장 적절한 것은?

① 와파린 (Warfarin)
② 리시노프릴 (Lisinopril)
③ 아미오다론 (Amiodarone)
④ 메트포르민 (Metformin)
⑤ 아토르바스타틴 (Atorvastatin)

3. 심부전이 있는 74세 남자가 최근 가슴에 멍울이 잡히고 가끔 만질 때 통증이 있다고 한다. 심박출 계수는 40%이며, 해당 증상 외 다른 증상은 안정적이다. 치료 계획으로 적절한 방안은?

[병력] 고혈압, 심부전
[투여 약물] 에날라프릴 (Enalapril)
비소프롤롤 (Bisoprolol)
퓨로세미드 (Furosemide)
스피로노락톤 (Spironolactone)
[검사 결과]
Na 142 mEq/L K 4.0 mEq/L 혈청 크레아티닌 (SCr) 0.8 mg/dL BUN 21 mg/dL

① 에날라프릴 (Enalapril)을 칸데사르탄 (Candesartan)으로 변경
② 히드랄라진 (Hydralazine) 추가
③ 디곡신 (Digoxin) 추가
④ 스피로노락톤 (Spironolactone) 감량
⑤ 스피로노락톤 (Spironolactone) 중단

4. 당뇨병 병력이 있는 30세 임산부가 최근 고혈압 진단을 받아 약물치료를 시작하려고 한다. 다음 중 임산부에게 사용할 수 있는 고혈압 치료 약물은?

① 메틸도파 (Methyldopa)
② 라베타롤 (Labetalol)
③ 히드랄라진 (Hydralazine)
④ 니페디핀 (Nifedipine)
⑤ 모두 사용 가능

정답: 1. ③ 2. ② 3. ④ 4. ⑤

5. 퇴행성 관절염 앓고 있는 66세 남성이 155/100 mmHg으로 혈압조절 되지 않는 상태이며 통증 완화 위해 아세트아미노펜 (Acetaminophen)을 복용중이다. 다음 중 통증 완화 위해 추가할 수 있는 가장 적절한 약물은 무엇인가?

① 나프록센 (Naproxen)
② 술린닥 (Sulindac)
③ 아미트립틸린 (Amitriptyline)
④ 프레드니솔론 (Prednisolone)
⑤ 트라마돌 (Tramadol)

6. 이상지질혈증, 당뇨병, 갑상선기능저하증, 골관절염을 앓고 있는 65세 여성이 내원하였다. 기저 고혈압 병력은 없는 환자로, 최근 혈압 149/75mmHg 이였다. 다음 중 혈압을 상승시킨 원인이 되는 약제는?

① 아토르바스타틴 (Atorvastatin)
② 메트포르민 (Metformin)
③ 피오글리타존 (Pioglitazone)
④ 트라마돌 (Tramadol)
⑤ 레보티록신 (Levothyroxine)

7. 고혈압 병력을 가진 35세 여성 환자가 피임 목적으로 피임제를 복용중이다. 피임제 복용 시작 후 조절되지 않는 혈압으로 약국에 왔다. 다음 중 환자에게 권해줄 수 있는 적절한 조치는?

① 에스트로겐 함유량이 적은 피임제로 변경
② 에스트로겐 함유량이 많은 피임제로 변경
③ 프로게스테론 함유량이 적은 피임제로 변경
④ 프로게스테론 함유량이 많은 피임제로 변경
⑤ 경구 피임제 중단 권고

8. 고혈압, 통풍, 천식, 심부전 병력을 가진 60세 여성 환자가 현재 로사르탄 (Losartan), 알로푸리놀 (Allopurinol), 살부타몰 (Salbutamol) 흡입기, 퓨로세미드 (Furosemide)를 사용 중이다. 최근 조절되지 않은 고혈압으로 병원에 내원했을 때, 다음 중 혈압 조절을 위해 추가할 수 있는 약제로 적절한 것은?

① 메토프롤롤 (Metoprolol)
② 베라파밀 (Verapamil)
③ 하이드로클로로티아지드 (HCTZ)
④ 알리스키렌 (Aliskiren)
⑤ 암로디핀 (Amlodipine)

정답: 5. ⑤ 6. ⑤ 7. ① 8. ⑤

9. 당뇨병 이력을 가진 40세 남자가 최근 고혈압을 진단받아 고혈압 치료를 시작하였다. 최근 조절되지 않은 당뇨로 내원하였는데, 다음 중 조절되지 않는 혈당에 영향을 줄 수 있는 항고혈압약물은?

① 에날라프릴 (Enalapril)
② 스피로노락톤 (Spironolactone)
③ 암로디핀 (Amlodipine)
④ 하이드로클로로티아지드 (HCTZ)
⑤ 딜티아젬 (Diltiazem)

10. 50세 남성이 3주 전부터 머리가 아파서 왔다. 두 달 전 고혈압을 진단받고 항고혈압제를 복용하였다.
혈압 135/83mmHg, 맥박 90회/분, 호흡 26회/분, 체온 37.0℃이었다. 양쪽 정강뼈 앞 오목부종이 있었으며, 얼굴에 약간의 홍조가 있었다. 원인이 되는 항고혈압 약제는?

① 페린도프릴 (Perindopril)
② 아테놀롤 (Atenolol)
③ 니페디핀 (Nifedipine)
④ 스피로노락톤 (Spironolactone)
⑤ 알리스키렌 (Aliskiren)

11. 다음 중 허혈뇌졸중 환자의 이차예방을 위해 추가할 수 있는 적절한 항고혈압 약제는?

[병력] 뇌졸중
[투여 약물] 퓨로세미드 (Furosemide)

① 발사르탄 (Valsartan)
② 하이드로클로로티아지드 (HCTZ)
③ 비소프롤롤 (Bisoprolol)
④ 베라파밀 (Verapamil)
⑤ 스피로노락톤 (Spironolactone)

12. 55세 남성이 운동할 때마다 생기는 흉통을 주소로 내원하였다. 흉통은 5분정도 지속되었으며, 니트로글리세린 설하정을 투여하거나 안정시 완화되었다. 최근 고혈압을 진단 받았고 다른 병력은 없을 때, 이 환자에게 시작할 수 있는 가장 적절한 항고혈압 약제는?

① 토르세마이드 (Torsemide)
② 리시노프릴 (Lisinopril)
③ 카르베딜롤 (Carvedilol)
④ 펠로디핀 (Felodipine)
⑤ 딜티아젬 (Diltiazem)

정답: 9. ④ 10. ③ 11. ① 12. ③

13. 골다공증으로 치료 받고 있는 50세 폐경기 여성이 알렌드로네이트, 칼슘, 비타민 D를 복용중이다. K 5.0 (3.5-5.0 mEq/L) Ca 8.6 (8.7-10.2mg/dL)이며 최근 142/90 mmHg로 고혈압으로 진단 받아, 항고혈압제 복용을 시작하려 할 때, 다음 중 이 환자에게 추천할 수 있는 가장 적절한 항고혈압제는?

① 하이드로클로로티아지드 (HCTZ)
② 캡토프릴 (Captopril)
③ 스피로노락톤 (Spironolactone)
④ 프로프라놀롤 (Propranolol)
⑤ 베라파밀 (Verapamil)

14. 65세 남성이 병원에 내원하여 검사 결과가 다음과 같다. 다음 중 혈압 조절을 위해 추가할 수 있는 약물 중 가장 적절한 것은?

[과거력] 옥살산 칼슘 (Calcium Oxalate)로 인한 신장결석
[검사 결과] 혈압 148/100 mmHg, 맥박수 90회/분

① 발사르탄 (Valsartan)
② 에날라프릴 (Enalapril)
③ 하이드로클로로티아지드 (HCTZ)
④ 딜티아젬 (Diltiazem)
⑤ 비소프롤롤 (Bisoprolol)

15. 65세 남성이 병원에 내원하여 검사 결과가 다음과 같다. 다음 중 혈압 조절을 위해 추가할 수 있는 약물 중 가장 적절한 것은?

[병력] 당뇨병
[검사 결과] 혈압 148/100 mmHg, 맥박수 90회/분
SCr 1.1 mg/dL BUN 15 mg/dL
소변검사: 단백질 (+)

① 암로디핀 (Amlodipine)
② 에날라프릴 (Enalapril)
③ 하이드로클로로티아지드(HCTZ)
④ 딜티아젬 (Diltiazem)
⑤ 비소프롤롤 (Bisoprolol)

16. 65세 남성이 가슴에 멍울 같은 것이 잡히고 만졌을 때 통증이 느껴지는 증상을 주소로 내원하였다. 조절되지 않는 고혈압으로 기존에 3개의 항고혈압 약제를 복용하고 있었으며, 3개월 전 내원 시 하나의 약제를 더 추가하였다. 다음 중 환자의 증상을 나타나게 한 원인 약제로 가장 적절한 것은?

① 비소프롤롤 (Bisoprolol)
② 베라파밀 (Verapamil)
③ 스피로노락톤 (Spironolactone)
④ 히드랄라진 (Hydralazine)
⑤ 클로니딘 (Clonidine)

정답: 13. ① 14. ③ 15. ② 16. ③

01 심혈관질환 2. 심부전

1. 특이병력 없던 55세 유방암 환자가 최근 3개월 전부터 숨이 차는 증상으로 내원하였다. 새벽에는 숨이 차서 잠을 깨는 경우가 있었으며, 누웠을 때 숨이 더 찼다. 심박출계수(EF)는 39%로 심부전으로 진단 받았다. 다음 중 원인이 될 수 있는 약물은?

① 독소루비신 (Doxorubicin)
② 사이클로포스파미드(Cyclophosphamide)
③ 트라스트주맙 (Trastuzumab)
④ 나프록센 (Naproxen)
⑤ 모두

[2-3] 50세 남성이 구토, 어지러움 증상과 색깔 인지 이상 증세로 병원에 내원하였다. 기존에 심방세동으로 디곡신(Digoxin)을 복용중이였고, 최근 1개월 전부터 발톱 진균증 등으로 인해 인근 피부과에서 처방받아 이트라코나졸, 프레드니솔론을 추가로 복용하였다. 맥박 35회/분 K 5mEq/L, Mg 2mg/dL (1.5-2.3 mg/dL), Ca 8.6 (8.7-10.2mg/dL) Cr 0.9 Serum Digoxin Level 3 ng/ml (>2 ng/ml)

2. 다음 중 디기탈리스 중독을 일으킨 원인은?

① 환자의 K 수치
② 환자의 Mg 수치
③ 환자의 Ca 수치
④ 이트라코나졸 (Itraconazole) 복용
⑤ 프레드니솔론 (Prednisolone) 복용

3. 다음 중 환자에게 추가적으로 검사할 가장 적절한 항목은?

① 신기능 검사
② 간기능 검사
③ 심장기능 검사
④ 전해질 검사
⑤ 갑상선 검사

[4] 45세 여성이 구토, 어지러움 증상과 색깔 인지 이상 증세로 병원에 내원하였다. 기존에 심방세동으로 디곡신(Digoxin)을 복용중이였고, 최근 1개월 전부터 고혈압으로 인해 인근 내과에서 처방받아 퓨로세미드 (Furosemide)를 추가로 복용하였다. 맥박 35회/분 K 3mEq/L, Mg 1.2 mg/dL (1.5-2.3 mg/dL), Ca 8.6 (8.7-10.2 mg/dL) Cr 0.9 Serum Digoxin Level 2.6 ng/ml (>2 ng/ml)

4. 다음 중 디기탈리스 중독을 일으킨 원인은? (2가지)

① 환자의 Na 수치
② 환자의 Mg 수치
③ 환자의 K 수치
④ 환자의 Ca 수치
⑤ 환자의 신기능

정답: 1. ⑤ 2. ④ 3. ④ 4. ②,③

[5] 64세 남성 환자가 심부전으로 Furosemide, Candesartan, Metoprolol, Spironolactone을 복용중이였다. 복용 중에도 심부전 증상이 조절되지 않아 일주일 전부터 디곡신 (Digoxin) 복용을 시작하였으며, 검사 결과는 다음과 같으며 새벽에 숨이 차서 잠을 깨곤 하는 증상을 제외하고는 별다른 증상은 호소하지 않았다.

[검사 결과]
맥박 80회/분 K 4mEq/L, Mg 2mg/dL (1.5-2.3 mg/dL),
Ca 8.6 (8.7-10.2mg/dL) Cr 0.9 Serum Digoxin Level 2.1ng/ml (>2ng/ml)

5. 다음 중 환자에게 필요한 적절한 조치는?

① 현 치료계획 유지
② 디곡신 (Digoxin) 중단
③ 디곡신 (Digoxin) 용량 감량
④ 이바브라딘 (Ivabradine) 추가
⑤ 아미오다론 (Amiodarone) 추가

6. 60세 남성이 2주 전부터 시작된 호흡곤란으로 병원에 내원하였다. 양쪽 하지가 부어 있었고, 가슴 청진에서 제3심음이 들렸고, 거품소리가 들렸다. 진단 결과 심부전으로 판명되었다. 다음 중 심부전의 장기 생존율 증가에 영향을 주는 약제는? (2가지)

① 푸로세미드 (Furosemide)
② 스피로노락톤 (Spironolactone)
③ 이바브라딘 (Ivabradine)
④ 디곡신 (Digoxin)
⑤ 퀴나프릴 (Quinapril)

7. 60세 남성이 2주 전부터 시작된 호흡곤란으로 병원에 내원하였다. 양쪽 하지가 부어 있었고, 가슴 청진에서 제3심음이 들렸고, 거품소리가 들렸다. 진단 결과 심부전으로 판명되었다. 다음 중 심부전의 장기 생존율 증가에 영향을 주는 약제는? (2가지)

① 비소프롤롤 (Bisoprolol)
② 푸로세미드 (Furosemide)
③ 이바브라딘 (Ivabradine)
④ 히드랄라진 (Hydralazine)
⑤ 디곡신 (Digoxin)

8. 다음 중 심부전 환자의 사망률 및 입원률 감소를 위해 사용할 수 있는 베타차단제는?

① 나도롤 (Nadolol)
② 프로프라놀롤 (Propranolol)
③ 티몰롤 (Timolol)
④ 메토프롤롤 (Metoprolol)
⑤ 테르타롤롤 (Tertalolol)

정답: 5. ① 6. ②,⑤ 7. ①,④ 8. ④

9. 다음 중 심부전 환자의 사망률 및 입원률 감소를 위해 사용할 수 있는 베타차단제는?

① 아테놀롤 (Atenolol)
② 비스프롤롤 (Bisoprolol)
③ 에스몰롤 (Esmolol)
④ 베탁솔롤 (Betaxolol)
⑤ 아세뷰톨롤 (Acebutolol)

10. 다음 중 심부전 환자의 사망률 및 입원률 감소를 위해 사용할 수 있는 베타차단제는?

① 아테놀롤 (Atenolol)
② 아세뷰톨롤 (Acebutolol)
③ 카르베디롤 (Carvedilol)
④ 세리프롤롤 (Celiprolol)
⑤ 라베타롤 (Labetalol)

11. 다음 중 심부전 환자의 사망률 및 입원률 감소에 대한 입증의 연구는 없지만 심부전 치료에 사용할 수 있는 베타차단제는?

① 아테놀롤 (Atenolol)
② 아세뷰톨롤 (Acebutolol)
③ 네비볼롤 (Nebivolol)
④ 세리프롤롤 (Celiprolol)
⑤ 라베타롤 (Labetalol)

12. 다음 중 심부전 환자의 사망률 및 입원률 감소를 위해 사용할 수 있는 안지오텐신수용체차단제(ARB)는?

① 아질사르탄 (Azilsartan)
② 에프로사르탄 (Eprosartan)
③ 칸데사르탄 (Candesartan)
④ 이르베사르탄 (Irbesartan)
⑤ 올메사르탄 (Olmesartan)

정답: 9. ② 10. ③ 11. ③ 12. ③

13. 다음 중 심부전 환자의 사망률 및 입원률 감소를 위해 사용할 수 있는 안지오텐신수용체차단제(ARB)는?

① 텔미사르탄 (Telmisartan)
② 로사르탄 (Losartan)
③ 아질사르탄 (Azilsartan)
④ 올메사르탄 (Olmesartan)
⑤ 에프로사르탄 (Eprosartan)

14. 다음 중 심부전 환자의 사망률 및 입원률 감소를 위해 사용할 수 있는 안지오텐신수용체차단제(ARB)는?

① 텔미사르탄 (Telmisartan)
② 이르베사르탄 (Irbesartan)
③ 아질사르탄 (Azilsartan)
④ 발사르탄 (Valsartan)
⑤ 에프로사르탄 (Eprosartan)

15. 심부전의 사망률 및 입원률 감소를 위해 에날라프릴(Enalapril)을 복용하고 있는 환자이다. 혈중 농도를 모니터링해야 하는 항목은?

① 나트륨 (Na)
② 칼륨 (K)
③ 마그네슘 (Mg)
④ 인 (P)
⑤ 칼슘 (Ca)

16. 심부전의 사망률 및 입원률 감소를 위해 Sacubitril/Valsartan (ARNI)을 복용하고 있는 환자이다. 혈중 농도를 모니터링해야 하는 항목은?

① 나트륨 (Na)
② 칼륨 (K)
③ 마그네슘 (Mg)
④ 인 (P)
⑤ 칼슘 (Ca)

정답: 13. ② 14. ④ 15. ② 16. ②

17. 심부전의 사망률 및 입원률 감소를 위해 스피로노락톤 (Spironolactone)을 복용하고 있는 환자이다. 혈중 농도를 모니터링해야 하는 항목은?

① 나트륨 (Na)
② 칼륨 (K)
③ 마그네슘 (Mg)
④ 인 (P)
⑤ 칼슘 (Ca)

18. 다음 중 한국인 심부전 환자의 사망률 및 입원률 감소를 위해 추가하면 좋을 약물로 가장 적절한 것은?

[병력] 심부전
[검사 결과] 심박출계수 (EF) 39%
[투여 약물] 퓨로세미드 (Furosemide)
비소프롤롤 (Bisoprolol)
사쿠비트릴/발사르탄 (Sacubitril/Valsartan)
스피로노락톤 (Spironolactone)

① 다파글리플로진 (Dapagliflozin)
② 히드랄라진 (Hydralazine)
③ 이소소비드 디나이트레이트 (Isosorbide dinitrate)
④ 이바브라딘 (Ivabradine)
⑤ 디곡신 (Digoxin)

19. 심부전 환자가 사망률과 이환률 감소를 위해 발사르탄 (Valsartan)을 중단하고 사쿠비트릴/발사르탄(Sacubitril/Valsartan)으로 변경하려 한다. ARB 중단 후 최소 몇 시간이 경과한 후에 ARNI를 시작할 수 있는가?

① 12시간
② 24시간
③ 36시간
④ 48시간
⑤ 60시간

정답: 17. ② 18. ① 19. ③

3. 허혈심장병/ACS

1. 천식, COPD 병력이 있는 55세 남성이 안정형 협심증 진단을 받았다. 다음 병원 내원시 환자가 두통을 호소하였다고 하였는데, 다음 중 두통을 유발할 수 있는 약제로 가장 적절한 것은?

① 니트로글리세린 (Nitroglycerin) 설하정
② 아스피린 (Aspirin)
③ 살부타몰 (Salbutamol) 흡입기
④ 페린도프릴 (Perindopril)
⑤ 아토르바스타틴 (Atrovastatin)

2. 천식, COPD 병력이 있는 55세 남성이 안정형 협심증 진단을 받아, 니트로글리세린 (Nitroglycerin) 설하정, 딜티아젬 (Diltiazem), 아스피린 (Aspirin), 페린도프릴 (Perindopril), 아토르바스타틴 (Atorvastatin), 살부타몰 (Salbutamol) 흡입기를 처방 받아 사용하였다. 딜티아젬 (Diltiazem) 60 mg 하루 3회 목표 용량까지 증량하였으나, 흉통이 잘 조절되지 않아 라놀라진 (Ranolazine)을 추가하려 한다. 다음 중 라놀라진 (Ranolazine) 사용시 필요한 모니터링 항목은?

① 심박수
② 혈압
③ 심전도
④ 나트륨
⑤ 파킨슨 증상

3. 천식, COPD 병력이 있는 55세 남성이 안정형 협심증 진단을 받아, 니트로글리세린 (Nitroglycerin) 설하정, 딜티아젬 (Diltiazem), 아스피린 (Aspirin), 페린도프릴 (Perindopril), 아토르바스타틴 (Atorvastatin), 살부타몰 (Salbutamol) 흡입기를 처방 받아 사용하였다. 베라파밀(Verapamil) 80 mg 하루 3회 목표 용량까지 증량하였으나, 흉통이 잘 조절되지 않아 트리메타지딘 (Trimetazidine) 서방정을 추가하려 한다. 다음 중 트리메타지딘 (Trimetazidine) 서방정 사용시 필요한 모니터링 항목은?

① 심박수
② 혈압
③ 심전도
④ 나트륨
⑤ 파킨슨 증상

4. 천식, COPD 병력이 있는 55세 남성이 안정형 협심증 진단을 받아, 니트로글리세린 설하정, 딜티아젬, 아스피린, 페린도프릴 , 아토르바스타틴, 살부타몰 흡입기를 처방 받아 사용하였다. 암로디핀 10mg 하루 1회 목표 용량까지 증량하였으나, 흉통이 잘 조절되지 않아 Nicorandil을 추가하려 한다. 다음 중 니코란딜 (Nicorandil) 사용시 필요한 모니터링 항목은?

① 심박수
② 혈압
③ 심전도
④ 나트륨
⑤ 파킨슨 증상

정답: 1. ① 2. ③ 3. ⑤ 4. ②

5. 심방세동, 심부전, 파킨슨병 병력이 있는 65세 남성이 안정형 협심증 진단을 받아, 아미오다론 (Amiodarone), 니트로글리세린 (Nitroglycerin) 설하정, 메토프롤롤 (Metoprolol) 목표 용량 100mg 하루 2회 복용중이나, 흉통이 잘 조절되지 않아 증상 완화를 위해 약물을 추가하려 한다. 다음 중 추가할 수 있는 가장 적절한 약물은?

[활력징후] 혈압 140/90 mmHg 심박수 (안정시) 69회/분 호흡수 24회/분

① 베라파밀 (Verapamil)
② 라놀라진 (Ranolazine)
③ 트리메타지딘 (Trimetazidine) 서방정
④ 이바브라딘 (Ivabradine)
⑤ 암로디핀 (Amlodipine)

정답: 5. ⑤

3. 허혈심장병/ACS

1. 심근경색으로 스텐트 시술을 받은 65세 남성에게 이중항혈소판요법(DAPT)을 사용하려고 한다. 이때 아스피린(Aspirin)의 적절한 투여기간은?

① 3개월
② 6개월
③ 12개월
④ 36개월
⑤ 평생

2. 심근경색으로 스텐트 시술을 받은 65세 남성에게 이중항혈소판요법(DAPT)을 사용하려고 한다. 이때 일반적으로 요구되는
$P2Y_{12}$수용체 억제제의 적절한 최소 투여 기간은?

① 3개월
② 6개월
③ 12개월
④ 36개월
⑤ 평생

3. 응급실로 내원한 STEMI로 진단된 75세 남성에게 병원 도착 후 120분 이내에 PCI 시행이 어려울 것 같아 섬유소 용해(Alteplase 투여)를 통해 재관류 치료를 시행하였다. 이후 이중항혈소판요법(DAPT)를 사용하려 할 때 아스피린을 제외하고 선택할 수 있는 가장 적절한 항혈소판제는?

① 클로피도그렐 (Clopidogrel)
② 프라수그렐 (Prasugrel)
③ 티카그렐러 (Ticagrelor)
④ 디피리다몰 (Dipyridamole)
⑤ 실로스타졸 (Cilostazol)

4. 일과성 허혈 발작 (TIA) 과거 병력이 있고,위식도역류염으로 Esomeprazole을 복용중인 응급실로 내원한 65세 남성이 STEMI로 진단되었다. 경피적 관상동맥중재술(PCI)을 통해 재관류 치료를 시행하였다. 이후 이중항혈소판요법(DAPT)를 사용하려 할 때 아스피린을 제외하고 선택할 수 있는 가장 적절한 항혈소판제는?

① 클로피도그렐 (Clopidogrel)
② 프라수그렐 (Prasugrel)
③ 티카그렐러 (Ticagrelor)
④ 디피리다몰 (Dipyridamole)
⑤ 실로스타졸 (Cilostazol)

정답: 1. ⑤ 2. ③ 3. ① 4. ③

5. COPD, 심방세동 병력이 있는 응급실로 내원한 65세 남성이 STEMI로 진단되었다. 경피적 관상동맥중재술(PCI)을 통해 재관류 치료를 시행하였다. 이후 이중항혈소판요법(DAPT)를 사용하려 할 때 아스피린을 제외하고 선택할 수 있는 가장 적절한 항혈소판제는?

[투여약물]
딜티아젬 (Diltiazem) 60mg 하루 3회
[유전형 검사 결과]
CYP2C19*2 (기능 상실)

① 클로피도그렐 (Clopidogrel)
② 프라수그렐 (Prasugrel)
③ 티카그렐러 (Ticagrelor)
④ 디피리다몰 (Dipyridamole)
⑤ 실로스타졸 (Cilostazol)

6. 급성관상동맥증후군 치료 중 미분획 Heparin(UFH)를 투여받는 환자에서 모니터링이 필요한 검사항목은?

① aPTT (activated partial thromboplastin time)
② anti-Xa activity
③ SCr (혈청 크레아티닌)
④ INR (국제표준화비율)
⑤ CK (Creatine Kinase)

7. 임산부 급성관상동맥증후군 치료 중 저분자량 heparin (LMWH)의 헤파린 활성도를 측정하기 위해 모니터링이 필요한 검사항목은?

① aPTT (activated partial thromboplastin time)
② anti-Xa activity
③ 칼륨
④ INR (국제표준화비율)
⑤ CK (Creatine Kinase)

8. 급성관상동맥증후군 치료 중 폰다파리눅스 (Fondaparinux)를 투여받는 환자에서 모니터링이 필요한 검사항목은?

① aPTT (activated partial thromboplastin time)
② anti-Xa activity
③ SCr (혈청 크레아티닌)
④ INR (국제표준화비율)
⑤ CK (Creatine Kinase)

정답: 5. ② 6. ① 7. ② 8. ③

3. 허혈심장병/ACS

9. 다음 중 STEMI (ST분절 상승 심근경색증) 환자에게 혈전용해제를 쓸 수 없는 경우는?

① 병원 도착 후 30분 이내
② 4개월 전 허혈성 뇌졸중 병력
③ 4개월 전 안면 외상 병력
④ 3개월 전 두 개내, 척추내 수술
⑤ 혈압 190 mmHg/120 mmHg

10. 50세 급성관상동맥증후군 병력이 있는 환자가 있는 환자가 검사를 위해 내원하였다. 6개월 전 심근경색 후 경피적 관상동맥중재술 (PCI) 시술을 받은 후 이중항혈소판요법(DAPT)를 사용중이다. 비침습적 검사 결과 고위험소견을 보여 선택적으로 재관류 관상동맥우회술 (CABG) 시행을 고려할 때, 다음 중 환자에게 필요한 가장 적절한 조치는?

① 이중항혈소판요법 (DAPT) 유지
② 티카그렐러 (Ticagrelor) 24시간 전 중단
③ 티카그렐러 (Ticagrelor) 3일 전 중단
④ 티카그렐러 (Ticagrelor) 5일 전 중단
⑤ 티카그렐러 (Ticagrelor) 7일 전 중단

11. 50세 급성관상동맥증후군 병력이 있는 환자가 있는 환자가 검사를 위해 내원하였다. 6개월 전 심근경색 후 경피적 관상동맥중재술 (PCI) 시술을 받은 후 이중항혈소판요법(DAPT)를 사용중이다. 비침습적 검사 결과 고위험소견을 보여 선택적으로 재관류 관상동맥우회술 (CABG) 시행을 고려할 때, 다음 중 환자에게 필요한 가장 적절한 조치는?

① 이중항혈소판요법 (DAPT) 유지
② 클로피도그렐 (Clopidogrel) 1일 전 중단
③ 클로피도그렐 (Clopidogrel) 3일 전 중단
④ 클로피도그렐 (Clopidogrel) 5일 전 중단
⑤ 클로피도그렐 (Clopidogrel) 7일 전 중단

12. 50세 급성관상동맥증후군 병력이 있는 환자가 있는 환자가 검사를 위해 내원하였다. 6개월 전 심근경색 후 경피적 관상동맥중재술 (PCI) 시술을 받은 후 이중항혈소판요법(DAPT)를 사용중이다. 비침습적 검사 결과 고위험소견을 보여 선택적으로 재관류 관상동맥우회술 (CABG) 시행을 고려할 때, 다음 중 환자에게 필요한 가장 적절한 조치는?

① 이중항혈소판요법 (DAPT) 유지
② 프라수그렐 (Prasugrel) 24시간 전 중단
③ 프라수그렐 (Prasugrel) 3일 전 중단
④ 프라수그렐 (Prasugrel) 5일 전 중단
⑤ 프라수그렐 (Prasugrel) 7일 전 중단

정답: 9. ⑤ 10. ③ 11. ④ 12. ⑤

[13-14]
13. 50세 급성관상동맥증후군 병력이 있는 환자가 있는 환자가 검사를 위해 내원하였다. 6개월 전 심근경색 후 경피적 관상동맥중재술 (PCI) 시술을 받은 후 이중항혈소판요법(DAPT)를 사용중이다. 비침습적 검사 결과 고위험소견을 보여 긴급 재관류 관상동맥우회술 (CABG) 시행을 고려할 때, 다음 중 환자에게 필요한 가장 적절한 조치는?

① 이중항혈소판요법 (DAPT) 유지
② 클로피도그렐 (Clopidogrel) 1일 전 중단
③ 클로피도그렐 (Clopidogrel) 3일 전 중단
④ 클로피도그렐 (Clopidogrel) 5일 전 중단
⑤ 클로피도그렐 (Clopidogrel) 7일 전 중단

14. 13번 환자가 CABG 시행 후 이중항혈소판요법(DAPT)를 재개하려 할 때, 다음 중 남은 DAPT 치료 기간으로 가장 적절한 것은?

① DAPT 치료 더 이상 필요 없음
② 3개월
③ 6개월
④ 12개월
⑤ 18개월

15. 심근경색으로 스텐트 시술을 받은 32세 남성에게 허혈 재발, 경색크기, 재경색, 심실 부정맥 위험을 감소시키기 위해 베타차단제를 사용하려고 한다. 다른 특이 병력은 없을 때, 일반적으로 요구되는 베타차단제의 적절한 최소 투여기간은?

① 3개월
② 6개월
③ 12개월
④ 36개월
⑤ 평생

16. 응급실로 내원한 NSTEMI로 진단된 65세 남성에게 경피적 관상동맥중재술 (PCI)를 시행하려 한다. 병력이 다음과 같을 때, 환자에게 사용할 수 있는 가장 적절한 항혈소판제 부하용량(loading dose)은?

[병력] 일과성허혈발작 (TIA), 고혈압
[투여약물] 베라파밀 (Verapamil)

① 클로피도그렐 (Clopidogrel) 300 mg
② 프라수그렐 (Prasugrel) 60mg
③ 티카그렐러 (Ticagrelor) 180mg
④ 프라수그렐 (Prasugrel) 10mg
⑤ 티카그렐러 (Ticagrelor) 90mg

정답: 13. ② 14. ③ 15. ④ 16. ①

3. 허혈심장병/ACS

17. 응급실로 내원한 STEMI로 진단된 65세 남성에게 경피적 관상동맥중재술 (PCI)를 시행하려 한다. 헤파린 (Heparin)과 함께 PCI 중 추가하여 사용할 수 있는 약물로 가장 적절한 것은?

① 티로피반 (Tirofiban)
② 알테플라제 (Alteplase)
③ 실로스타졸 (Cilostazol)
④ 와파린 (Warfarin)
⑤ 디피리다몰 (Dipyridamole)

정답: 17. ①

01 심혈관질환 4. 부정맥

1. COPD, 갑상선기능저하증 병력이 있는 58세 여자가 2시간 전부터 숨이 차는 증세로 병원에 왔다. 심방세동으로 Verapamil을 복용중이었으며, 이전에 Diltiazem 60mg 하루 3회 복용과 Digoxin 0.25mg 하루 1회 복용으로 치료한 이력이 있었다. 혈압 115/73mmHg, 맥박 130회/분, 호흡 20회분, 체온 36.8℃ 였고 동율동 (Sinus Rhythm)을 보였다. 이 환자에게 적절한 조치는?

① Verapamil을 Bisoprolol로 변경
② Verapamil Amiodarone으로 변경
③ Digoxin 0.25mg 하루 1회 복용 추가
④ Digoxin 0.125mg 하루 1회 복용 추가
⑤ 현 치료계획 유지

2. 심방세동, 고혈압 병력이 있는 65세 여성이 2주 전부터 오심을 호소하여 내원하였다. Metoprolol, Warfarin, Valsartan을 복용 중이였으며, 1달 전부터 Amiodarone 200mg 하루 1회 복용을 시작하였다. 다음과 같을 때 적절한 조치는?

[검사 결과 (Amiodarone 복용 전)]
AST 25 IU/L, ALT 30 IU/L Total Bilirubin 1.0 mg/dL
[검사 결과 (오늘)]
AST 40 IU/L, ALT 50 IU/L Total Bilirubin 1.2 mg/dL

① 6개월 후 혈청 트랜스아미나제 모니터링
② Amiodarone (아미오다론) 중단
③ Amiodarone (아미오다론) 증량
④ 간 생검 (Liver Biopsy)
⑤ Amiodarone을 Dronedarone (드로네다론)으로 변경

3. 65세 심방세동으로 진단된 여성 (체중 50kg)이 허혈성 뇌졸중과 전신색전증 예방을 위해 에독사반 (Edoxaban) 30mg 하루 1회 복용을 시작하였다. 복용 3개월 후 갑작스런 교통사고로 인해 생명을 위협하는 중대한 출혈이 발생하였다. 다음 중 출혈을 막기 위해 투여할 약물로 적절한 것은?

① 이다루시주맙 (Idarucizumab) 정맥투여
② 안덱사네트 (Andexanet) 정맥투여
③ 비타민 K 정맥투여
④ 비타민 K 경구투여
⑤ 신선동결혈장 (FFP)

4. 65세 심방세동으로 진단된 환자가 허혈성 뇌졸중과 전신색전증 예방을 위해 다비가트란 (Dabigatran) 150 mg 하루 2회 복용을 시작하였다. 복용 3개월 후 갑작스런 교통사고로 인해 생명을 위협하는 중대한 출혈이 발생하였다. 다음 중 출혈을 막기 위해 투여할 약물로 적절한 것은?

① 이다루시주맙 (Idarucizumab) 정맥투여
② 안덱사네트 (Andexanet) 정맥투여
③ 비타민 K 정맥투여
④ 비타민 K 경구투여
⑤ 신선동결혈장 (FFP)

정답: 1. ④ 2. ① 3. ② 4. ①

5. 65세 심방세동으로 진단된 환자가 허혈성 뇌졸중과 전신색전증 예방을 위해 와파린 (Warfarin) 하루 2 mg 복용을 시작하였다. 복용 3개월 후 갑작스런 교통사고로 인해 생명을 위협하는 중대한 출혈이 발생하였다. 다음 중 출혈을 막기 위해 투여할 약물로 적절한 것은?

① 이다루시주맙 (Idarucizumab) 정맥투여
② 안덱사네트 (Andexanet) 정맥투여
③ 비타민 K 정맥투여
④ 비타민 K 경구투여
⑤ 프로타민 (Protamine) 정맥투여

6. 심방세동 치료 중 아픽사반 (Apixaban)을 투여받는 환자에서 출혈이 발생했을 때, 아픽사반의 생체내 활성 정도 (Bioactivity)를 모니터링하기 위해 필요한 검사항목은?

① PT (프로트롬빈 타임)
② INR (국제표준화비율)
③ aPTT (activated partial thromboplastin time)
④ anti-Xa activity
⑤ 아픽사반 혈중 농도

7. 심방세동 치료 중 다비가트란 (Dabigatran)을 투여받는 환자에서 출혈 위험이 높은 것으로 의심될 때 모니터링이 필요한 검사항목은?

① PT (프로트롬빈 타임)
② INR (국제표준화비율)
③ aPTT (activated partial thromboplastin time)
④ anti-Xa activity
⑤ 다비가트란 혈중 농도

8. 65세 심방세동으로 진단된 환자가 허혈성 뇌졸중과 전신색전증 예방을 위해 NOAC (Non-vitamin K oral anticoagulant, 비-비타민K 길항제)를 투여하려 한다. 다음 중 투여할 약물로 적절한 것은?

[검사 결과]
CrCl = 15 ml/min, 몸무게 65kg

① 다비가트란(Dabigatran) 110mg 하루 2회
② 리바록사반(Rivaroxaban) 15mg 하루 1회
③ 리바록사반(Rivaroxaban) 2.5mg 하루 2회
④ 아픽사반(Apixaban) 2.5mg 하루 2회
⑤ 에독사반(Edoxaban) 15mg 하루 1회

정답: 5. ③ 6. ④ 7. ③ 8. ②

9. 65세 심방세동으로 진단된 환자가 허혈성 뇌졸중과 전신색전증 예방을 위해 NOAC (Non-vitamin K oral anticoagulant, 비-비타민K 길항제)를 투여하려 한다. 다음 중 투여할 약물로 적절한 것은?

[검사 결과]
CrCl = 80 ml/min, 몸무게 60kg

① 다비가트란(Dabigatran) 110mg 하루 2회
② 리바록사반(Rivaroxaban) 10mg 하루 1회
③ 리바록사반(Rivaroxaban) 2.5mg 하루 2회
④ 아픽사반(Apixaban) 2.5mg 하루 1회
⑤ 에독사반(Edoxaban) 30mg 하루 1회

10. 80세 심방세동으로 진단된 환자가 허혈성 뇌졸중과 전신색전증 예방을 위해 NOAC (Non-vitamin K oral anticoagulant, 비-비타민K 길항제)를 투여하려 한다. 다음 중 투여할 약물로 적절한 것은?

[검사 결과]
혈청 크레아티닌 1.5 mg/dL, 몸무게 60kg

① 다비가트란(Dabigatran) 150mg 하루 2회
② 리바록사반(Rivaroxaban) 10mg 하루 1회
③ 리바록사반(Rivaroxaban) 2.5mg 하루 2회
④ 아픽사반(Apixaban) 2.5mg 하루 2회
⑤ 에독사반(Edoxaban) 15mg 하루 1회

11. 65세 심방세동으로 진단된 환자가 허혈성 뇌졸중과 전신색전증 예방을 위해 NOAC (Non-vitamin K oral anticoagulant, 비-비타민K 길항제)를 투여하려 한다. 다음 중 투여할 약물로 적절한 것은?

[검사 결과]
CrCl = 80 ml/min, 몸무게 65kg

① 다비가트란(Dabigatran) 150mg 하루 2회
② 다비가트란(Dabigatran) 110mg 하루 2회
③ 리바록사반(Rivaroxaban) 15mg 하루 1회
④ 아픽사반(Apixaban) 2.5mg 하루 2회
⑤ 에독사반(Edoxaban) 30mg 하루 1회

12. 65세 심방세동으로 진단된 환자가 허혈성 뇌졸중과 전신색전증 예방을 위해 NOAC (Non-vitamin K oral anticoagulant, 비-비타민K 길항제)를 투여하려 한다. 다음 중 투여할 약물로 적절한 것은?

[검사 결과]
CrCl = 40 ml/min, 몸무게 65kg

① 다비가트란(Dabigatran) 150mg 하루 2회
② 다비가트란(Dabigatran) 110mg 하루 2회
③ 리바록사반(Rivaroxaban) 20mg 하루 1회
④ 아픽사반(Apixaban) 2.5mg 하루 2회
⑤ 에독사반(Edoxaban) 60mg 하루 1회

정답: 9. ⑤ 10. ④ 11. ① 12. ②

13. 심방세동의 동율동 유지를 위해 아미오다론 (Amiodarone)을 복용하고 있는 환자이다. 다음 중 투여 시작시와 6개월 간격으로 모니터링해야 하는 항목은? (2가지)

① 갑상샘기능검사
② 신기능 검사
③ 간기능 검사
④ 심전도 검사
⑤ 흉부 방사선검사

14. 65세 여성 환자가 심계항진, 어지러움, 숨이 차는 증상을 주소로 내원하였다. 기저 질환으로 심부전 (HFrEF)을 가지고 있었고, 현재는 안정적으로 잘 관리되고 있을 때 심방세동의 심박수 조절을 위해 우선 고려할 약물로 가장 적절한 약물은?

① 카르베디롤 (Carvedilol)
② 프로프라놀롤 (Propranolol)
③ 딜티아젬 (Diltiazem)
④ 베라파밀 (Verapamil)
⑤ 아미오다론 (Amiodarone)

15. 65세 심방세동으로 진단된 환자가 허혈성 뇌졸중과 전신색전증 예방을 위해 NOAC (Non-vitamin K oral anticoagulant, 비-비타민K 길항제)를 투여하려 한다. 다음 중 음식물에 의해 생체이용률이 증가하기 때문에 식사와 함께 투여해야하는 약물은?

① 다비가트란 (Dabigatran)
② 리바록사반 (Rivaroxaban)
③ 아픽사반 (Apixaban)
④ 에독사반 (Edoxaban)
⑤ 와파린 (Warfarin)

16. 50세 남성이 심방세동으로 진단되어 심박수 조절 목적으로 카르베디롤 (Carvedilol)을 처방받았다. 다음 중 심방세동 환자의 일반적인 심박수 조절 목표로 가장 적절한 것은?

① 분당 심박수 (bpm) 130 미만
② 분당 심박수 (bpm) 110 미만
③ 분당 심박수 (bpm) 100 미만
④ 분당 심박수 (bpm) 80 미만
⑤ 분당 심박수 (bpm) 60 미만

정답: 13. ①, ③ 14. ① 15. ② 16. ②

01 심혈관질환 4. 부정맥

17. 50세 남성이 심방세동으로 진단되어 심박수 조절 목적으로 카르베디롤(Carvedilol)을 처방받았다. 용량을 서서히 증량하여 현재 카르베디롤 (Carvedilol) 25mg 하루 2회 용량으로 복용중이다. 두근거림 등의 증상이 여전히 있고, 금일 검사 결과가 다음과 같을 때, 환자에게 추천되는 심박수 조절 목표로 가장 적절한 것은?

[검사 결과]
혈압 140/90 mmHg 심박수 100회/분

① 분당 심박수 (bpm) 130 미만
② 분당 심박수 (bpm) 110 미만
③ 분당 심박수 (bpm) 100 미만
④ 분당 심박수 (bpm) 80 미만
⑤ 분당 심박수 (bpm) 60 미만

18. 50세 남성이 1주일 전부터 간헐적으로 발생하는 두근거림 증상과 호흡곤란 증상을 주소로 응급실에 내원하였다. 심방세동으로 진단되었고, 심율동 전환(Cardioversion)치료를 고려할 때, 다음 중 환자에게 필요한 조치로 가장 적절한 것은?

① 즉시 심율동 전환
② 즉시 심율동 전환 후 4주간 항응고제 투여
③ 3주간 항응고제 투여 후 심율동 전환
④ 3주간 항응고제 투여 후 심율동 전환 이후 4주간 항응고제 투여
⑤ 4주간 항응고제 투여 후 심율동 전환 이후 3주간 항응고제 투여

19. 75세 만성적인 심방세동 병력이 있는 여성이 내원하였다. 병력이 다음과 같을 때, 다음 환자의 뇌졸중 위험도 평가를 위한 CHA_2DS_2-VASc 점수로 가장 적절한 것은?

[병력] 심부전, 고혈압, 당뇨병, 일과성 허혈발작, 급성관상동맥증후군

① 5점
② 6점
③ 7점
④ 8점
⑤ 9점

20. 50세 남성이 심방세동으로 진단되어 심박수 조절 목적으로 카르베디롤(Carvedilol)을 처방받았다. 용량을 서서히 증량하여 현재 카르베디롤 (Carvedilol) 12.5mg 하루 2회 용량으로 복용중이다. 두근거림 등의 증상이 여전히 있고,금일 검사 결과가 다음과 같을 때, 환자에게 필요한 조치로 가장 적절한 것은?

[병력] 심부전
[검사 결과]
혈압 140/90 mmHg 심박수 85회/분

① 현재 복용량 유지
② 카르베디롤 (Carvedilol) 용량 감량
③ 카르베디롤 (Carvedilol) 용량 증량
④ 카르베디롤 (Carvedilol) 중단
⑤ 딜티아젬 (Diltiazem) 추가

정답: 17. ④ 18. ④ 19. ⑤ 20. ③

21. 65세 여성 환자가 심계항진, 어지러움, 숨이 차는 증상을 주소로 내원하였다. 기저 질환으로 천식, 만성기관지염을 가지고 있을 때 심방세동의 율동 조절 (Rhythm Control)을 위해 우선 고려할 약물로 가장 적절한 약물은?

① 플레카이니드 (Flecainide)
② 프로파페논 (Propafenone)
③ 비소프롤롤 (Bisoprolol)
④ 딜티아젬 (Diltiazem)
⑤ 아미오다론 (Amiodarone)

22. 65세 여성 환자가 심계항진, 어지러움, 숨이 차는 증상을 주소로 내원하였다. 기저 질환으로 관상동맥질환 (CAD), 갑상선기능항진증을 가지고 있을 때 심방세동의 율동 조절 (Rhythm Control)을 위해 우선 고려할 약물로 가장 적절한 약물은?

[검사 결과] QTc 450 ms (기저, Baseline)

① 플레카이니드 (Flecainide)
② 프로파페논 (Propafenone)
③ 드로나데론 (Dronaderone)
④ 소타롤 (Sotalol)
⑤ 아미오다론 (Amiodarone)

23. 65세 여성 환자가 심계항진, 어지러움, 숨이 차는 증상을 주소로 내원하였다. 기저 질환으로 심부전 (HFrEF)을 가지고 있었고, 현재는 안정적으로 잘 관리되고 있을 때 심방세동의 율동 조절 (Rhythm Control)을 위해 우선 고려할 약물로 가장 적절한 약물은?

① 플레카이니드 (Flecainide)
② 프로파페논 (Propafenone)
③ 드로나데론 (Dronaderone)
④ 소타롤 (Sotalol)
⑤ 아미오다론 (Amiodarone)

24. 65세 심방세동으로 진단된 환자가 허혈성 뇌졸중과 전신색전증 예방을 위해 약물치료를 시작하려고 한다. 병력이 다음과 같을 때, 다음 중 환자에게 가장 적절한 치료 방법은?

[병력] 기계심장판막 치환술 (Mechanical Heart Valve Replacement)

① 와파린 (Warfarin)
② 리바록사반 (Rivaroxaban)
③ 클로피도그렐 (Clopidogrel)
④ 아스피린 (Aspirin)
⑤ 재조합조직플라스미노겐활성화제 (rtPA)

정답: 21. ① 22. ③ 23. ⑤ 24. ①

01 심혈관질환 5. 뇌졸중

1. 65세 남성이 갑자기 발생한 오른쪽 반신마비를 주소로 내원하였다. 증상은 2시간 30분 전에 시작되었고, 허혈성뇌졸중으로 진단되었다. 다음 중 알테플라제 (Alteplase)를 투여하기 전 혈압 조절을 위해 사용할 수 있는 약제로 가장 적절한 것은? (2가지)

[활력징후] 혈압 230/140 mmHg

① 라베타롤 (Labetalol)
② 니카르디핀 (Nicardipine)
③ 니모디핀 (Nimodipine)
④ 히드랄라진 (Hydralazine)
⑤ 에날라프릴 (Enalapril)

2. 65세 남성이 갑자기 발생한 오른쪽 반신마비를 주소로 내원하였다. 증상은 2시간 30분 전에 시작되었고, 심방세동 병력으로 다비가트란 (Dabigatran)을 복용중이다. 다음 중 이 환자에게 정맥 내 알테플라제 (Alteplase)를 쓸 수 없는 이유는?

[활력징후] 혈압 180/100 mmHg
[검사 결과] 뇌 컴퓨터단층 결과 정상
혈당 45 mg/dL, 혈소판수 150,000 mm^2 INR = 1.6

① 혈압 180/100 mmHg
② 혈당 45 mg/dL
③ 혈소판수 150,000 mm^2
④ INR = 1.6
⑤ 2시간 30분 전 시작된 증상 발현

3. 허혈성 뇌졸중으로 진단받아 재발 예방을 위해 티클로피딘 (Ticlopidine)을 투여받는 환자에서 모니터링이 필요한 검사항목이 아닌 것은? (2가지)

① 간기능 검사
② 전혈구 검사 (CBC)
③ 지질수치 (Lipid Panel)
④ 신기능 검사
⑤ 맥박

4. 허혈성 뇌졸중으로 진단받아 급성기 치료 중 알테플라제 (Alteplase)을 투여받는 환자에서 모니터링이 필요한 검사항목은?

① 혈압
② 전혈구 검사 (CBC)
③ 간기능 검사
④ INR
⑤ 헤모글로빈 (Hb)

정답: 1. ①,② 2. ② 3. ④,⑤ 4. ①

5. 65세 남성이 NIHSS 3점으로 경증의 급성허혈뇌졸중으로 진단되었다. 증상 발현부터 경과한 시간이 12시간으로 이중항혈소판요법(Dual Antiplatelet Therapy, DAPT)으로 치료하려 할 때, 우리나라 2022년 가이드라인에서 요구되는 DAPT의 적절한 치료 기간은?

① 1개월
② 6개월
③ 12개월
④ 36개월
⑤ 평생

6. 65세 남성이 일과성허혈발작 (TIA)로 진단받아 허혈뇌졸중 2차 예방을 위하여 항혈소판제 치료를 시작하려 한다. ABCD 점수가 3점일 때, 다음 중 적절한 치료방법이 아닌 것은? (2가지)

① 아스피린 (Aspirin) 단독 투여
② 클로피도그렐 (Clopidogrel) 단독 투여
③ 프라수그렐 (Prasugrel) 단독 투여
④ 아스피린/디피리다몰 병용 투여 (Aspirin/Dipyridamole)
⑤ 아스피린/클로피도그렐 병용 투여 (Aspirin/Clopidogrel)

7. 65세 남성이 머리가 깨질듯한 두통을 주소로 응급실로 내원하였다. 목경직 증상을 보였으며 지주막하출혈로 진단되었다. 다음 중 뇌혈관연축으로 인한 혈관 경련 (vasospasm) 합병증 예방 및 신경학적 손상과 심각도를 감소시키기 위해 투여하는 약물은?

① 히드랄라진 (Hydralazine)
② 니모디핀 (Nimodipine)
③ 니카르디핀 (Nicardipine)
④ 라베타롤 (Labetalol)
⑤ 에날라프릴 (Enalapril)

정답: 5. ① 6. ③,⑤ 7. ②

01 심혈관질환 6. 정맥혈전색전증

1. 65세 정맥혈전색전증으로 진단된 환자가 전신색전증 예방을 위해 에녹사파린 (Enoxaparin) 하루 1.5mg/kg 용량으로 피하주사를 시작하였다. 투여 3개월 후 갑작스런 교통사고로 인해 생명을 위협하는 중대한 출혈이 발생하였다. 다음 중 출혈을 막기 위해 투여할 약물로 적절한 것은?

① 이다루시주맙 (Idarucizumab) 정맥투여
② 안덱사네트 (Andexanet) 정맥투여
③ 비타민 K 정맥투여
④ 비타민 K 경구투여
⑤ 프로타민 (Protamine) 정맥투여

2. 정맥혈전색전증 초기 치료를 위해 미분획 헤파린 (UFH)을 투여받는 환자에서 투여 4~6시간 후 치료효과를 모니터링하기 위해 필요한 검사항목은?

① PT (프로트롬빈 타임)
② INR (국제표준화비율)
③ aPTT (activated partial thromboplastin time)
④ anti-Xa activity
⑤ 미분획 헤파린 혈중 농도

3. 정맥혈전색전증 예방을 위해 에녹사파린 (Enoxaparin)을 투여받는 환자에서 신기능 저하가 발생했을 때, 에녹사파린의 생체내 활성 정도 (Bioactivity)를 모니터링하기 위해 필요한 검사항목은?

① PT (프로트롬빈 타임)
② INR (국제표준화비율)
③ aPTT (activated partial thromboplastin time)
④ anti-Xa activity
⑤ 에녹사파린 혈중 농도

4. 다음 중 정맥 혈전색전증 예방을 위해 와파린 (Warfarin)을 복용하고 있는 환자에서 적절한 목표 INR 범위는?

① 1.0-2.0
② 1.5-2.5
③ 1.7-2.5
④ 2.0-3.0
⑤ 2.5-3.5

정답: 1. ⑤ 2. ③ 3. ④ 4. ④

5. 65세 남성 (체중 60kg)이 고관절 골절로 입원하여 수술하였다. 다음 중 수술 후 정맥혈전색전증 예방을 위해 가장 적절한 것은?

① 폰다파리눅스 (Fondaparinux) 2.5mg 1일 1회 피하주사
② 아픽사반 (Apixaban) 5mg 1일 2회
③ 리바록사반 (Rivaroxaban) 15mg 1일 2회
④ 리바록사반 (Rivaroxaban) 20mg 1일 1회
⑤ 에녹사파린 (Enoxaparin) 90mg 1일 1회 피하주사

6. 정맥혈전색전증 예방을 위해 와파린 (Warfarin)을 복용하고 있는 32세 여성 환자가 내원시 검사 결과 임신임을 알게되었다. 다음 중 정맥혈전색전증 예방을 위해 할 수 있는 적절한 조치는?

① 와파린 복용 유지
② 에독사반 (Edoxaban)으로 변경
③ 에녹사파린 (Enoxaparin)으로 변경
④ 아스피린 (Aspirin)으로 변경
⑤ 아가트로반 (Argatroban)으로 변경

6. 정맥혈전색전증

7. 헤파린을 투여받는 환자에서 헤파린 유도 혈소판 감소증 (HIT)가 발생하였다. 다음 중 이 환자에게 사용할 수 있는 약물이 아닌 것은?

① 레피루딘 (Lepirudin)
② 비발리루딘 (Bivalirudin)
③ 아가트로반 (Argatroban)
④ 와파린 (Warfarin)
⑤ 달테파린 (Dalteparin)

8. 65세 남성 (체중 60kg)이 무릎관절(슬관절) 골절로 입원하여 슬관절치환술을 시행받았다. 다음 중 수술 후 정맥혈전색전증 예방을 위해 리바록사반 (Rivaroxaban) 10mg 1일 1회 복용을 시작하였을 때, 치료 기간으로 가장 적절한 것은?

① 2주
② 5주
③ 3개월
④ 6개월
⑤ 평생

정답: 5. ① 6. ③ 7. ⑤ 8. ①

9. 65세 남성 (체중 60kg)이 고관절 골절로 입원하여 고관절치환술을 시행받았다. 다음 중 수술 후 정맥혈전색전증 예방을 위해 리바록사반 (Rivaroxaban) 10mg 1일 1회 복용을 시작하였을 때, 치료 기간으로 가장 적절한 것은?

① 2주
② 5주
③ 3개월
④ 6개월
⑤ 평생

[10-12]
10. 65세 남성 (체중 60kg)이 고관절 골절로 입원하여 고관절치환술을 시행받았다. 하루 전부터 갑자기 왼쪽 다리가 붓고 숨이 차는 증상을 주소로 내원하였다. 정맥혈전색전증으로 진단되어 리바록사반 (Rivaroxaban) 투여를 시작하였다. 최소 치료 기간으로 가장 적절한 것은?

① 2주
② 5주
③ 3개월
④ 6개월
⑤ 평생

11. 10번 환자의 정맥혈전색전증 치료 목적 리바록사반 (Rivaroxaban) 초기 첫 21일 (3주) 동안의 투여 용량으로 가장 적절한 것은?

① 리바록사반 (Rivaroxaban) 2.5mg 하루 2회
② 리바록사반 (Rivaroxaban) 10mg 하루 1회
③ 리바록사반 (Rivaroxaban) 15mg 하루 2회
④ 리바록사반 (Rivaroxaban) 20mg 하루 1회
⑤ 리바록사반 (Rivaroxaban) 10mg 하루 2회

12. 10번 환자의 정맥혈전색전증 치료 목적 리바록사반 (Rivaroxaban) 첫 21일 (3주) 이후 유지치료 (Maintenance treatment) 기간 동안의 투여 용량으로 가장 적절한 것은?

① 리바록사반 (Rivaroxaban) 2.5mg 하루 2회
② 리바록사반 (Rivaroxaban) 10mg 하루 1회
③ 리바록사반 (Rivaroxaban) 15mg 하루 2회
④ 리바록사반 (Rivaroxaban) 20mg 하루 1회
⑤ 리바록사반 (Rivaroxaban) 10mg 하루 2회

정답: 9. ② 10. ③ 11. ③ 12. ④

13. 65세 남성 (체중 60kg)이 고관절 골절로 입원하여 고관절치환술을 시행받았다. 다음 중 수술 후 정맥혈전색전증 예방을 위해 사용할 수 있는 항응고제로 가장 적절한 것은?

[병력] 항인지질증후군
(Antiphospholipid syndrome)
[검사 결과] CrCl = 25 ml/min

① 와파린 (Warfarin)
② 다비가트란 (Dabigatran)
③ 리바록사반 (Rivaroxaban)
④ 아픽사반 (Apixaban)
⑤ 에독사반 (Edoxaban)

정답: 13. ①

01 심혈관질환 7. 이상지질혈증

1. 75세 남자가 관상동맥질환 예방을 위해 복용할 약물로 적절한 것은?
[병력] 안정형 협심증
[투여약물]
아스피린 (Aspirin) 100mg 1일 1회
비소프롤롤 (Bisoprolol) 10mg 1일 1회
라미프릴 (Ramipril) 5mg 1일 2회
[검사 결과]
혈압 155/92 mmHg, 공복혈당 120mg/dL
AST 10 IU/L, ALT 8 IU/L
TC 230 mg/dL, LDL-C 170 mg/dL, HDL-C 30 mg/dL
10년 ASCVD 위험 7.0%

① 아토르바스타틴 (Atorvastatin) 40mg
② 프라바스타틴 (Pravastatin) 40mg
③ 로수바스타틴 (Rosuvastatin) 10mg
④ 심바스타틴 (Simvastatin) 40mg
⑤ 로바스타틴 (Lovastatin) 40mg

2. 76세 남자가 관상동맥질환 예방을 위해 복용할 약물로 적절한 것은?
[병력] 알레르기성비염
[투여약물]
레보세티리진 (Levocetirizine) 5mg 1일 1회
[검사 결과]
혈압 148/92 mmHg, 공복혈당 126 mg/dL
AST 10 IU/L, ALT 8 IU/L
TC 230 mg/dL, LDL-C 190 mg/dL,
10년 ASCVD 위험 6.8%, HDL-C 35 mg/dL

① 아토르바스타틴 (Atorvastatin) 20mg
② 프라바스타틴 (Pravastatin) 40mg
③ 로수바스타틴 (Rosuvastatin) 20mg
④ 심바스타틴 (Simvastatin) 40mg
⑤ 로바스타틴 (Lovastatin) 40mg

3. 40세 남자가 관상동맥질환 예방을 위해 복용 가능한 약물로 가장 적절한 것은? (2가지)
[병력] 당뇨
[투여약물]
메트포르민 500mg 1일 1회
리나글립틴 5mg 1일 1회
[검사 결과]
혈압 138/90 mmHg, 공복혈당 127mg/dL
AST 10 IU/L, ALT 8 IU/L
TC 230 mg/dL, LDL-C 71 mg/dL, HDL-C 30 mg/dL
10년 ASCVD 위험 20%

① 아토르바스타틴 (Atorvastatin) 40mg
② 프라바스타틴 (Pravastatin) 40mg
③ 로수바스타틴 (Rosuvastatin) 40mg
④ 심바스타틴 (Simvastatin) 40mg
⑤ 로바스타틴 (Lovastatin) 40mg

4. 75세 남자가 약물상호작용을 고려했을 때 관상동맥질환 예방을 위해 복용할 약물로 가장 적절한 것은?
[병력] 판막성 심방세동, 급성관상동맥증후군
[투여약물]
와파린 (Warfarin) 5mg 1일 1회
[검사 결과]
혈압 149/92 mmHg, 공복혈당 120mg/dL
AST 10 IU/L, ALT 8 IU/L
TC 230 mg/dL, LDL-C 170 mg/dL, HDL-C 30 mg/dL
10년 ASCVD 위험 7.0%

① 아토르바스타틴 (Atorvastatin) 40mg
② 프라바스타틴 (Pravastatin) 40mg
③ 로수바스타틴 (Rosuvastatin) 20mg
④ 심바스타틴 (Simvastatin) 40mg
⑤ 로바스타틴 (Lovastatin) 40mg

정답: 1. ① 2. ③ 3. ①,③ 4. ①

[5-6]
[병력] 조절되지 않는 심방세동, 고혈압, 대동맥류 (말초동맥질환)
[투여약물]
딜티아젬(Diltiazem) 60mg 1일 1회
디곡신 (Digoxin) 0.125mg 1일 1회
로사르탄 (Losartan) 25mg 1일 1회
퓨로세미드 (Furosemide) 40mg 1일 1회
아픽사반 (Apixaban) 5mg 1일 2회
[검사 결과]
혈압 149/92 mmHg, 공복혈당 120mg/dL
AST 10 IU/L, ALT 8 IU/L
TC 230 mg/dL, LDL-C 170 mg/dL, HDL-C 30 mg/dL
10년 ASCVD 위험 7.0%

5. 투여약물과의 상호작용을 고려했을 때, 75세 남자가 관상동맥질환 예방을 위해 복용할 약물로 가장 적절한 것은?

① 아토르바스타틴 (Atorvastatin) 40mg
② 프라바스타틴 (Pravastatin) 40mg
③ 로수바스타틴 (Rosuvastatin) 20mg
④ 심바스타틴 (Simvastatin) 40mg
⑤ 로바스타틴 (Lovastatin) 40mg

6. 이 환자가 관상동맥질환 예방을 위해 아토르바스타틴(Atorvastatin) 40mg으로 복용을 시작하였는데, 일주일 후 갑자기 발생한 근육통으로 내원하였다. 기타 감염이나 전해질 수치, 갑상선 기능 검사 등은 정상이었고, 진단 결과 스타틴 복용으로 인한 횡문근융해증으로 의심되었다.
다음 중 아토르바스타틴 (Atorvastatin)의 혈중 농도 상승에 원인을 주었을 가능성이 가장 높은 약물은?

① 딜티아젬 (Diltiazem)
② 디곡신 (Digoxin)
③ 로사르탄 (Losartan)
④ 퓨로세미드 (Furosemide)
⑤ 아픽사반 (Apixaban)

7. 76세 남자가 관상동맥질환 예방을 위해 복용할 약물로 적절한 것은?
[병력] 고혈압, 일과성허혈발작(TIA)
[투여약물]
아스피린 (Aspirin) 100mg 1일 1회
비소프롤롤 (Bisoprolol) 10mg 1일 1회
라미프릴 (Ramipril) 5mg 1일 2회
[검사 결과]
혈압 155/92 mmHg, 공복혈당 120mg/dL
AST 10 IU/L, ALT 8 IU/L
TC 230 mg/dL, LDL-C 170 mg/dL, HDL-C 30 mg/dL
10년 ASCVD 위험 7.0%

① 아토르바스타틴 (Atorvastatin) 40mg
② 프라바스타틴 (Pravastatin) 40mg
③ 로수바스타틴 (Rosuvastatin) 10mg
④ 심바스타틴 (Simvastatin) 40mg
⑤ 로바스타틴 (Lovastatin) 40mg

8. 7번 문제 환자의 2018 국내 이상지질혈증 치료지침에 따른 LDL-C 치료 목표치는?

① 70 mg/dL 미만
② 100 mg/dL 미만
③ 130 mg/dL 미만
④ 160 mg/dL 미만
⑤ 190 mg/dL 미만

정답: 5. ③ 6. ① 7. ① 8. ①

9. 75세 남자가 관상동맥질환 예방을 위해 복용할 약물로 적절한 것은?

[병력] 당뇨

[투여약물]

메트포르민 500mg 1일 1회

리나글립틴 5mg 1일 1회

[검사 결과]

혈압 138/90 mmHg, 공복혈당 127mg/dL

AST 10 IU/L, ALT 8 IU/L

TC 230 mg/dL, LDL-C 170 mg/dL, HDL-C 30 mg/dL

10년 ASCVD 위험 7.5%

① 프라바스타틴 (Pravastatin) 20mg
② 플루바스타틴 (Fluvastatin 20mg
③ 로바스타틴 (Lovastatin) 20mg
④ 심바스타틴 (Simvastatin) 10mg
⑤ 로수바스타틴 (Rosuvastatin) 5mg

10. 9번 문제 환자의 2018 국내 이상지질혈증 치료지침에 따른 LDL-C 치료 목표치는?

① 70 mg/dL 미만
② 100 mg/dL 미만
③ 130 mg/dL 미만
④ 160 mg/dL 미만
⑤ 190 mg/dL 미만

12. 40세 남자가 관상동맥질환 예방을 위해 복용할 약물로 적절한 것은?

[병력] 알레르기성비염

[투여약물]

레보세티리진 (levocetirizine) 5mg 1일 1회

[검사 결과]

혈압 138/85 mmHg, 공복혈당 120mg/dL

AST 10 IU/L, ALT 8 IU/L

TC 230 mg/dL, LDL-C 129 mg/dL, HDL-C 30 mg/dL

10년 ASCVD 위험 4.9%

① 아토르바스타틴 (Atorvastatin) 40mg
② 프라바스타틴 (Pravastatin) 40mg
③ 로수바스타틴 (Rosuvastatin) 40mg
④ 심바스타틴 (Simvastatin) 40mg
⑤ 주기적 모니터링 권고

정답: 9. ⑤ 10. ② 11. X 12. ⑤

7. 이상지질혈증

13. 이상지질혈증 환자가 Statin 제제를 시작하기 전 반드시 모니터링이 필요한 검사 항목은?

① 간기능 검사
② 신기능 검사
③ 갑상선 기능 검사
④ 크레아틴키나아제 (CK) 검사
⑤ 중성지방 검사

14. 이상지질혈증 병력을 가진 35세 여성 환자가 피임 목적으로 피임제를 복용중이다. 피임제 복용 시작 후 조절되지 않는 중성지방 수치로 약국에 왔다. 다음 중 환자에게 권해줄 수 있는 적절한 조치는?

① 에스트로겐 함유량이 적은 피임제로 변경
② 에스트로겐 함유량이 많은 피임제로 변경
③ 프로게스테론 함유량이 적은 피임제로 변경
④ 프로게스테론 함유량이 많은 피임제로 변경
⑤ 경구 피임제 중단 권고

15. 34세 남성이 급성전골수성백혈병(APL)을 진단받아 유지치료로 ATRA(all-trans retinoic acid), 6-MP, Methotrexate를 복용중이며, 기회감염 예방을 위해 Acyclovir, Sulfamethoxazole/trimethoprim를 복용 중이다. 그 외 특이 병력 없는 환자로, 최근 지질 패널 검사 결과는 다음과 같다.
TG 300 mg/dL LDL-C 140 mg/dL, HDL-C 35 mg/dL
다음 중 이 환자의 TG 수치에 영향을 주었을 가능성이 있는 가장 적절한 약물은?

① ATRA (All-trans retinoic acid)
② 6-머캅토퓨린 (6-mercaptopurine)
③ 메토트렉세이트 (Methotrexate)
④ 설파메톡사졸/트리메토프림 (SMX/TMP)
⑤ 아시클로버 (Acyclovir)

16. 심근경색, 당뇨, 고혈압, 만성콩팥병 병력을 가진 65세 여성이 내원하였다. 현재 Metformin, Valsartan, Carvedilol 및 Atorvastatin 40mg 하루 1회 복용중이며, 금일 검사 결과 CrCl = 25 ml/min 로 계산되었다. 다음 중 환자에게 적절한 조치는?

① Atorvastatin 복용 중단
② Atorvastatin 40mg 하루 1회 복용 유지
③ Atorvastatin 20mg 하루 1회로 용량 감량
④ Rosuvastatin 20mg 하루 1회로 약제 변경
⑤ Simvastatin 80mg 하루 1회로 약제 변경

정답: 13. ① 14. ① 15. ① 16. ③

17. 32세 이상지질혈증 병력이 있는 여성이 스타틴(Statin) 제제로 치료 받는 도중 임신 사실을 알게 되었다. 다음 중 이 환자에게 적절한 조치는?

① 스타틴(Statin) 치료 유지
② 콜레스티라민(Cholestyramine)으로 변경
③ 겜피브로질(Gemfibrozil)로 변경
④ 오메가-3 지방산으로 변경
⑤ PCSK-9 억제제로 변경

18. Statin 제제를 복용중인 이상지질혈증 환자가 갑자기 발생한 근육통으로 내원하였다. 기타 감염이나 전해질 수치, 갑상선 기능 검사 등은 정상이었고, 진단 결과 스타틴 복용으로 인한 횡문근융해증으로 의심되었다. 필요한 검사 항목은?

① 전혈구 검사
② 신기능 검사
③ 갑상선 기능 검사
④ 크레아틴키나아제 (CK) 검사
⑤ 중성지방 검사

19. 65세 불안정 협심증, 고지혈증 병력이 있는 남성이 있는 남성이 내원하였다. 검사 결과와 투여약물이 다음과 같을 때, 다음 중 심혈관질환 2차 예방을 위해 추가할 수 있는 가장 적절한 조치는?

[투여약물]
로수바스타틴 (Rosuvastatin) 40 mg 1일 1회
[검사 결과]
총 콜레스테롤 190 mg/dL HDL 30 mg/dL
LDL 70 mg/dL 중성지방 120 mg/dL

① 이제티미브 (Ezetimibe) 추가
② 니아신 (Niacin) 추가
③ 오메가3 (Omega 3 fatty acid) 추가
④ 코엔자임 Q10 (Coenzyme Q10) 추가
⑤ 콜레스티라민 (Cholestyramine) 추가

20. 뇌졸중 병력이 있는 65세 남성이 내원하였다. 스타틴 불내성이 있어 현재 고지혈증 치료를 위해 복용하고 있는 약제는 따로 없으며, 금일 검사 결과 LDL 180 mg/dL로 나타났을 때, 다음 중 환자에게 할 수 있는 가장 적절한 조치는?

① 알리로쿠맙 (Alirocumab)
② 로수바스타틴 (Rosuvastatin)
③ 이제티미브 (Ezetimibe)
④ 페노피브레이트 (Fenofibrate)
⑤ 3개월 후 추적관찰

정답: 17. ② 18. ④ 19. ① 20. ①

21. 50세 남성의 병력과 투여약물이 다음과 같을 때, 다음 중 이 환자에게 추가해야 할 약물로 가장 적절한 것은?
[병력] 뇌졸중 (3년 전 발생), 심방세동, 고혈압
[투여약물] 클로피도그렐 (Clopidogrel)
비소프롤롤 (Bisoprolol)
아픽사반 (Apixaban)
발사르탄 (Valsartan)
[검사 결과]
혈압 129/79 mmHg, 심박수 60회/분, 호흡수 20회/분 TC 200 mg/dL, LDL-C 80 mg/dL, HDL-C 60 mg/dL

① 아토르바스타틴 (Atorvastatin)
② 아스피린 (Aspirin)
③ 퓨로세미드 (Furosemide)
④ 딜티아젬 (Diltiazem)
⑤ 로바스타틴 (Lovastatin)

22. 32세 여성이 한 달 전부터 심해지는 피로를 주소로 내원하였다. 수년 전부터 갑상선기능저하증으로 진단받고 레보티록신 (Levothyroxine)을 복용하고 있었다. 두 달 전에 이상지질혈증으로 진단받고 다른 병원에서 약을 처방받아 복용하고 있다고 하였다. 검사 결과가 다음과 같을 때, 추가로 처방되었던 것으로 추정되는 이상지질혈증 치료 약제로 가장 적절한 것은?

[검사 결과]
TSH 4 mIU/L (상승) Free T4 1.3 ng/dL (정상)

① 심바스타틴 (Simvastatin)
② 이제티미브 (Ezetimibe)
③ 알리로쿠맙 (Alirocumab)
④ 페노피브레이트 (Fenofibrate)
⑤ 콜레스티라민 (Cholestyramine)

23. 50세 남성이 금일 병원에 내원하여 검사한 결과가 다음과 같을 때, 다음 중 가장 적절한 조치는?
[병력] 안정형 협심증
[투여약물]
아스피린 (Aspirin) 100mg 1일 1회
비소프롤롤 (Bisoprolol) 10mg 1일 1회
라미프릴 (Ramipril) 5mg 1일 2회
아토르바스타틴 (Atorvastatin) 40mg 1일 1회
[검사 결과]
혈압 155/92 mmHg, 공복혈당 120mg/dL
AST 100 IU/L, ALT 100 IU/L
TC 230 mg/dL, LDL-C 170 mg/dL, HDL-C 30 mg/dL
10년 ASCVD 위험 7.0%

① 아토르바스타틴 일시 중단
② 아토르바스타틴 중단
③ 스타틴을 페노피브레이트로 변경
④ 현재 요법 유지
⑤ 로수바스타틴 10mg로 변경

24. 이상지질혈증 환자가 페노피브레이트 (Fenofibrate) 투약 전 및 투약 3개월 후 모니터링을 권고하는 검사로 적절한 것은?

① 간기능 검사
② 신기능 검사
③ 갑상선 기능 검사
④ 크레아틴키나아제 (CK) 검사
⑤ 중성지방 검사

정답: 21. ① 22. ⑤ 23. ④ 24. ②

25. 50세 남성이 금일 병원에 내원하여 검사한 결과가 다음과 같을 때, 다음 중 가장 적절한 조치는?

[병력] 안정형 협심증

[투여약물]

아스피린 (Aspirin) 100mg 1일 1회
비소프롤롤 (Bisoprolol) 10mg 1일 1회
라미프릴 (Ramipril) 5mg 1일 2회
아토르바스타틴 (Atorvastatin) 20mg 1일 1회

[검사 결과]

혈압 155/92 mmHg, 공복혈당 120mg/dL
TC 230 mg/dL, LDL-C 75 mg/dL, HDL-C 30 mg/dL
10년 ASCVD 위험 7.0%

① 현재 요법 유지
② 아토르바스타틴 40mg 1일 1회로 증량
③ 로수바스타틴 10mg 1일 1회로 변경
④ 이제티미브 (Ezetimibe) 추가
⑤ 알리로쿠맙 (Alirocumab) 추가

26. 65세 남성이 병원에 내원하여 지질 검사를 하였다. 금일 콜레스테롤 수치 검사 결과 250 mg/dL로 높게 나와 콜레스티라민 (Cholestyramine)을 추가하려 한다. 다음 중 이 약제를 추가했을 때, 약물의 흡수에 영향을 받는 약제가 아닌 것은?

[병력] 뇌전증, 갑상선기능저하증, 심부전, 정맥혈전색전증

① 디곡신 (Digoxin)
② 와파린 (Warfarin)
③ 레보티록신 (Levothyroxine)
④ 페노바비탈 (Phenobarbital)
⑤ 비타민 B6 (Vitamin B6)

27. 32세 남성이 HIV 진단을 받아 단백질 분해효소 억제제 (Protease Inhibitor)를 포함한 치료를 시작하려 한다. 의사가 약물상호작용을 고려하여 적절한 스타틴 추천을 요청했을 때, 다음 중 CYP450 대사에 영향을 받지 않는 스타틴으로 가장 적절한 것은?

① 아토르바스타틴 (Atorvastatin)
② 심바스타틴 (Simvastatin)
③ 로바스타틴 (Lovastatin)
④ 로수바스타틴 (Rosuvastatin)
⑤ 프라바스타틴 (Pravastatin)

28. 32세 여성이 금일 병원에 내원하여 검사한 결과가 다음과 같을 때, 다음 중 환자의 LDL 수치를 높이게 된 원인 약제로 가장 적절한 것은? (2가지)

[병력] 심방세동, 신장이식
[검사 결과] LDL-C 170 mg/dL

① 아미오다론 (Amiodarone)
② 사이클로스포린 (Cyclosporine)
③ 프로프라놀롤 (Propranolol)
④ 시롤리무스 (Sirolimus)
⑤ 에스트로겐 포함 경구피임제

정답: 25. ② 26. ⑤ 27. ⑤ 28. ①,②

02 내분비/신장 질환 근골격/비뇨기 질환

02 내분비질환 8. 당뇨병

1. 32세 남성이 2형 당뇨병으로 진단되었다. 다음 중 대한당뇨병학회(KDA) 2021년 기준 환자의 혈당 조절 목표로 가장 적절한 것은?

① 당화혈색소 6.0% 미만
② 당화혈색소 6.5% 미만
③ 당화혈색소 7.0% 미만
④ 당화혈색소 7.5% 미만
⑤ 당화혈색소 8.0% 미만

2. 32세 남성이 1형 당뇨병으로 진단되었다. 다음 중 대한당뇨병학회(KDA) 2021년 기준 환자의 혈당 조절 목표로 가장 적절한 것은?

① 당화혈색소 6.0% 미만
② 당화혈색소 6.5% 미만
③ 당화혈색소 7.0% 미만
④ 당화혈색소 7.5% 미만
⑤ 당화혈색소 8.0% 미만

3. 14세 소아가 2형 당뇨병으로 진단되었다. 다음 중 대한당뇨병학회(KDA) 2021년 기준 환자의 혈당 조절 목표로 가장 적절한 것은?

① 당화혈색소 6.0% 미만
② 당화혈색소 6.5% 미만
③ 당화혈색소 7.0% 미만
④ 당화혈색소 7.5% 미만
⑤ 당화혈색소 8.0% 미만

4. 65세 노인 남성이 2형 당뇨병으로 진단되었다. 다음 중 대한당뇨병학회(KDA) 2021년 기준 일상생활 장애가 없는 일반적인 노인 환자의 혈당 조절 목표로 가장 적절한 것은?

① 당화혈색소 6.0% 미만
② 당화혈색소 6.5% 미만
③ 당화혈색소 7.0% 미만
④ 당화혈색소 7.5% 미만
⑤ 당화혈색소 8.0% 미만

정답: 1. ② 2. ③ 3. ③ 4. ④

5. 80세 노인 남성이 2형 당뇨병으로 진단되었다. 다음 중 대한당뇨병학회(KDA) 2021년 기준 중증도 치매, 일상생활 장애가 있고 요양시설 거주 중인 환자의 혈당 조절 목표로 가장 적절한 것은?

① 당화혈색소 6.0% 미만
② 당화혈색소 6.5% 미만
③ 당화혈색소 7.0% 미만
④ 당화혈색소 7.5% 미만
⑤ 당화혈색소 8.0% 미만

6. 65세 당뇨 병력이 있는 사람이 3주 전부터 시작된 좌위호흡, 운동시 호흡곤란, 하지 부종, 체중증가를 주소로 내원하였다. 3개월 전 심장 검사 결과는 정상이었다고 한다. 다음 중 환자의 증상을 나타나게 한 의심 약물로 가장 적절한 것은?

① 메트포르민 (Metformin)
② 리나글립틴 (Linagliptin)
③ 엠파글리플로진 (Empagliflozin)
④ 피오글리타존 (Pioglitazone)
⑤ 글리메피리드 (Glimepiride)

7. 32세 남성이 내원하여 당화혈색소(HbA1c) 검사 결과 7.0%로 측정되었다. 환자가 약물 복용에 대해 거부감이 있어 식이요법 및 운동요법을 권고하였다. 3개월 후 HbA1c 검사 결과 6.9%로 나왔을 때, 다음 중 환자에게 시작할 수 있는 가장 적절한 약물은?

① 메트포르민 (Metformin)
② 글리메피리드 (Glimepiride)
③ 제미글립틴 (Gemigliptin)
④ 다파글리플로진 (Dapagliflozin)
⑤ 피오글리타존 (Pioglitazone)

8. 65세 남성이 3일 전부터 시작된 구토, 설사, 복통을 주소로 내원하였다. 그는 당뇨로 진단받아 약물로 조절 중이였으며 금일 검사 결과가 다음과 같아 정상 혈당인 당뇨병성 케톤병증(Euglycemic Diabetic Ketoacidosis)으로 진단되었다 다음 중 원인으로 가장 적절한 약물은?

[검사 결과]
혈액: pH 7.25 HCO3- 15 mEq/L 혈당 150 mg/dL
소변: 단백질(-) 포도당 (3+) 케톤 (3+)

① 엠파글리플로진 (Empagliflozin)
② 리나글립틴 (Linagliptin)
③ 피오글리타존 (Pioglitazone)
④ 아카르보스 (Acarbose)
⑤ 인슐린 디티머 (Insulin detemir)

정답: 5. ⑤ 6. ④ 7. ① 8. ①

9. 65세 당뇨 병력이 있는 남성이 약물치료중이다. 다음 환자가 사용하고 있는 약제 중 동맥경화심혈관질환(ASCVD)에 대한 이득이 없는 약제는?

① 메트포르민 (Metformin)
② 피오글리타존 (Pioglitazone)
③ 글리메피리드 (Glimepiride)
④ 엠파글리플로진 (Empagliflozin)
⑤ 리라글루타이드 (Liraglutide)

10. 32세 남성이 최근 어지러움과 손에 땀이나고 떨리는 증상이 종종 발생하여 병원에 내원하였다. 2형 당뇨병으로 진단받아 메트포르민(Metformin), 글리메피리드(Glimepiride)를 복용 중이며, 외근이 많아 식사시간이 불규칙하다고 하였다. 불규칙한 식사시간 개선이 어렵고 금일 검사결과가 다음과 같을 때, 다음 중 환자에게 필요한 가장 적절한 조치는?

[검사 결과]
HbA1c 6.4 %

① 글리메피리드 용량 감량
② 글리메피리드를 리나글립틴으로 변경
③ 글리메피리드를 레파글리나이드 (Repaglinide)로 변경
④ 메트포르민 용량 감량
⑤ 치료 유지 후 3개월 후 추적검사

11. 65세 남성의 병력과 투여약물이 다음과 같을 때, 다음 중 위장장애 감소 및 방지를 위해 식사직후 혹은 식사와 함께 복용하면 좋은 약물은? (2가지)

[병력] 당뇨병, 골다공증, 갑상선기능저하증, 알츠하이머병
[투여약물] 레파글리니드 (Repaglinide)
메트포르민 (Metformin)
알렌드로네이트 (Alendronate)
레보티록신 (Levothyroxine)
리바스티그민 (Rivastigmine)

① 레파글리니드 (Repaglinide)
② 메트포르민 (Metformin)
③ 알렌드로네이트 (Alendronate)
④ 레보티록신 (Levothyroxine)
⑤ 리바스티그민 (Rivastigmine)

12. 32세 남성이 오심, 구토, 전신무력감, 복부팽만, 호흡이 빨라지는 증상을 주소로 내원하였다. 병력과 검사 결과가 다음과 같을 때 증상의 원인이 되는 약제로 가장 적절한 것은?

[병력] 2형 당뇨병
[검사 결과]
혈액: pH 7.25 HCO_3^- 15 mEq/L
젖산 (Lactate) 4.5 mmol/L

① 메트포르민 (Metformin)
② 피오글리타존 (Pioglitazone)
③ 글리메피리드 (Glimepiride)
④ 다파글리플로진 (Dapagliflozin)
⑤ 리나글립틴 (Linagliptin)

정답: 9. ③ 10. ② 11. ②,⑤ 12. ①

13. 두 차례 낙상 이력이 있는 65세 남성이 병원에 내원하였다. 병력과 투여약물, 검사 결과가 다음과 같을 때, 다음 중 환자에게 가장 적절한 조치는?

[병력] 제 2형 당뇨병, 관상동맥질환, 이상지질혈증, 고혈압, 만성췌장염
[투여약물]
메트포르민 (Metformin)
아스피린 (Aspirin)
클로피도그렐 (Clopidogrel)
로수바스타틴 (Rosuvastatin)
비소프롤롤 (Bisoprolol)
발사르탄 (Valsartan)
[검사 결과]
HbA1c 8.5 %

① 메트포르민 (Metformin) 용량 증량
② 글리부라이드 (Glyburide) 추가
③ 엠파글리플로진 (Empagliflozin) 추가
④ 리라글루타이드 (Liraglutide) 추가
⑤ 리나글립틴 (Linagliptin) 추가

14. 50세 여성이 3달 전에 2형 당뇨병 진단을 받았다. 검사 결과가 다음과 같을 때, 다음 중 환자에게 가장 적절한 조치는?

[병력] 제 2형 당뇨병, 고혈압, 이상지질혈증, 관상동맥질환, 칸디다질염
[투여약물] 메트포르민 (Metformin) 1000mg 하루 2회
[활력징후 및 검사 결과]
BMI 30 kg/m^2
HbA1c 8.6 % (오늘)
HbA1c 9.0 % (3개월 전)

① 리라글루타이드 (Liraglutide) 추가
② 글리메피리드 (Glimepiride) 추가
③ 인슐린 (Insulin) 추가
④ 다파글리플로진 (Dapagliflozin) 추가
⑤ 피오글리타존 (Pioglitazone) 추가

15. 50세 남성이 손끝과 발끝이 저리는 증상을 주소로 내원하였다. 어지러움과 기운없음을 호소했고, 결막은 창백했다. 검사 결과가 다음과 같을 때, 다음 중 환자에게 모니터링이 필요한 검사 항목은?

[병력] 제 2형 당뇨병
[투여약물] 메트포르민 (Metformin)
[검사 결과] Hb 10 g/dL, MCV (평균적혈구용적) 120 fL (정상치, 80~94)

① 엽산 (Folic acid)
② 비타민 B6 (Pyridoxine)
③ 비타민 B12 (Cobalamin)
④ 젖산 (Lactic acid) 수치
⑤ 철분 수치

16. 65세 제 2형 당뇨병 병력이 있는 여성이 집에서 가벼운 낙상 사고가 발생한 후 넙다리뼈 골절이 발생하였다. 다음 중 환자에게 골절을 일으키게 한 의심 약물로 가장 적절한 것은?

① 메트포르민 (Metformin)
② 리나글립틴 (Linagliptin)
③ 아카보오스 (Acarbose)
④ 피오글리타존 (Pioglitazone)
⑤ 글리메피리드 (Glimepiride)

정답: 13. ③ 14. ① 15. ③ 16. ④

17. 65세 남성이 혈뇨를 주소로 내원하였다. 배뇨통이나 허리 통증은 부인하였다. 특이사항으로 지난 6개월 간 체중이 6kg 감소하였다 하였으며, 50년 간 흡연력이 있었다. 검사 결과가 다음과 같을 때, 다음 중 가장 적절한 조치는?

[병력] 제 2형 당뇨병
[투여약물] 피오글리타존 (Pioglitazone)
인슐린 글라진 (Insulin Glargine)
[검사 결과] HbA1c 7.4 %

① 인슐린 글라진 (Glargine)을 디티머 (Detemir)로 변경
② 인슐린 글라진 (Glargine)을 아스파트 (Aspart)로 변경
③ 피오글리타존 (Pioglitazone)을 다른 약제로 변경
④ 글리메피리드 (Glimepiride) 추가
⑤ 현재 요법 유지

18. 50세 남성이 다음, 다갈, 다뇨 증상을 주소로 내원하였다. 이전에 제 2형 당뇨병으로 진단받은 이력이 있었으며, 약물치료는 하지 않았었다. 금일 검사 결과가 다음과 같을 때, 가장 적절한 약물(요법)은?

[검사 결과] HbA1c 9.1 %,
혈당 200 mg/dL

① 메트포르민 (Metformin)
② 엠파글리플로진 (Empagliflozin)
③ 제미글립틴 (Gemigliptin)
④ 메트포르민 (Metformin) + 리나글립틴 (Linagliptin)
⑤ 인슐린 (Insulin) 포함 치료

19. 32세 비만인 여성이 조절되지 않는 제 2형 당뇨병을 주소로 내원하였다. 현재 메트포르민 (Metformin), 엠파글리플로진, 글리메피리드 (Glimepiride)을 복용 중이며. 주사에 대한 거부감이 있을 때, 다음 GLP-1 (Glucagon-like peptide-1) 수용체 작용제 중 경구제제로 추가할 수 있는 것으로 가장 적절한 것은?

① 세마글루티드 (Semaglutide)
② 릭시세나티드 (Lixisenatide)
③ 리라글루티드 (Liraglutide)
④ 둘라글루티드 (Dulaglutide)
⑤ 익세나티드 (Exenatide)

20. 32세 여성이 제 2형 당뇨병으로 진단받아 약물치료를 시작하였다. 2개월 후 내원 시 전보다 체중이 증가하였고, 약을 투여하고 나서부터 체중이 늘어난 것 같다고 해서 임의로 중단한 적이 많다고 하였다. 다음 중 환자가 투여했을 약물로 추정되는 것으로 적절하지 않은 것은?

① 글리피지드 (Glipizide)
② 글리벤클라미드 (Glibenclamide)
③ 피오글리타존 (Pioglitazone)
④ 인슐린 (Insulin)
⑤ 리라글루티드 (Liraglutide)

정답: 17. ③ 18. ⑤ 19. ① 20. ⑤

21. 2형 당뇨병 이력이 있는 75세 남성이 병원에 내원하였다. 혈당 기록지를 지참하였고, 때때로 오전에 일어나서 혈당을 측정했을 때, 50 mg/dL처럼 낮은 수치를 보이기도 하였다. 검사 결과가 다음과 같을 때, 다음 중 환자에게 필요한 적절한 조치는?

[투여약물] 메트포르민 (Metformin)
글리부리드 (Glyburide)
엠파글리플로진 (Empagliflozin)
둘라글루티드 (Dulaglutide)
[검사 결과] HbA1c 7.4 % (2개월 전)

① 현재 요법 유지
② 엠파글리플로진 중단
③ 둘라글루티드 중단
④ 글리부리드 중단
⑤ 메트포르민 중단

22. 65세 남성이 3주 전부터 시작된 팔다리가 찌르는 듯 하고 저리고 쥐나는 등의 통증을 주소로 내원하였다. 기존2형 당뇨병의 병력이 있었으며, 당뇨병성 신경병증으로 진단받았을 때, 다음 중 환자의 증상 완화를 위해 필요한 적절한 조치는?

[병력] 고혈압

① 프레가발린 (Pregabalin)
② 아미트립틸린 (Amitriptyline)
③ 둘록세틴 (Duloxetine)
④ 트라마돌 (Tramadol)
⑤ 나프록센 (Naproxen)

23. 65세 남성이 3주 전부터 시작된 팔다리가 찌르는 듯 하고 저리고 쥐나는 등의 통증을 주소로 내원하였다. 기존2형 당뇨병의 병력이 있었으며, 당뇨병성 신경병증으로 진단받았을 때, 다음 중 환자의 증상 완화를 위해 필요한 적절한 조치는?

[병력] 골관절염

① 프레가발린 (Pregabalin)
② 아미트립틸린 (Amitriptyline)
③ 둘록세틴 (Duloxetine)
④ 트라마돌 (Tramadol)
⑤ 나프록센 (Naproxen)

24. 40세 남성이 3주 전부터 시작된 팔다리가 찌르는 듯 하고 저리고 쥐나는 등의 통증을 주소로 내원하였다. 기존2형 당뇨병의 병력이 있었으며, 당뇨병성 신경병증으로 진단받았을 때, 다음 중 환자의 증상 완화를 위해 필요한 적절한 조치는?

[병력] 불면증

① 프레가발린 (Pregabalin)
② 아미트립틸린 (Amitriptyline)
③ 둘록세틴 (Duloxetine)
④ 트라마돌 (Tramadol)
⑤ 나프록센 (Naproxen)

정답: 21. ④ 22. ① 23. ③ 24. ②

25. 최근 입원중 슬라이딩 스케일 요법으로 인슐린 치료를 받은 50세 당뇨병 이력이 있는 남성이 내원하였다. 외래 치료 요법으로 혼합형 인슐린 투여로 전환하려고 할 때, 다음 중 적절한 요법은?

① 총 용량의 1/2 오전 투여. NPH 75% + Regular 25%
② 총 용량의 1/2 오전 투여. NPH 25% + Regular 75%
③ 총 용량의 2/3 오전 투여. NPH 75% + Regular 25%
④ 총 용량의 2/3 오전 투여. NPH 25% + Regular 75%
⑤ 총 용량의 1/3 오전 투여. NPH 75% + Regular 25%

26. 32세 여성이 정기 검진 차 내원하였다. 금일 검사 결과가 다음과 같을 때, 가장 적절한 약물(요법)은?

[병력] 제 2형 당뇨병
[투여약물] 메트포르민 (Metformin)
[검사 결과] HbA1c 7.5 %, 혈당 200 mg/dL
뇨중 hCG (+) → 임신

① 엠파글리플로진 (Empagliflozin)으로 변경
② 제미글립틴 (Gemigliptin)으로 변경
③ 글리메피리드 (Glimepiride)으로 변경
④ 리나글립틴 (Linagliptin) 추가
⑤ 인슐린 (Insulin) 으로 변경

27. 제 2형 당뇨병으로 피오글리타존 (Pioglitazone) 치료를 계획중인 환자에서 치료 시작 전 모니터링이 필요한 검사항목으로 가장 적절한 것은?

① 신기능 검사
② 간기능 검사
③ 갑상선기능 검사
④ 시력/시야 검사
⑤ 폐기능 검사

28. 32세 남성이 2형 당뇨병으로 진단되었다. 자가혈당측정 시 혈당 조절 목표로 가장 적절한 것은?

① 공복 혈당 80-130 mg/dL, 식후2시간 혈당 180 mg/dL
② 공복 혈당 95 mg/dL, 식후2시간 혈당 120 mg/dL
③ 공복 혈당 100-125 mg/dL, 식후2시간 혈당 140-199 mg/dL
④ 공복 혈당 126 mg/dL, 식후2시간 혈당 200 mg/dL
⑤ 공복 혈당 95 mg/dL, 식후2시간 혈당 155 mg/dL

정답: 25. ③ 26. ⑤ 27. ② 28. ①

29. 50세 2형 당뇨 병력이 있는 남성이 내원하였다. Metformin 1000mg 하루 1회 복용중이며 검사 결과는 아래와 같을 때, 적절한 조치는?

[검사 결과]
혈당 190 mg/dL, HbA1c 6.9 %
SCr 1.8 mg/dL (1년 전 SCr 1.2 mg/dL),
eGFR = 24 mL/min/1.73m^2

① 글리메피리드 (Glimepiride) 추가
② 메트포르민 (Metformin) 중단 후 경구용 혈당강하제 추가
③ 메트포르민 (Metformin) 감량
④ 다파글리플로진 (Dapagliflozin) 추가
⑤ 아카보오스 (Acarbose) 추가

30. 다음 중 당뇨병에 대한 설명으로 적절하지 않은 것은?

① 급성심근경색증, 뇌졸중, 급성질환, 수술 시에는 혈당 조절 요법으로 인슐린 요법을 사용한다.
② 요오드조영제를 정맥으로 투여시 정상신기능 환자에서는 메트포르민 (Metformin) 중단이 필요 없다.
③ SGLT-2 inhibitor가 ESRD와 투석환자에서 금기인 이유는 유효성을 기대할 수 없기 때문이다.
④ SGLT-2 inhibitor는 DKA 발생 위험을 피하기 위해서 수술 전 투약 중지가 필요하다.
⑤ Saxagliptin은 심부전으로 인한 입원률을 감소시킬 수 있다.

31. 다음 중 당뇨병에 대한 설명으로 적절하지 않은 것은?

① 표적장기 손상(알부민뇨, 망막병증), 심혈관질환 위험인자를 가지고 있는 경우 LDL-C 70 mg/dL 미만으로 조절한다.
② 당뇨병성망막증 중 황반부종이 발생한 경우 Aflibercept, Ranivizumab 치료 또는 Dexamethasone 유리체주입술을 시행한다.
③ 당뇨병성 신경병증 조절을 위해 알파리포산 또는 감마리놀렌산을 사용할 수 있다.
④ 당뇨병 임신부에서 자간전증 예방을 위해 임신 12-16주부터 아스피린 (Aspirin) 100mg 복용을 권고한다.
⑤ 당뇨병 환자는 매년 폐렴사슬알균 백신 접종을 고려한다.

정답: 29. ② 30. ⑤ 31. ⑤

02 내분비질환 9,10. 갑상샘질환

1. 65세 심방세동으로 동율동 유지 목적으로 Amiodarone을 복용중인 남성이 더위에 민감하고 땀을 많이 흘리는 증상, 피로감, 전신 쇠약, 체중감소를 주소로 내원하였다. 다음 중 환자에게 필요한 적절한 약물은?

① 프로프라놀롤 (Propranolol)
② 레보티록신 (Levothyroxine)
③ 메티마졸 (Methimazole)
④ 루골 용액 (Lugol solution)
⑤ 당질 코르티코이드

2. 1번 환자의 두근거림 등 초기 갑상선항진증 증상을 빠르게 완화하기 위해 투여할 수 있는 약물로 가장 적절한 것은?

① 프로프라놀롤 (Propranolol)
② 레보티록신 (Levothyroxine)
③ 메티마졸 (Methimazole)
④ 루골 용액 (Lugol solution)
⑤ 당질 코르티코이드

3. 갑상선기능항진증 치료 중 메티마졸 (Methimazole)을 투여받는 환자에서 약물 용량 변경 시 T4의 반감기를 고려했을 때 권고되는 최소 모니터링 간격 주기로 적절한 것은?

① 1주
② 3주
③ 1개월
④ 3개월
⑤ 6개월

4. 32세 여성이 하루 전부터 시작된 고열과 인후염 증상을 주소로 응급실로 내원하였다. 병력과 투여약물이 다음과 같을 때, 현재 환자에게 최우선적으로 필요한 검사 항목으로 적절한 것은?

[병력] 갑상선기능항진증
[투여약물] 프로필티오우라실 (PTU)

① 신기능 검사
② 간기능 검사
③ 전혈구 검사
④ 갑상선 기능 검사
⑤ 전해질 검사

정답: 1. ③ 2. ① 3. ③ 4. ③

5. 32세 그레이브스병 병력이 있는 여성이 반복되는 울렁거림, 구토증상을 주소로 내원하였다. 현재 메티마졸 (Methimazole)을 복용중이며 검사 결과, 임신 4주로 진단되었을 때, 다음 중 환자에게 가장 적절한 조치는?

① 프로필티오우라실 (PTU)로 변경
② 메티마졸 용량 증량
③ 메티마졸 용량 유지
④ 메티마졸 용량 감량
⑤ 레보티록신 (Levothyroxine) 추가

6. 카포시 육종 (Kaposi's sarcoma) 병력이 있는 65세 남성이 더위에 민감하고 땀을 많이 흘리는 증상, 피로감, 전신 쇠약, 체중감소를 주소로 내원하였다. 작년에 인터페론-알파 (Interferon-alpha)로 치료 받은 이력이 있었다. 다음 중 환자에게 필요한 가장 적절한 약물은?

① 메티마졸 (Methimazole)
② 레보티록신 (Levothyroxine)
③ 황산제일철 (Ferrous Sulfate)
④ 프로필티오우라실 (Propylthiouracil)
⑤ 메게스트롤 아세테이트 (Megestrol acetate)

7. 50세 여성이 한 달 전부터 심해지는 피로를 주소로 내원하였다. 수년 전부터 하시모토 갑상선염으로 레보티록신 100mcg/일을 복용하고 있었으며 갑상선자극호르몬 (TSH)는 1.2-2.5 mIU/L로 조절되고 있었다. 3개월 전부터 골다공증 예방 목적으로 칼슘과 비타민D를 복용하고 있었으며 기타 특이사항은 없었다. 금일 검사 결과가 다음과 같을 때, 환자의 TSH 수치를 높이게 된 원인으로 가장 적절한 것은?

[검사 결과]
TSH 10 mIU/L

① 하시모토 갑상선염 증세의 악화
② 레보티록신 장기 복용으로 인한 내성 발현
③ 최근 늘어난 식품으로의 요오드 섭취량 증가
④ 레보티록신과 비타민D를 동시 복용
⑤ 레보티록신과 칼슘을 동시 복용

[8-9]
8. 32세 여성이 한 달 전부터 심해지는 피로를 주소로 내원하였다. 수년 전부터 갑상선기능저하증으로 진단받고 레보티록신 (Levothyroxine)을 복용하고 있었다. 현재 임신 8주째였고, 검사 결과가 다음과 같을 때 환자에게 필요한 가장 적절한 조치는?

[검사 결과]
TSH 4 mIU/L (상승) Free T4 1.3 ng/dL (정상)

① 레보티록신 중단
② 리오티로닌 (Liothyronine) 추가
③ 레보티록신 용량 감량
④ 레보티록신 용량 증량
⑤ 레보티록신 용량 유지

정답: 5. ① 6. ① 7. ⑤ 8. ④

9. 8번 문제 환자가 우울증으로 진단받아 약물치료가 필요하여 Nortriptyline (노르트립틸린) 치료를 시작했다. 약물역학적 상호작용을 고려할 때, 환자에게 필요할 것으로 생각되는 가장 적절한 조치는?

① 레보티록신 중단
② 리오티로닌 (Liothyronine) 추가
③ 레보티록신 용량 감량
④ 레보티록신 용량 증량
⑤ 레보티록신 용량 유지

10. 일차성 갑상선기능저하증 치료 중 레보티록신(Levothyroxine)을 투여받는 환자에서 치료 효과 모니터링을 하기 위해 필요한 검사항목은?

① TRH (Thyrotropin-Releasing Hormone)
② TSH (갑상선 자극 호르몬)
③ 혈청 유리 T4 (갑상선호르몬) 농도
④ 혈청 총 T4 (갑상선호르몬) 농도
⑤ 혈청 총 T3 (갑상선호르몬) 농도

11. 65세 남성의 병력과 투여약물이 다음과 같을 때, 다음 중 음식물로 인한 생체이용률 감소 방지를 위해 공복 시 복용해야 하는 약물은? (2가지)

[병력] 당뇨병, 골다공증, 갑상선기능저하증, 알츠하이머병
[투여약물] 레파글리니드 (Repaglinide)
메트포르민 (Metformin)
알렌드로네이트 (Alendronate)
레보티록신 (Levothyroxine)
리바스티그민 (Rivastigmine)

① 레파글리니드 (Repaglinide)
② 메트포르민 (Metformin)
③ 알렌드로네이트 (Alendronate)
④ 레보티록신 (Levothyroxine)
⑤ 리바스티그민 (Rivastigmine)

12. 32세 여성이 갑상선기능저하증으로 진단 받아 레보티록신 1일 1회 50 mcg 용량으로 시작하였다. 5주 뒤 내원 시 증상은 조금 개선되었고, 검사 결과는 다음과 같을 때 다음 중 환자에게 가장 적절한 조치는?

[검사 결과]
TSH 13 mIU/L (치료 시작 전 (5주 전))
TSH 10 mIU/L (오늘)

① 현재 용량 유지 및 6주 뒤 TSH 재평가
② 리오티로닌 (Liothyronine) 추가
③ 레보티록신 하루 75mcg으로 증량
④ 레보티록신 하루 100mcg으로 증량
⑤ 레보티록신 하루 25mcg으로 감량

정답: 9. ③ 10. ② 11. ③,④ 12. ③

13. 35세 여성이 5년 전 갑상선기능저하증으로 진단 받아 레보티록신 1일 1회 50 mcg 용량으로 유지중이다. 검사 결과는 다음과 같았고, 특이사항으로 5주 전부터 피임을 위해 복합경구피임약을 복용을 시작하였다고 하였다. 다음 중 환자에게 가장 적절한 조치는?

[검사 결과]
TSH 6 mIU/L (3개월 전)
TSH 10 mIU/L (오늘)

① 현재 용량 유지 및 6주 뒤 TSH 재평가
② 리오티로닌 (Liothyronine) 추가
③ 레보티록신 하루 75mcg으로 증량
④ 레보티록신 하루 125mcg으로 증량
⑤ 레보티록신 하루 25 mcg으로 감량

14. 32세 여성이 갑상선기능저하증으로 진단 받아 레보티록신 1일 1회 50 mcg 용량으로 시작하였다. 3주 뒤 내원 시 증상은 조금 개선되었고, 검사 결과는 다음과 같을 때 다음 중 환자에게 가장 적절한 조치는?

[검사 결과]
TSH 13 mIU/L (치료 시작 전 (5주 전))
TSH 10 mIU/L (오늘)

① 현재 용량 유지 및 2-3주 뒤 TSH 재평가
② 리오티로닌 (Liothyronine) 추가
③ 레보티록신 하루 75mcg으로 증량
④ 레보티록신 하루 100mcg으로 증량
⑤ 레보티록신 하루 125 mcg으로 감량

15. 32세 남성이 갑상선기능저하증으로 진단 받아 치료를 시작하고자 한다. 기타 병력은 없을 때, 다음 중 초기 시작 용량으로 가장 적절한 것은?

① 레보티록신 25 mcg 1일 1회
② 레보티록신 50 mcg 1일 1회
③ 레보티록신 100 mcg 1일 1회
④ 리오티로닌 25 mcg 1일 1회
⑤ 리오티로닌 50 mcg 1일 1회

16. 70세 여성이 갑상선기능저하증으로 진단 받아 치료를 시작하고자 한다. 기타 병력은 없을 때, 다음 중 초기 시작 용량으로 가장 적절한 것은?

① 레보티록신 25 mcg 1일 1회
② 레보티록신 50 mcg 1일 1회
③ 레보티록신 100 mcg 1일 1회
④ 리오티로닌 25 mcg 1일 1회
⑤ 리오티로닌 50 mcg 1일 1회

정답: 13. ③ 14. ① 15. ② 16. ①

17. 32세 남성이 갑상선기능저하증으로 진단 받아 치료를 시작하고자 한다. 병력과 투여약물이 다음과 같을 때, 다음 중 초기 시작 용량으로 가장 적절한 것은?

[병력] 급성관상동맥증후군
[투여약물] 아스피린, 클로피도그렐, 아토르바스타틴

① 레보티록신 25 mcg 1일 1회
② 레보티록신 50 mcg 1일 1회
③ 레보티록신 100 mcg 1일 1회
④ 리오티로닌 25 mcg 1일 1회
⑤ 리오티로닌 50 mcg 1일 1회

정답: 17. ①

11. 골다공증

1. 65세 남성이 1년 전부터 류마티스 관절염으로 매일 프레드니솔론 (Prednisolone) 7.5 mg을 복용중이다. 최근 정기검진에서 골다공증이 의심되어 검사해본 결과 T-score=-2.6로 나타났다. 역류성식도염으로 인해 매일 Pantoprazole 20 mg을 복용하고 있을 때, 다음 중 가장 적절한 조치는?

① 경과 모니터링 후 1년 후 골밀도검사
② Alendronate 매일 5mg 복용
③ Alendronate 매일 10mg 복용
④ Teriparatide 피하주사
⑤ Zolendronate 2년 1회 정맥주사

2. 65세 남성이 손, 발, 입주위가 저리고 심한 경련 증상을 주소로 내원하였다. 최근 골다공증으로 진단받아 졸레드론산 (Zoledronate) 주사로 치료를 시작하였을 때, 다음 중 검사가 필요한 항목으로 가장 적절한 것은?

① 나트륨 (Na)
② 칼륨 (K)
③ 마그네슘 (Mg)
④ 인 (P)
⑤ 칼슘 (Ca)

3. 골다공증 치료 중 비스포스포네이트 (Bisphosphonates) 제제를 투여받는 환자에서 모니터링이 필요한 검사 항목은?

① 혈청 크레아티닌 (SCr)
② 전혈구검사 (CBC)
③ 간기능 검사 (AST, ALT)
④ 공복 지질 검사 (Fast Lipid Profile)
⑤ 갑상선 기능 검사

4. 65세 남성이 뼈 통증과 붓는 증상을 주소로 내원하였다. 검사 결과 골절로 진단되었을 때, 골절의 원인이 될 수 있는 약제로 가장 적절한 것은?

[병력] 불안장애, 고혈압, 고요산혈증, 양극성장애

① 파록세틴 (Paroxetine)
② 퓨로세미드 (Furosemide)
③ 알로푸리놀 (Allopurinol)
④ 히드로클로로티아지드 (HCTZ)
⑤ 암로디핀 (Amlodipine)

정답: 1. ④ 2. ⑤ 3. ① 4. ①

5. 65세 여성이 최근 건강검진에서 골밀도 검사 (DXA) 결과 1~4번째 허리뼈에서 평균 T-score=-2.7로 나와 골다공증으로 진단되었다. 다음 중 골다공증의 원인 약제로 적절하지 않은 것은?

① 엑스메스탄 (Exemestane)
② 사이클로스포린 (Cyclosporine)
③ 헤파린 (Heparin)
④ 플루타미드 (Flutamide)
⑤ 인다파미드 (Indapamide)

6. 65세 여성이 최근 건강검진에서 골밀도 검사 (DXA) 결과 1~4번째 허리뼈에서 평균 T-score=-2.6로 나와 골다공증으로 진단되었다. 다음 중 골다공증의 원인 약제로 적절한 것은?

[병력] 신장이식, 고혈압

① 프레드니솔론 (Prednisolone)
② 발사르탄 (Valsartan)
③ 아스피린 (Aspirin)
④ 스피로노락톤 (Spironolactone)
⑤ 메토프롤롤 (Metoprolol)

7. 65세 여성이 최근 건강검진에서 골밀도 검사 (DXA) 결과 1~4번째 허리뼈에서 평균 T-score=-2.6로 나와 골다공증으로 진단되었다. 다음 중 골다공증의 원인 약제로 적절한 것은? (2가지)

[병력] 갑상선기능저하증, 이상지질혈증, 당뇨병

① 로수바스타틴 (Rosuvastatin)
② 메트포르민 (Metformin)
③ 피오글리타존 (Pioglitazone)
④ 리나글립틴 (Linagliptin)
⑤ 레보티록신 (Levothyroxine)

8. 65세 여성이 최근 건강검진에서 골밀도 검사 (DXA) 결과 1~4번째 허리뼈에서 평균 T-score=-2.6로 나와 골다공증으로 진단되었다. 다음 중 골다공증의 원인 약제로 적절한 것은?

[병력] 위식도역류염, 만성콩팥병

① 세벨라머 (Sevelamer)
② 폴리스티렌설폰산칼슘 (Polystyrene sulfonate calcium)
③ 에소메프라졸 (Esomeprazole)
④ 시나칼셋 (Cinacalcet)
⑤ 황산제일철 (Ferrous Sulfate)

정답: 5. ⑤ 6. ① 7. ⑤ 8. ③

9. 65세 여성이 최근 건강검진에서 골밀도 검사 (DXA) 결과 1~4번째 허리뼈에서 평균 T-score=-2.6로 나와 골다공증으로 진단되었다. 다음 중 환자에게 최우선으로 고려할 수 있는 약물로 가장 적절한 약물은?

[병력] 위식도역류염

① 졸레드론산 (Zoledronic acid) 5mg 2년 1회 정맥주사
② 졸레드론산 (Zoledronic acid) 5mg 1년 1회 정맥주사
③ 알렌드론산 (Alendronic acid) 10mg 1일 1회 경구투여
④ 랄록시펜 (Raloxifene) 60mg 1일 1회 경구투여
⑤ 데노수맙 (Denosumab) 60mg 6개월 1회 피하주사

10. 65세 여성이 최근 건강검진에서 골밀도 검사 (DXA) 결과 고관절(Hip)에서 평균 T-score=-2.6로 나와 골다공증으로 진단되었다. 다음 중 환자에게 최우선으로 고려할 수 있는 약물로 가장 적절한 약물은?

① 졸레드론산 (Zoledronic acid) 5mg 2년 1회 정맥주사
② 랄록시펜 (Raloxifene) 60mg 1일 1회 경구투여
③ 이반드로네이트 (Ibandronate) 150mg 1개월 1회
④ 테리파라티드 (Teriparatide) 20 mcg 1일 1회 피하주사
⑤ 데노수맙 (Denosumab) 60mg 6개월 1회 피하주사

11. 골다공증

11. 골다공증 치료 중 테리파라티드 (Teriparatide)를 투여받는 환자에서 모니터링이 필요한 부작용 혹은 주의가 필요한 항목이 아닌 것은?

① 저칼슘혈증
② 고칼슘혈증
③ 다리 근육의 경련
④ 두통
⑤ 요로결석

12. 65세 여성이 최근 건강검진에서 골밀도 검사 (DXA) 결과 1~4번째 허리뼈에서 평균 T-score=-2.6로 나와 골다공증으로 진단되었다. 다음 중 환자에게 최우선으로 고려할 수 있는 약물로 가장 적절한 약물은?

[병력] 뇌졸중 (최근 1년 이내 발생)
[검사 결과] CrCl = 29 ml/min

① 알렌드론산 (Alendronate) 경구투여
② 졸레드론산 (Zoledronic acid) 정맥주사
③ 데노수맙 (Denosumab) 피하주사
④ 로모소주맙 (Romosozumab) 피하주사
⑤ 칼시토닌 (Calcitonin) 비강 내 투여

정답: 9. ② 10. ⑤ 11. ① 12. ③

13. 65세 여성이 최근 건강검진에서 골밀도 검사 (DXA) 결과 1~4번째 허리뼈에서 평균 T-score=-1.1으로 나와 골감소증으로 진단되었다. 골다공증을 예방하기 위해 다음 중 환자에게 최우선으로 고려할 수 있는 약물로 가장 적절한 약물은?

[병력] 정맥혈전색전증

① 졸레드론산 (Zoledronic acid) 5mg 2년 1회 정맥주사
② 졸레드론산 (Zoledronic acid) 5mg 1년 1회 정맥주사
③ 에스트로겐 (Estrogen) + 프로게스테론 (Progesterone)
④ 티볼론 (Tibolone) 경구투여
⑤ 랄록시펜 (Raloxifene) 경구투여

정답: 13. ①

12. 통풍과 고요산혈증

1. 45세 남성이 전날 과음 후 갑자기 발생한 엄지 발가락, 손목 통증을 주소로 내원하였다. 해당 관절 부위의 미열을 동반하였으며, 급성 통풍 발작으로 진단되었을 때 다음 중 환자에게 가장 적절한 약물은?

① 나프록센 (Naproxen)
② 알로퓨리놀 (Allopurinol)
③ 페북소스타트 (Febuxostat)
④ 아나킨라 (Anakinra)
⑤ 카나키누맙 (Canakinumab)

2. 심부전, 만성콩팥병 병력이 있는 50세 남성이 전날 과음 후 갑자기 발생한 엄지 발가락, 손목 통증을 주소로 내원하였다. 해당 관절 부위의 미열을 동반하였으며, 급성 통풍 발작으로 진단되었을 때 다음 중 환자에게 가장 적절한 약물은?

① 나프록센 (Naproxen)
② 쎄레콕시브 (Celecoxib)
③ 콜히친 (Colchicine)
④ 프레드니솔론 (Prednisolone)
⑤ ACTH

3. 당뇨병, 십이지장궤양 병력이 있는 50세 남성이 전날 과음 후 갑자기 발생한 엄지 발가락, 손목 통증을 주소로 내원하였다. 해당 관절 부위의 미열을 동반하였으며, 급성 통풍 발작으로 진단되었을 때 다음 중 환자에게 가장 적절한 약물은?

① 나프록센 (Naproxen)
② 쎄레콕시브 (Celecoxib)
③ 콜히친 (Colchicine)
④ 프레드니솔론 (Prednisolone)
⑤ ACTH

4. 65세 남성이 갑자기 발생한 엄지 발가락, 손목 통증을 주소로 내원하였다. 해당 관절 부위의 미열을 동반하였으며, 급성 통풍 발작으로 진단되었을 때 다음 중 증상을 나타나게 한 원인 약물로 가장 적절한 것은?
[병력] 신장이식, 만성신장병
[투여약물] 사이클로스포린 (Cyclosporine)
메틸프레드니솔론 (Methylprednisolone)
마이코페놀레이트 (Mycophenolate)
시롤리무스 (Sirolimus)
폴리스티렌설폰산칼슘
(Polystyrene sulfonate calcium)

① 사이클로스포린 (Cyclosporine)
② 메틸프레드니솔론 (Methylprednisolone)
③ 마이코페놀레이트 (Mycophenolate)
④ 시롤리무스 (Sirolimus)
⑤ 폴리스티렌설폰산칼슘

정답: 1. ① 2. ④ 3. ③ 4. ①

5. 32세 남성이 갑자기 발생한 엄지 발가락, 손목 통증을 주소로 내원하였다. 해당 관절 부위의 미열을 동반하였으며, 급성 통풍 발작으로 진단되었다. 의사가 콜히친(Colchicine) 처방을 하였다. 다음 중 약물 상호작용을 고려했을 때, 콜히친 처방 변경을 권고해야하는 이유가 되는 약물은?

[병력] 당뇨병, 고혈압, 지역사회획득폐렴
[투여약물]
메트포르민 (Metformin)
글리메피리드 (Glimepiride)
발사르탄 (Valsartan)
아목시실린 (Amoxicillin)
클래리스로마이신 (Clarithromycin)

① 메트포르민 (Metformin)
② 글리메피리드 (Glimepiride)
③ 발사르탄 (Valsartan)
④ 아목시실린 (Amoxicillin)
⑤ 클래리스로마이신 (Clarithromycin)

6. 39세 남성이 전날 과음 후 갑자기 발생한 엄지 발가락, 손목 통증을 주소로 내원하였다. 해당 관절 부위의 미열을 동반하였으며, 검사 결과가 다음과 같을 때 다음 중 환자에게 사용할 요산저하제로 가장 적절한 것은?

[병력] 만성콩팥병, 심부전, 요로결석
[검사 결과] 혈중 요산 8.1 mg/dL

① 알로푸리놀 (Allopurinol)
② 페북소스타트 (Febuxostat)
③ 프로베네시드 (Probenecid)
④ 벤즈브로마론 (Benzbromarone)
⑤ 페글로티카제 (Pegloticase)

7. 39세 남성이 전날 과음 후 갑자기 발생한 엄지 발가락, 손목 통증을 주소로 내원하였다. 해당 관절 부위의 미열을 동반하였으며, 검사 결과가 다음과 같을 때 다음 중 환자에게 사용할 요산저하제로 가장 적절한 것은?

[병력] 만성콩팥병
[검사 결과] 혈중 요산 8.1 mg/dL
HLA-B*5801 대립유전자 (allele) (+)

① 알로푸리놀 (Allopurinol)
② 페북소스타트 (Febuxostat)
③ 프로베네시드 (Probenecid)
④ 벤즈브로마론 (Benzbromarone)
⑤ 페글로티카제 (Pegloticase)

8. 39세 남성이 전날 과음 후 갑자기 발생한 엄지 발가락, 손목 통증을 주소로 내원하였다. 해당 관절 부위의 미열을 동반하였으며, 검사 결과가 다음과 같을 때 다음 중 환자에게 사용할 요산저하제로 가장 적절한 것은?

[병력] 크론병, 뇌졸중
[검사 결과] 혈중 요산 8.1 mg/dL
CrCl = 49 mL/min
[투여약물] 아자치오프린 (Azathioprine)

① 알로푸리놀 (Allopurinol)
② 페북소스타트 (Febuxostat)
③ 프로베네시드 (Probenecid)
④ 설핀피라존 (Sulfinpyrazone)
⑤ 벤즈브로마론 (Benzbromarone)

정답: 5. ⑤ 6. ① 7. ② 8. ⑤

9. 32세 남성이 전신에 발진이 생기는 증상을 주소로 내원하였다. 전신적인 쇠약감과 발열을 동반하였으며, 전신 피부에서 물집이 일부 동반되었다. 약물로 인한 이상반응으로 의심되었을 때, 다음 중 증상을 나타나게 한 원인 약제로 가장 적절한 것은?

[병력] 통풍

① 알로푸리놀 (Allopurinol)
② 페북소스타트 (Febuxostat)
③ 프로베네시드 (Probenecid)
④ 벤즈브로마론 (Benzbromarone)
⑤ 페글로티카제 (Pegloticase)

10. 요산 저하 치료 중 벤즈브로마론(Benzbromarone)을 투여 받는 환자에서 부작용 관련하여 6개월간 모니터링이 필요한 검사 항목은?

① 혈청 크레아티닌 (SCr)
② 전혈구검사 (CBC)
③ 간기능 검사 (AST, ALT)
④ 공복 지질 검사 (Fast Lipid Profile)
⑤ 임신 여부 검사

정답: 9. ① 10. ③

02 신장질환 13. 만성콩팥병

1. 50세 여성이 만성콩팥병으로 치료받고 있다. 검사 결과는 다음과 같으며, 전신쇠약감과 함께 갑자기 팔다리가 저리는 증상이 발생하여 내원하였다. 이 환자를 위해 가장 먼저 시행해야 할 적절한 조치는?

[검사 결과]
Na 135 mEq/L K 7.5 mEq/L
Cl 100mEq/L
BUN 40 mg/dL, SCr 2.5 mg/dL
ABGA: pH 7.35 PaCO2 38mmHg
HCO3- 24 mmHg

① 탄산칼슘 (Calcium carbonate)
② 칼슘 글루코네이트 (Calcium gluconate)
③ 중탄산나트륨 (NaHCO3)
④ 폴리스티렌설폰산칼슘
(Polystyrene sulfonate calcium)
⑤ 살부타몰 (Salbutamol)

2. 65세 남성이 1년 전부터 주 3회 혈액투석을 받고 있다. 그는 최근 3개월간 에포에틴 알파 (Epoetin-alfa) 와 경구 철분제로 치료받았다. 검사 결과가 다음과 같을 때, 다음 중 환자에게 필요한 적절한 조치는?

[검사 결과]
Hb 12.6 g/dL, 적혈구용적률(Hct) 40%
백혈구 4800/mm^3
혈소판 200,000/mcL SCr 6.0 mg/dL
BUN 50 mg/dL
혈청 Ferritin 810 ng/mL Tsat 52%

① 에포에틴 알파 및 경구 철분제 중단
② 에포에틴 알파 및 경구 철분제 유지
③ 에포에틴 알파 중단 및 경구 철분제 유지
④ 에포에틴 알파 유지 및 경구 철분제 중단
⑤ 에포에틴 알파 증량 및 경구 철분제 유지

3. 만성콩팥병 이력이 있는 65세 남성이 피로감을 주소로 내원하였다. 검사 결과가 다음과 같을 때, 적절한 조치는?

[검사 결과]
Hb 9 g/dL, 혈청 Ferritin 500 ng/mL, Tsat 30%

① 경구 철분제 시작 및 4주 뒤 전혈구 검사
② Vitamin B12 보충
③ 정맥 철분 주사제 시작
④ 경구 엽산 보충
⑤ 조혈자극제 (ESA) 시작

4. 투석을 받고 있는 만성콩팥병으로 시나칼세트 (Cinacalcet)을 투여받는 환자에서 모니터링이 필요한 검사항목은?

① 칼슘
② 칼시토닌
③ TSH (갑상선 자극 호르몬)
④ 갑상선호르몬
⑤ 비타민 D

정답: 1. ② 2. ① 3. ⑤ 4. ①

5. 65세 만성콩팥병 이력이 있는 남성이 갑자기 생긴 호흡곤란을 주소로 응급실에 내원하였다. 혈액투석을 받고 있는 환자였고, 검사 결과 급성 폐색전증으로 진단받았다. 검사 결과 Hb 수치는 12.5 g/dL로 나왔을 때, 환자의 증상을 나타나게 한 의심 약물로 가장 적절한 것은?

① 에포에틴 알파 (Epoetin-alfa)
② 시나칼세트 (Cinacalcet)
③ 칼시트리올 (Calcitriol)
④ 정맥 철분 주사제 (Iron Dextran)
⑤ 아세타졸아미드 (Acetazolamide)

6. 65세 만성콩팥병 이력이 있는 여성이 2개월간 지속된 피로감을 주소로 내원하였다. 검사 결과가 다음과 같을 때, 다음 중 환자에게 먼저 필요한 적절한 조치는?

[검사 결과]
Hb 7.9 g/dL, 백혈구 4800/mm^3
혈소판 200,000/mcL SCr 6.0 mg/dL
BUN 50 mg/dL

① 에포에틴 알파 (Epoetin-alfa) 시작
② 골수 검사
③ 수혈
④ Tsat, 혈청 Ferritin 검사
⑤ 엽산 보충

7. 만성콩팥병을 앓고 있는 65세 남성이 고인산혈증 합병증예방을 위해 탄산칼슘 1000 mg 하루 1회 식후 경구 투여중이다. 투여 후 변비가 생겼고, 칼슘 제제 투여 후 울렁거리는 증상으로 불편을 호소하였다. 다음 중 부작용을 줄이기 위해 환자에게 할 수 있는 가장 적절한 조치는?

① 탄산칼슘 500mg 하루 2회 식사와 함께 투여
② 탄산칼슘 1000mg 하루 1회 식사 전 공복 투여
③ 수산화마그네슘 ($Mg(OH)_2$) 함께 투여
④ 파모티딘 (Famotidine) 함께 투여
⑤ 락툴로오스 (Lactulose) 추가

8. 만성콩팥병으로 투석중인 65세 남성이 빈혈로 Darbepoetin-alfa로 4주간 치료받았다. 추적 모니터링 결과 Hb(헤모글로빈) 변화가 거의 없을 때, ESA(조혈자극제, Erythropoietic-Stimulating Agents) 반응이 낮은 원인 중 가장 흔한 것은?

① EPO 용량 부족
② 철분 결핍
③ 비타민 B12 결핍
④ 비타민 B6 결핍
⑤ 엽산 결핍

정답: 5. ① 6. ④ 7. ① 8. ②

9. 65세 남성이 3개월 전부터 기운이 없고 오심, 식욕저하가 지속되어 내원하였다. 기저 질환으로 고혈압, 당뇨병을 앓고 있었고 이번에 만성콩팥병으로 진단되었다. 검사 결과가 다음과 같을 때, 환자에게 가장 먼저 투여해야할 약물로 가장 적절한 것은?

[검사 결과]
P 6.0 mg/dL Corrected Ca 8.6 mg/dL
iPTH 300 pg/mL
Ca 8.3 mg/dL

① 탄산칼슘 (Calcium Carbonate)
② 칼시트리올 (Calcitriol)
③ 시나칼세트 (Cinacalcet)
④ 세벨라머 (Sevelamer)
⑤ 란타넘 카보네이트 (Lanthanum Carbonate)

10. 65세 남성이 3개월 전부터 기운이 없고 오심, 식욕저하가 지속되어 내원하였다. 기저 질환으로 고혈압, 당뇨병을 앓고 있었고 이번에 만성콩팥병으로 진단되었다. 최근 위식도 역류염으로 집 근처 내과에서 판토프라졸(Pantoprazole)을 처방받아 복용중이다. 검사 결과가 다음과 같을 때, 환자에게 가장 먼저 투여해야할 약물로 가장 적절한 것은?

[검사 결과]
P 6.0 mg/dL Corrected Ca 8.6 mg/dL
iPTH 300 pg/mL
Ca 8.3 mg/dL

① 탄산칼슘 (Calcium Carbonate)
② 칼시트리올 (Calcitriol)
③ 시나칼세트 (Cinacalcet)
④ 세벨라머 (Sevelamer)
⑤ 칼슘 아세테이트 (Calcium acetate)

11. 65세 남성이 3개월 전부터 기운이 없고 오심, 식욕저하가 지속되어 내원하였다. 기저 질환으로 고혈압, 당뇨병을 앓고 있었고 이번에 만성콩팥병으로 진단되었다. 검사 결과가 다음과 같을 때, 환자에게 가장 먼저 투여해야할 약물로 가장 적절한 것은?

[검사 결과]
P 6.0 mg/dL Corrected Ca 10.2 mg/dL
iPTH 300 pg/mL
Ca 8.3 mg/dL

① 탄산칼슘 (Calcium Carbonate)
② 칼시트리올 (Calcitriol)
③ 시나칼세트 (Cinacalcet)
④ 세벨라머 (Sevelamer)
⑤ 알루미늄 히드록사이드 (Aluminum hydroxide)

12. 65세 남성이 3개월 전부터 기운이 없고 오심, 식욕저하가 지속되어 내원하였다. 기저 질환으로 고혈압, 당뇨병, 뇌졸중 병력이 있었고, 연하곤란으로 정제를 삼키기 어려워했다. 이번에 만성콩팥병으로 진단되었고, 검사 결과가 다음과 같을 때, 환자에게 가장 먼저 투여해야할 약물로 가장 적절한 것은?
[검사 결과]
P 6.0 mg/dL Corrected Ca 10.2 mg/dL
iPTH 300 pg/mL
Ca 8.3 mg/dL

① 탄산칼슘 (Calcium Carbonate)
② 칼시트리올 (Calcitriol)
③ 시나칼세트 (Cinacalcet)
④ 칼슘 아세테이트 (Calcium Acetate)
⑤ 란타넘 카보네이트 (Lanthanum Carbonate)

정답: 9. ① 10. ⑤ 11. ④ 12. ⑤

13. 65세 남성이 3개월 전부터 기운이 없고 오심, 식욕저하가 지속되어 내원하였다. 기저 질환으로 고혈압, 당뇨병을 앓고 있었고 이번에 만성콩팥병으로 진단되었다. 검사 결과가 다음과 같을 때, 환자에게 가장 먼저 투여해야할 약물로 가장 적절한 것은?

[검사 결과]
P 4.0 mg/dL Corrected Ca 9.4 mg/dL
iPTH 300 pg/mL
Ca 8.3 mg/dL

① 탄산칼슘 (Calcium Carbonate)
② 칼시트리올 (Calcitriol)
③ 시나칼세트 (Cinacalcet)
④ 세벨라머 (Sevelamer)
⑤ 란타넘 카보네이트 (Lanthanum Carbonate)

14. 65세 남성이 3개월 전부터 기운이 없고 오심, 식욕저하가 지속되어 내원하였다. 기저 질환으로 고혈압, 당뇨병을 앓고 있었고 이번에 만성콩팥병으로 진단되었다. 투석 치료를 시작하였으며 검사 결과가 다음과 같을 때, 환자에게 가장 먼저 투여해야할 약물로 가장 적절한 것은?

[검사 결과]
P 4.0 mg/dL Corrected Ca 10.2 mg/dL
iPTH 300 pg/mL
Ca 9.0 mg/dL

① 탄산칼슘 (Calcium Carbonate)
② 칼시트리올 (Calcitriol)
③ 시나칼세트 (Cinacalcet)
④ 세벨라머 (Sevelamer)
⑤ 란타넘 카보네이트 (Lanthanum Carbonate)

15. 65세 남성의 병력과 투여약물이 다음과 같을 때, 음식물로 인한 생체이용률 감소 방지를 위해 식전에 복용하면 좋은 약물은?

[병력] 만성콩팥병
[투여약물]
황산제일철 (Ferrous Sulfate)
탄산칼슘 (Calcium Carbonate)
칼시트리올 (Calcitriol)
시나칼세트 (Cinacalcet)
폴리스티렌설폰산칼슘 (Polystyrene sulfonate calcium)

① 황산제일철 (Ferrous Sulfate)
② 탄산칼슘 (Calcium Carbonate)
③ 칼시트리올 (Calcitriol)
④ 시나칼세트 (Cinacalcet)
⑤ 폴리스티렌설폰산칼슘 (Polystyrene sulfonate calcium)

16. 65세 남성의 병력과 투여약물이 다음과 같을 때, 만성콩팥병으로 인한 합병증 예방 및 치료를 위해 식사와 함께 투여해야하는 약물은?
[병력] 만성콩팥병
[투여약물]
황산제일철 (Ferrous Sulfate)
탄산칼슘 (Calcium Carbonate)
칼시트리올 (Calcitriol)
시나칼세트 (Cinacalcet)
폴리스티렌설폰산칼슘

① 황산제일철 (Ferrous Sulfate)
② 탄산칼슘 (Calcium Carbonate)
③ 칼시트리올 (Calcitriol)
④ 시나칼세트 (Cinacalcet)
⑤ 폴리스티렌설폰산칼슘

정답: 13. ② 14. ③ 15. ① 16. ②

17. 만성콩팥병 이력이 있는 65세 남성이 피로감을 주소로 내원하였다. 검사 결과가 다음과 같을 때, 적절한 조치는?

[검사 결과]
Hb 9 g/dL, 혈청 Ferritin 500 ng/mL, Tsat 30% (4주 전)
Hb 9.2 g/dL, 혈청 Ferritin 500 ng/mL, Tsat 30% (오늘)
[투여약물]
에포에틴 알파 (Epoetin-alfa)

① 경구 철분제 시작 및 4주 뒤 전혈구 검사
② 에포에틴 알파 (Epoetin-alfa) 용량 증량
③ 에포에틴 알파 (Epoetin-alfa) 용량 감량
④ 에포에틴 알파 (Epoetin-alfa) 용량 유지
⑤ 에포에틴 알파 (Epoetin-alfa) 중단

18. 만성콩팥병 이력이 있는 65세 남성이 피로감을 주소로 내원하였다. 검사 결과가 다음과 같을 때, 적절한 조치는?

[검사 결과]
Hb 9 g/dL, 혈청 Ferritin 500 ng/mL, Tsat 30% (2주 전)
Hb 10.1 g/dL, 혈청 Ferritin 500 ng/mL, Tsat 30% (오늘)
[투여약물]
에포에틴 알파 (Epoetin-alfa)

① 경구 철분제 시작 및 4주 뒤 전혈구 검사
② 에포에틴 알파 (Epoetin-alfa) 용량 증량
③ 에포에틴 알파 (Epoetin-alfa) 용량 감량
④ 에포에틴 알파 (Epoetin-alfa) 용량 유지
⑤ 에포에틴 알파 (Epoetin-alfa) 중단

19. 만성콩팥병 이력이 있는 65세 남성이 피로감을 주소로 내원하였다. 검사 결과가 다음과 같을 때, 적절한 조치는?

[검사 결과]
Hb 9 g/dL, 혈청 Ferritin 500 ng/mL, Tsat 30% (4주 전)
Hb 10.1 g/dL, 혈청 Ferritin 500 ng/mL, Tsat 30% (오늘)
[투여약물]
에포에틴 알파 (Epoetin-alfa)

① 경구 철분제 시작 및 4주 뒤 전혈구 검사
② 에포에틴 알파 (Epoetin-alfa) 용량 증량
③ 에포에틴 알파 (Epoetin-alfa) 용량 감량
④ 에포에틴 알파 (Epoetin-alfa) 용량 유지
⑤ 에포에틴 알파 (Epoetin-alfa) 중단

20. 만성콩팥병 이력이 있는 65세 남성이 피로감을 주소로 내원하였다. 검사 결과가 다음과 같을 때, 적절한 조치는?

[검사 결과]
Hb 10.9 g/dL, 혈청 Ferritin 500 ng/mL, Tsat 30% (4주전)
Hb 12.3 g/dL, 혈청 Ferritin 500 ng/mL, Tsat 30% (오늘)
[투여약물]
에포에틴 알파 (Epoetin-alfa)

① 경구 철분제 시작 및 4주 뒤 전혈구 검사
② 에포에틴 알파 (Epoetin-alfa) 용량 증량
③ 에포에틴 알파 (Epoetin-alfa) 용량 감량
④ 에포에틴 알파 (Epoetin-alfa) 용량 유지
⑤ 에포에틴 알파 (Epoetin-alfa) 중단

정답: 17. ② 18. ③ 19. ④ 20. ⑤

21. 50세 여성이 만성콩팥병으로 치료받고 있다. 검사 결과는 다음과 같으며, 심한 설사와 함께 어지러운 증상이 발생하여 내원하였다. 이 환자를 위해 가장 먼저 시행해야 할 적절한 조치는?

[검사 결과]
Na 135 mEq/L K 6 mEq/L Cl 100mEq/L
BUN 40 mg/dL, SCr 2.5 mg/dL
ABGA: pH 7.2 PaCO2 38 mmHg HCO3- 8 mmHg

① 탄산칼슘 (Calcium carbonate)
② 칼슘 글루코네이트 (Calcium gluconate)
③ 중탄산나트륨 (NaHCO3)
④ 폴리스티렌설폰산칼슘
(Polystyrene sulfonate calcium)
⑤ 살부타몰 (Salbutamol)

22. 만성콩팥병으로 인한 빈혈로 ESA(조혈자극제, Erythropoietic-Stimulating Agents)를 사용중인 환자에게 모니터링이 필요한 항목은?

① 혈압
② 체중
③ 간기능 검사
④ 신기능 검사
⑤ 전해질 검사

정답: 21. ③ 22. ①

1. 50세 여성이 만성콩팥병으로 치료받고 있다. 검사 결과는 다음과 같으며, 전신쇠약감과 함께 갑자기 팔다리가 저리는 증상이 발생하여 내원하였다. 다음 중 복용 중단을 고려해야 하는 약물은?

[검사 결과]
Na 135 mEq/L K 6.8 mEq/L
Cl 100 mEq/L
BUN 40 mg/dL, SCr 2.5 mg/dL

① 발사르탄 (Valsartan)
② 퓨로세미드 (Furosemide)
③ 폴리스티렌설폰산칼슘
④ 탄산칼슘 (Calcium carbonate)
⑤ 콜레칼시페롤 (Cholecalciferol)

2. 50세 여성이 만성콩팥병으로 치료받고 있다. 검사 결과는 다음과 같으며, 전신쇠약감과 함께 갑자기 팔다리가 저리는 증상이 발생하여 내원하였다. 다음 중 원인 약제로 적절하지 않은 것은?

[검사 결과]
Na 135 mEq/L K 6.8 mEq/L
Cl 100 mEq/L
BUN 40 mg/dL, SCr 2.5 mg/dL

① 사이클로스포린 (Cyclosporine)
② 나프록센 (Naproxen)
③ 펜타미딘 (Pentamidine)
④ 헤파린 (Heparin)
⑤ 폴리스티렌설폰산칼슘

3. 65세 여성이 3일 전부터 시작된 전신쇠약, 피로감, 근육경련, 변비를 주소로 내원하였다. 심부전 병력이 있으며, 최근 부종으로 인해 약물치료를 시작하였다. ECG 상에서는 편평하고 역전된 T파가 나타났을 때, 최근에 처방되었을 약물로 가장 적절한 것은?

① 퓨로세미드 (Furosemide)
② 카르베디롤 (Carvedilol)
③ 발사르탄 (Valsartan)
④ 스피로노락톤 (Spironolactone)
⑤ 아미로라이드 (Amiloride)

4. 65세 여성이 3일 전부터 시작된 전신쇠약, 피로감, 근육경련, 변비를 주소로 내원하였다. ECG 상에서는 편평하고 역전된 T파가 나타났을 때, 다음 중 최근에 처방되었을 약물로 적절하지 않은 것은?

① 프레드니솔론 (Prednisolone)
② 시스플라틴 (Cisplatin)
③ 암포테리신 B (Amphotericin B)
④ 포스카네트 (Forscanet)
⑤ 로페라마이드 (Loperamide)

정답: 1. ① 2. ⑤ 3. ① 4. ⑤

5. 65세 남성이 2주 전부터 시작된 근경련과 지속적인 피로감을 주소로 내원하였다. 변비 증상도 함께 있었으며, 당뇨, 고지혈증, 고혈압 병력이 있었으며, 1달 전에 비해 인슐린 용량이 증량되어 있었고, 간효소 수치 증가로 인해 스타틴은 일시 중단하였다. ECG 상 U 파 상승이 측정되었을 때, 다음 중 환자의 주 증상의 원인으로 가장 적절한 것은?

[투여약물]
인슐린 글라진 (Insulin Glargine)
암로디핀 (Amlodipine)
로수바스타틴 (Rosuvastatin)

① 스타틴으로 인한 근육병증
② 저나트륨혈증
③ 저칼슘혈증
④ 저칼륨혈증
⑤ 저마그네슘혈증

6. 65세 여성이 1주 전부터 기운이 없고 어지러움 증상이 심해져 내원하였다. 때때로 구역감을 보였으며, 협심증, 고혈압, 고지혈증, 당뇨 병력을 가지고 있고 복용 약물과 검사 결과가 다음과 같을 때, 이 환자에게 보일 수 있는 전해질 검사 결과는? (2가지)

[투여약물]
카르베디롤 (Carvedilol)
펠로디핀 (Felodipine)
하이드로클로로티아지드 (HCTZ)
아스피린 (Aspirin)
로수바스타틴 (Rosuvastatin)
[검사 결과]
K 3.2 mEq/L 요산 7.0 mg/dL

① 저나트륨혈증
② 저마그네슘혈증
③ 고나트륨혈증
④ 고마그네슘혈증
⑤ 저칼슘혈증

7. 50세 남성이 2주 전부터 시작한 피로감, 근육경련을 주소로 내원하였다. 2주 전에 고혈압으로 진단받아 Hydrochlorothizide를 처방받아 복용중이다. 다음 중 환자의 증상을 나타나게 한 주 원인으로 가장 적절한 것은?

① 고요산혈증
② 고칼슘혈증
③ 당불내성 (Glucose intolerance)
④ 저칼륨혈증
⑤ 이상지질혈증

8. 32세 남성이 심계항진, 어지러움, 기립성 저혈압을 주소로 내원하였다. 2주 전에 고혈압으로 진단받아 Furosemide (퓨로세미드) 치료를 시작하였으며, 오늘 검사 결과가 다음과 같을 때 이 환자의 혈역학적 불안정성 회복을 위해 초기에 시행해야 하는 가장 적절한 치료는?

[검사 결과]
Na 120 mEq/L (혈중)

① 0.45% 염화나트륨
② 0.9% 염화나트륨
③ 5% 포도당 용액
④ 3% 염화나트륨
⑤ 유리수 (Free water)

정답: 5. ④ 6. ①,② 7. ④ 8. ②

[9-10]

9. 32세 남성이 전신쇠약감을 주소로 내원하였다. 금일 SIADH (Syndrome of Inappropriate secretion of Antidiuretic Hormone) 으로 진단되었으며 검사 결과가 다음과 같을 때, 다음 중 환자의 주 증상의 원인으로 가장 적절한 것은?

[병력] 뇌전증
[검사 결과]
혈압 130/80 mmHg, 맥박 70회/분
혈액: 삼투압 279 mOsm/kg Na 130 mEq/L
소변: 삼투압 470 mOsm/kg Na 50 mEq/L

① 레베티라세탐 (Levetiracetam)
② 카바마제핀 (Carbamazepine)
③ 라모트리진 (Lamotrigine)
④ 조니사미드 (Zonisamide)
⑤ 페노바비탈 (Phenobarbital)

10. 8번 문제의 SIADH를 교정하기 위해 해당 약제를 중단하고 수분 섭취를 2주간 제한하였다. 다음 중 만성적인 저나트륨혈증 치료를 위해 사용할 수 있는 약물로 적절하지 않은 것은?

① 데메클로사이클린 (Demeclocycline)
② 톨밥탄 (Tolvaptan)
③ 리튬 (Lithium)
④ 퓨로세미드 (Furosemide)
⑤ 데스모프레신 (Desmopressin)

11. 32세 남성이 다뇨, 다갈을 주소로 내원하였다. 내원 당시 소변 삼투압이 600mOsm/L 였고, 바소프레신을 투여하고 1시간 후 재검사 결과 소변 삼투압이 600 mOsm/L으로 바소프레신에 반응이 없었다. 신장성 요붕증으로 진단되었을 때, 다음 중 원인 약제로 가장 적절한 것은?

① 리튬 (Lithium)
② 클로프로파마이드 (Chlorpropamide)
③ 하이드로클로로티아지드 (HCTZ)
④ 인도메타신 (Indomethacin)
⑤ 아밀로라이드 (Amirolide)

12. 32세 남성이 다뇨, 다갈을 주소로 내원하였다. 내원 당시 소변 삼투압이 600mOsm/L 였고, 바소프레신을 투여하고 1시간 후 재검사 결과 소변 삼투압이 600 mOsm/L으로 바소프레신에 반응이 없었다. 신장성 요붕증으로 진단되었을 때, 다음 중 원인 약제로 가장 적절한 것은?

① 클로자핀 (Clozapine)
② 클로프로파마이드 (Chlorpropamide)
③ 하이드로클로로티아지드 (HCTZ)
④ 인도메타신 (Indomethacin)
⑤ 아밀로라이드 (Amirolide)

정답: 9. ② 10. ⑤ 11. ① 12. ①

14. 체액과 전해질 불균형

13. 32세 남성이 극심한 갈증과 다뇨를 주소로 내원하였다. 금일 중추성 요붕증(Central Diabetes Insipidus)으로 진단되었으며, 검사 결과가 다음과 같을 때, 다음 중 중추성 요붕증 치료를 위해 사용할 수 있는 주 치료제로 가장 적절한 것은?

[병력] 최근 두부 외상, 과거력: 뇌하수체 종양

[검사 결과]

혈압 120/75 mmHg, 맥박 80회/분

혈액: 삼투압 290 mOsm/kg Na 150 mEq/L

소변: 삼투압 100 mOsm/kg Na 15 mEq/L

① 데스모프레신 (Desmopressin)
② 클로르프로파마이드 (Chlorpropamide)
③ 인도메타신 (Indomethacin)
④ 아밀로라이드 (Amiloride)
⑤ 하이드로클로로티아지드 (HCTZ)

14. 65세 여성이 1주 전부터 기운이 없고 어지러움 증상이 심해져 내원하였다. 때때로 구역감을 보였으며, 최근 고혈압으로 진단받아 하이드로클로로티아지드(HCTZ)를 처방받아 복용을 시작하였다.
다음 중 이 환자에게 24시간 이내 초기 나트륨 응급 교정 목표 수치로 가장 적절한 것은?

[검사 결과]

Na 110 mEq/L (혈중)

① 115 mEq/L
② 120 mEq/L
③ 125 mEq/L
④ 130 mEq/L
⑤ 135 mEq/L

정답: 13. ① 14. ②

02 근골격질환 15. 골관절염

1. 50세 여성이 요로감염으로 인해 설파메톡사졸-트리메토프림 (SMX/TMP)을 복용하기 시작 한 뒤 얼마 지나지 않아 발진(알러지)이 발생하였다. 골관절염 약물치료를 위해 사용할 수 있는 약물 중 이 환자가 피해야 하는 약물은?

① 디클로페낙 (Diclofenac)
② 셀레콕시브 (Celecoxib)
③ 아세트아미노펜 (Acetaminophen)
④ 트라마돌 (Tramadol)
⑤ 둘록세틴 (Duloxetine)

2. 50세 여성이 1주 전부터 양쪽 손가락의 심한 통증을 주소로 내원하였다. 최근 손을 많이 사용한 후 통증이 더 심해졌다고 하였으며, 검사 결과 골관절염으로 진단되었다. 다음 중 1차 치료 약물로 가장 적절한 것은? (ACR 미국 기준)

① 나프록센 (Naproxen)
② 옥시코돈 (Oxycodone)
③ 아세트아미노펜 (Acetaminophen)
④ 트라마돌 (Tramadol)
⑤ 둘록세틴 (Duloxetine)

3. 만성콩팥병 병력이 있는 65세 여성이 걸을 때마다 심해지는 지속적인 중등도의 무릎 통증을 주소로 내원하였다. 검사 결과, 무릎을 만지면 비빔소리 (crepitus)가 났으며, 관절의 움직임의 범위가 줄어들었다. 관절주위 열감이나 붓는 증상, 삼출물 등은 없어 골관절염으로 진단되었다. 다음 중 치료 약물로 가장 적절한 것은?

① 나프록센 (Naproxen)
② 디클로페낙 국소제제
(Topical diclofenac)
③ 아세트아미노펜 (Acetaminophen)
④ 트라마돌 (Tramadol)
⑤ 옥시코돈 (Oxycodone)

[4-5]
4. 65세 여성이 걸을 때마다 심해지는 지속적인 무릎 통증을 주소로 내원하였다. 검사 결과, 무릎을 만지면 비빔소리 (crepitus)가 났으며, 관절의 움직임의 범위가 줄어들었다. 관절주위 열감이나 붓는 증상, 삼출물 등은 없어 골관절염으로 진단되어 치료중이다. 최근 조절되지 않은 통증으로 내원하였을 때, 환자의 통증 완화를 위해 가장 적절한 조치는?
[병력] 당뇨병
[투여약물 (필요시)]
아세트아미노펜 (Acetaminophen)
나프록센 (Naproxen)

① 글루코사민/콘드로이친 추가
② 디아세레인 (Diacerein) 추가
③ 나프록센 (Naproxen)을
셀레콕시브 (Celecoxib)로 변경
④ 스테로이드 관절강내 투여
⑤ 수술

정답: 1. ② 2. ① 3. ② 4. ④

5. 4번 문제의 여성이 3개월 후 내원하였다. 스테로이드 관절강내 투여하여 한동안은 통증이 완화되었으나 최근 들어 중증 통증이 지속된다고 한다. 병력(당뇨병)을 고려했을 때, 다음 중 환자의 통증 완화를 위해 추가하면 좋을 약물로 가장 적절한 것은?

① 글루코사민/콘드로이친
② 디아세레인 (Diacerein)
③ 트라마돌 (Tramadol)
④ 둘록세틴 (Duloxetine)
⑤ 옥시코돈 (Oxycodone)

15. 골관절염

정답: 5. ④

1. 50세 남성이 지난 3개월간 지속된 피로감을 주소로 내원했다. 그는 때때로 복통과 함께 오심으로 인해 식욕부진을 호소하였으며 얼굴은 창백해 보였다. 검사가 시행되었을 때, 이 환자의 증상의 주 원인으로 가장 적절한 것은?

[병력] 류마티스 관절염, 당뇨병, 고혈압
[투여약물] Methotrexate, Metformin, Valsartan

① 엽산 부족
② Vitamin B12 부족
③ Metformin
④ Valsartan
⑤ 당뇨병으로 인한 합병증

[2-3]
2. 32세 남성이 기상 시 전신의 피로함, 미열, 통증 및 관절의 뻣뻣한 증상이 지속되어 내원하였다. 류마티스 관절염으로 진단받았을 때, 다음 약제 중 관절의 변형을 늦추고 관절염의 진행속도를 조절하는 작용을 하는 약제가 아닌 것은?

① 메토트렉세이트 (Methotrexate)
② 히드록시클로로퀸 (Hydroxychloroquine)
③ 설파살라진 (Sulfasalazine)
④ 인도메타신 (Indomethacin)
⑤ 레플루노마이드 (Leflunomide)

3. 2번 문제의 남성이 특별한 금기 사항이 없을 때, 류마티스 관절염 초기 치료 약물로 가장 적절한 것은?

① 메토트렉세이트 (Methotrexate)
② 히드록시클로로퀸 (Hydroxychloroquine)
③ 설파살라진 (Sulfasalazine)
④ 인도메타신 (Indomethacin)
⑤ 레플루노마이드 (Leflunomide)

4. 류마티스 관절염 치료 중 메토트렉세이트 (MTX)를 투여받는 환자에서 모니터링이 필요한 검사항목은? (3가지)

① 혈청 크레아티닌 (SCr)
② 전혈구검사 (CBC)
③ 간기능 검사 (AST, ALT)
④ 공복 지질 검사 (Fast Lipid Profile)
⑤ 안과 검사

정답: 1. ① 2. ④ 3. ① 4. ①,②,③

5. 류마티스 관절염 치료 중 히드록시클로로퀸 (Hydroxychloroquine)를 투여받는 환자에서 모니터링이 필요한 검사항목은?

① 혈청 크레아티닌 (SCr)
② 전혈구검사 (CBC)
③ 간기능 검사 (AST, ALT)
④ 공복 지질 검사 (Fast Lipid Profile)
⑤ 안과 검사

6. 류마티스 관절염 치료 중 레플루노마이드 (Leflunomide)를 투여받는 환자에서 모니터링이 필요한 검사항목이 아닌 것은?

① 혈청 크레아티닌 (SCr)
② 전혈구검사 (CBC)
③ 간기능 검사 (AST, ALT)
④ 공복 지질 검사 (Fast Lipid Profile)
⑤ 임신 여부 검사

7. 32세 류마티스 관절염으로 진단받아 치료 받고 있는여성이 Methotrexate로 인한 골수억제 부작용이 심해 Leflunomide로 치료중이다. 최근 내원 시 임신 계획이 생겼다하여 환자가 임신을 원할 때, 체내 약물을 빠르게 제거하기 위해 할 수 있는 가장 적절한 조치는?

① 콜레스테라민 (Cholestyramine) 투여
② 폴리스티렌 설폰산 칼슘 투여
③ 세벨라머 (Sevelamer) 투여
④ 활성탄 (Activated Charcoal) 투여
⑤ 0.9% 생리식염수 투여

8. 류마티스 관절염 치료제 중 토실리주맙 (Tocilizumab), 바리시티닙 (Baricitinib), 토파시티닙 (Tofacitinib), 유파다시티닙 (Upadacitinib), 글루코코르티코이드 (Glucocorticoids)로 치료 받는 환자에게서 공통적으로 모니터링이 필요한 항목으로 가장 적절한 것은?

① 혈청 크레아티닌 (SCr)
② 간기능 검사 (AST, ALT)
③ 전혈구 검사 (CBC)
④ 공복 지질 검사 (Fast Lipid Profile)
⑤ 골밀도 검사

정답: 5. ⑤ 6. ① 7. ① 8. ④

9. 32세 남성이 기상 시 전신의 피로함, 미열, 통증 및 관절의 뻣뻣한 증상이 지속되어 내원하였다. 류마티스 관절염으로 진단받았다. 이전에 메토트렉세이트 (MTX)로 치료를 시도한적 있으나 오심, 구토 증상이 너무 심해서 약물치료를 금방 중단한 이력이 있다. 다음 중 이 환자의 류마티스 관절염 초기 치료 약물로 가장 적절한 것은? (2019년 유럽류마티스학회(EULAR) 알고리즘 기준)

① 메토트렉세이트 (Methotrexate)
② 히드록시클로로퀸 (Hydroxychloroquine)
③ 프레드니솔론 (Prednisolone)
④ 인도메타신 (Indomethacin)
⑤ 레플루노마이드 (Leflunomide)

10. 32세 임산부 여성이 기상 시 전신의 피로함, 미열, 통증 및 관절의 뻣뻣한 증상이 지속되어 내원하였다. 류마티스 관절염으로 진단받았다. 다음 중 이 환자의 류마티스 관절염 초기 치료 약물로 가장 적절한 것은?
(2019년 유럽류마티스학회(EULAR) 알고리즘 기준)

① 메토트렉세이트 (Methotrexate)
② 히드록시클로로퀸 (Hydroxychloroquine)
③ 설파살라진 (Sulfasalazine)
④ 인도메타신 (Indomethacin)
⑤ 레플루노마이드 (Leflunomide)

11. 32세 남성이 류마티스 관절염을 진단받아 메토트렉세이트 (Methotrexate), 프레드니솔론 (Prednisolone) 복합요법으로 1년째 치료중이다. 최근 2개월 전부터 손목과 손가락의 아침 강직 증상이 심해지고 손 X-ray 상 새로운 골미란이 관찰되었다. 검사 결과가 다음과 같을 때, 다음 중 적절한 조치가 아닌 것은?

[검사 결과]
류마티스인자 (RF): 양성 (+)
ACPA: 양성 (+)

① 인플릭시맙 (Infliximab)으로 변경
② 아달리무맙 (Adalimumab)으로 변경
③ 아바타셉트 (Abatacept)로 변경
④ 토실리주맙 (Tocilizumab)으로 변경
⑤ 토파시티닙 (Tofacitinib)으로 변경

12. 류마티스 관절염 치료로 JAK 억제제 (Janus Kinase Inhibitor) 투여를 계획 중인 환자에서 치료 전/후 반드시 필요한 모니터링 항목이 아닌 것은?

① 전혈구 검사 (CBC)
② 잠복(활동성) 결핵 검사
③ 공복 지질 검사 (Fast Lipid Profile)
④ 간기능 검사 (AST, ALT)
⑤ 혈압

정답: 9. ⑤ 10. ③ 11. ① 12. ⑤

13. 32세 남성이 류마티스 관절염으로 치료중이다. 메토트렉세이트 (Methotrexate)와 엽산 (Folic acid)를 처방받아 복용 중이며, 가끔씩 통증이 있을 때마다 나프록센 (Naproxen)을 복용중이다. 3개월 후 내원하였을 때, 증상이 악화되어 토파시티닙 (Tofacitinib)을 추가하려 한다. 다음 중 이 약제와 나프록센을 함께 복용했을 때 나타날 수 있는 부작용으로 가장 적절한 것은?

① 부종
② 혈압 상승
③ 신기능 저하
④ 감염 위험
⑤ 위장관 천공

14. 심한 류마티스 관절염 병력이 있는 65세 남성이 내원하였다. 현재 메토트렉세이트 (Methotrexate)와 인플릭시맙 (Infliximab)을 병용하여 치료중이며, 최근 악화로 인해 조절이 되지 않는 상태이다. 토파시티닙 (Tofacitinib) 치료를 시작하려 할 때, 다음 중 환자에게 필요한 조치로 가장 적절한 것은?

① 메토트렉세이트 (Methotrexate) 중단
② 인플릭시맙 (Infliximab) 중단
③ 메토트렉세이트 및 인플릭시맙 중단
④ 메토트렉세이트 및 인플릭시맙 유지
⑤ 인플릭시맙 (Infliximab)을 아달리무맙 (Adalimumab)으로 변경

15. 32세 여성이 정기 검진차 내원하였다. 검사결과가 다음과 같을 때, 다음 중 환자에게 가장 적절한 조치는?

[병력] 류마티스 관절염
[투여약물]
설파살라진 (Sulfasalazine)
히드록시클로로퀸 (Hydroxychloroquine)
바리시티닙 (Baricitinib)
[검사 결과] 뇨중 hCG (+) → 임신

① 모든 약제 중단
② 설파살라진 (Sulfasalazine) 중단
③ 히드록시클로로퀸 (Hydroxychloroquine) 중단
④ 바리시티닙 (Baricitinib) 중단
⑤ 모든 약제 유지

정답: 13. ⑤ 14. ② 15. ④

02 비뇨기질환 17. 양성전립샘비대

1. 32세 남성이 갑자기 소변 보는 것에 대해 어려움을 느껴 병원에 내원하였다. 검사 결과가 다음과 같고, 전립샘대의 징후가 없었을 때, 다음 중 환자에게 급성 요저류를 유발했을 가능성이 있는 약물로 가장 적절한 것은?

[검사 결과] 국제전립선증상점수표(IPSS) 7점 (경증) 전립샘 크기 10g (정상)
혈중전립선특이항원(PSA) (-)

① 클로르페니라민 (Chlorpheniramine)
② 아미트립틸린 (Amitriptyline)
③ 벨라돈나 알칼로이드 (Belladonna)
④ 디시클로민 (Dicyclomine)
⑤ 모두

2. 65세 남성이 소변 보는 것에 대해 어려움을 느껴 병원에 내원하였다. 검사 결과가 다음과 같고, 양성전립샘비대로 진단받았을 때, 다음 중 환자에게 가장 적절한 약물 요법은?

[검사 결과] 국제전립선증상점수표(IPSS)
7점 (경증)

① 대기요법
② 탐술로신 (Tamsulosin)
③ 피나스테리드 (Finasteride)
④ 탐술로신 (Tamsulosin) + 피나스테리드 (Finasteride)
⑤ 탐술로신 (Tamsulosin) + 타다라필 (Tadalafil)

3. 65세 남성이 소변 보는 것에 대해 어려움을 느껴 병원에 내원하였다. 검사 결과가 다음과 같고, 양성전립샘비대로 진단받았을 때, 다음 중 환자에게 가장 적절한 약물 요법은?

[검사 결과] 국제전립선증상점수표(IPSS) 19점 (중등도) 전립샘 크기 30g
혈중전립선특이항원(PSA) 1.0 ng/mL

① 대기요법
② 탐술로신 (Tamsulosin)
③ 피나스테리드 (Finasteride)
④ 탐술로신 (Tamsulosin) + 피나스테리드 (Finasteride)
⑤ 탐술로신 (Tamsulosin) + 타다라필 (Tadalafil)

4. 65세 남성이 소변 보는 것에 대해 어려움을 느껴 병원에 내원하였다. 검사 결과가 다음과 같고, 양성전립샘비대로 진단받았을 때, 다음 중 환자에게 가장 적절한 약물 요법은?

[병력] 기립성 저혈압
[검사 결과] 국제전립선증상점수표(IPSS) 19점 (중등도) 전립샘 크기 30g
혈중전립선특이항원(PSA) 1.0 ng/mL

① 알푸조신 (Alfuzosin)
② 테라조신 (Terazosin)
③ 독사조신 (Doxazosin)
④ 실로도신 (Silodosin)
⑤ 두타스테리드 (Dutasteride)

정답: 1. ⑤ 2. ① 3. ② 4. ④

17. 양성전립샘비대

5. 65세 남성이 소변 보는 것에 대해 어려움을 느껴 병원에 내원하였다. 검사결과가 다음과 같고, 양성전립샘비대로 진단받았을 때, 다음 중 환자에게 가장 적절한 약물 요법은?

[검사 결과] 국제전립선증상점수표(IPSS) 20점 (중증) 전립샘 크기 40g (큼)
혈중전립선특이항원(PSA) 1.4 ng/mL (높음)

① 대기요법
② 탐술로신 (Tamsulosin)
③ 피나스테리드 (Finasteride)
④ 탐술로신 (Tamsulosin) + 피나스테리드 (Finasteride)
⑤ 탐술로신 (Tamsulosin) + 타다라필 (Tadalafil)

6. 65세 남성이 소변 보는 것에 대해 어려움을 느껴 병원에 내원하였다. 검사결과가 다음과 같고, 양성전립샘비대로 진단받았다. 이른 시일 내에 백내장 수술을 계획중이라고 할 때, 다음 중 약물치료의 시작을 수술 후로 미뤄야 하는 이유가 되는 약물로 가장 적절한 것은?

[병력] 백내장
[검사 결과] 국제전립선증상점수표(IPSS) 19점 (중등도) 전립샘 크기 30g
혈중전립선특이항원(PSA) 1.0 ng/mL

① 알푸조신 (Alfuzosin)
② 테라조신 (Terazosin)
③ 실로도신 (Silodosin)
④ 탐술로신 (Tamsulosin)
⑤ 나프토피딜 (Naftopidil)

7. 65세 남성이 양성전립샘비대로 진단받아 두타스테리드 (Dutasteride) 단독요법으로 약물치료를 시작하였다. 약물치료 1개월 후 증상이 개선되지 않아 내원하였다. 치료기간을 고려했을 때, 다음 중 환자에게 필요한 조치로 가장 적절한 것은?

[병력] 조절되지 않는 심방세동, 고혈압, 기립성 저혈압
[검사 결과] 국제전립선증상점수표(IPSS) 20점 (중증) 전립샘 크기 40g (큼)

① 두타스테리드 (Dutasteride) 치료 유지
② 두타스테리드 (Dutasteride) 용량 증량
③ 피나스테리드 (Finasteride)로 변경
④ 항콜린제 추가
⑤ 타다라필 (Tadalafil) 추가

8. 양성전립샘비대로 두타스테리드 (Dutasteride)로 치료중인 환자의 약물 치료 반응에 대한 평가를 위한 모니터링 시기로 가장 적절한 것은?

① 치료 첫 4주 후
② 치료 첫 6주 후
③ 치료 첫 8주 후
④ 치료 첫 12주 후
⑤ 치료 첫 6개월 후

정답: 5. ④ 6. ④ 7. ① 8. ④

9. 65세 남성이 소변 보는 것에 대해 어려움을 느껴 병원에 내원하였다. 처방 받은 약에 대해 약사가 복약상담을 해줄 때, 처음 드실 때 앉았다 일어날 때 어지러운 증상 등을 느낄 수 있다고 해주었는데 이 남성이 처방받았을 것으로 추정되는 약물로 가장 적절한 것은?

① 베타네콜 (Bethanechol)
② 옥시부티닌 (Oxybutynin)
③ 테라조신 (Terazosin)
④ 피나스테리드 (Finasteride)
⑤ 실데나필 (Sildenafil)

정답: 9. ③

18. 요실금

1. 65세 남성이 최근 기침과 재채기를 했을 때, 요실금 증상이 나타나는 것을 주소로 내원하였다. 복압요실금으로 진단되었을 때, 다음 중 환자의 증상을 악화시킬 수 있는 약물로 적절한 것은?

[병력] 전립샘비대증, 고혈압
[특이사항] BMI 30 kg/m^2

① 탐술로신 (Tamsulosin)
② 에날라프릴 (Enalapril)
③ 메틸도파 (Methyldopa)
④ 클로니딘 (Clonidine)
⑤ 모두

2. 65세 여성이 최근 기침과 재채기를 했을 때, 요실금 증상이 나타나는 것을 주소로 내원하였다. 질위축 증상이 동반되었고 복압요실금으로 진단되었을 때, 다음 중 환자의 증상을 완화시킬 수 있는 약물로 가장 적절한 것은?

① 국소 에스트로겐 제제
② 구안파신 (Guanfacine)
③ 라베타롤 (Labetalol)
④ 솔리페나신 (Solifenacin)
⑤ 미라베그론 (Mirabegron)

3. 65세 여성이 최근 기침과 재채기를 했을 때, 요실금 증상이 나타나는 것을 주소로 내원하였다. 복압요실금으로 진단되었을 때, 다음 중 환자의 증상을 완화시킬 수 있는 약물로 가장 적절한 것은?

[병력] 당뇨병성 신경병증, 골관절염

① Botulinum Toxin-A 방광 주사
② 다리페나신 (Darifenacin)
③ 이미프라민 (Imipramine)
④ 미라베그론 (Mirabegron)
⑤ 둘록세틴 (Duloxetine)

4. 65세 여성이 잦은 소변을 주소로 내원하였다. 최근 그녀는 하루 10차례까지 소변 보는 횟수가 늘어났다고 했다. 배뇨 양상 결과 24시간 소변량이 약 2000 mL 였으며, 방광 스캔 검사 상 유의할만한 배뇨 후 잔뇨량은 없었다. 생활요법(보존치료요법)만으로 조절되지 않았을 때, 다음 중 환자에게 먼저 할 수 있는 가장 적절한 처치는?

① Botulinum Toxin-A 방광 주사
② 다리페나신 (Darifenacin)
③ 이미프라민 (Imipramine)
④ 미라베그론 (Mirabegron)
⑤ 둘록세틴 (Duloxetine)

정답: 1. ⑤ 2. ① 3. ⑤ 4. ②

5\. 65세 여성이 잦은 소변과 급박뇨 증상을 주소로 내원하였다. 밤에 소변을 보기 위해 3번 정도 일어났으며, 배뇨 후 잔뇨 문제 등은 없었다. 절박요실금으로 진단되었을 때, 다음 중 환자에게 가장 적절한 조치는?

[병력] 알츠하이머
[투여 약물] 도네페질 (Donepezil)

① 항무스카린 약물
② 미라베그론 (Mirabegron)
③ 국소 에스트로겐 제제 (Estrogen)
④ 둘록세틴 (Duloxetine)
⑤ 벤라팍신 (Venlafaxine)

6\. 65세 여성이 잦은 소변과 급박뇨 증상을 주소로 내원하였다. 밤에 소변을 보기 위해 3번 정도 일어났으며, 배뇨 후 잔뇨 문제 등은 없었다. 당뇨, 고혈압, 천식, 폐쇄각녹내장 병력이 있어 약물을 복용중이다. 이전에 보존치료요법만으로 증상이 조절되지 않아 약물치료를 원한다고 할 때, 이 환자에게 미라베그론 (Mirabegron)을 사용할 수 없는 이유는?

[활력징후]
혈압 170/100 mmHg
[검사 결과]
CrCl = 50ml/min

① 당뇨
② 조절되지 않은 혈압
③ 천식
④ 폐쇄각 녹내장
⑤ 저하된 신기능

7\. 65세 여성이 소변을 볼 때 잔뇨감을 주소로 내원하였다. 그녀는 몇 주 전 절박요실금으로 진단받아 치료를 시작하였으며, 금일 배뇨 후 도뇨관을 이용해 측정한 잔뇨량 (PVR, Post Void Residual)은 250 mL였다. 다음 중 그녀가 우선적으로 먼저 절박요실금 치료 약물로 사용했을 것으로 생각되는 가장 적절한 약물은?

① 항무스카린 약물
② 미라베그론 (Mirabegron)
③ 국소 에스트로겐 제제 (Estrogen)
④ 둘록세틴 (Duloxetine)
⑤ 벤라팍신 (Venlafaxine)

8\. 65세 여성이 절박요실금으로 진단받아 옥시부티닌 (Oxybutynin)과 미라베그론 (Mirabegron)을 병용하여 치료중이다. 2개월 뒤 내원하였으나, 증상이 악화되었다고 할 때 다음 중 환자에게 가장 적절한 조치는?

① Botulinum Toxin-A 방광 주사
② 옥시부티닌 (Oxybutinin)을 다리페나신 (Darifenacin)으로 변경
③ 이미프라민 (Imipramine) 추가
④ 둘록세틴 (Duloxetine) 추가
⑤ 에스트로겐 (Estrogen) 질크림 추가

정답: 5. ② 6. ② 7. ① 8. ①

9. 65세 여성이 잦은 소변과 급박뇨 증상을 주소로 내원하였다. 밤에 소변을 보기 위해 3번 정도 일어났으며, 배뇨 후 잔뇨 문제 등은 없었다. 절박요실금으로 진단되었을 때, 다음 중 약물 상호작용을 고려하여 환자에게 피해야하는 약물로 가장 적절한 것은?

[투여 약물] 파록세틴 (Paroxetine)
시나칼세트 (Cinacalcet)

① 옥시부티닌 (Oxybutynin)
② 솔리페나신 (Solifenacin)
③ 톨테로딘 (Tolterodine)
④ 트로스피움 (Trospium)
⑤ Botulinum Toxin-A 방광 주사

10. 65세 여성이 최근 소변줄기가 약해지고 소변 시간이 늘어나는 증상, 소변을 볼 때 하복부에 힘을 주어야 하는 증상을 주소로 내원하였다. 범람요실금으로 진단되었을 때, 다음 중 환자의 증상을 완화시킬 수 있는 약물로 가장 적절한 것은?

① 슈도에페드린 (Pseudoephedrine)
② 아미트립틸린 (Amitriptyline)
③ 옥시부티닌 (Oxybutynin)
④ 암로디핀 (Amlodipine)
⑤ 베타네콜 (Bethanechol)

정답: 9. ③ 10. ⑤

03 소화기 질환

03 소화기질환 19. 소화성궤양

1. 페니실린과 아스피린에 알러지가 있는 소화성궤양을 가진 32세 남성이 H.pylori에 감염된 경우, Lansoprazole 30mg 하루 2회와 함께 사용할 수 있는 14일 약물요법은?

① 클래스로마이신(Clarithromycin) + 아목시실린(Amoxicillin)
② 클래스로마이신(Clarithromycin) + 메트로니다졸 (Metronidazole)
③ 비스무스(Bismuth) + 메트로니다졸(Metronidazole) + 테트라사이클린(Tetracycline)
④ 클래리스로마이신(Clarithromycin) + 레보플록사신(Levofloxacin)
⑤ 메트로니다졸(Metronidazole) + 레보플록사신(Levofloxacin)

2. 4주 뒤 외래 진료시 헬리코박터 파일로리 제균요법 후 제균을 확인하기 위해 시행할 수 있는 검사 중 가장 적절한 것은?

① 급속요소분해효소검사 (Rapid Urease Test)
② 조직검사
③ 혈청 항체 검사
④ 중합효소연쇄반응 (PCR) 검사
⑤ 요소호기검사 (Urea Breath Test)

3. 65세 남성이 심한 지역사회획득성 폐렴으로 중환자실에 입원하였다. 입원 후 급성호흡부전이 발생하여 기관지 삽관을 통한 치료가 필요한 상황에서 스트레스 관련 점막손상의 예방을 위해 적절한 조치는?

① 스트레스 관련 점막손상 예방 적응증 없음
② 수크랄페이트 (Sucralfate) 비위관 투여
③ 수산화마그네슘 ($Mg(OH)_2$) 비위관 투여
④ 파모티딘 (Famotidine) 정맥주사 (IV)
⑤ 미소프로스톨 (Misoprostol) 경구 투여

4. 과거 소화성궤양 병력이 있는 60세 남성에게 만성 허리 통증 조절을 위해 나프록센 (Naproxen)에 더하여 사용할 수 있는 적절한 치료는?

① 에소메프라졸(Esomeprazole) 하루 1회
② 미소프로스톨(Misoprostol) 200mcg 하루 2회
③ 파모티딘(Famotidine) 하루 2회
④ 수크랄페이트(Sucralfate) 하루 3회
⑤ 비스무스(Bismuth) 하루 4회

정답: 1. ② 2. ⑤ 3. ④ 4. ①

5. 65세 남성이 4주 전부터 위식도역류질환으로 제산제와 파모티딘 (Famotidine) 20mg 하루 2회를 처방받아 복용중이다. 가슴쓰림 및 역류증상이 호전되지 않았을 때, 위식도역류질환관리를 위해 할 수 있는 가장 적절한 조치는?

① 파모티딘 20mg 하루 3회로 증량
② 파모티딘 4주 치료 지속 후 재평가
③ 에소메프라졸 (Esomeprazole)로 변경
④ 라니티딘 (Ranitidine)으로 변경
⑤ 내시경 검사 (Endoscopy)

6. 고혈압, 2형 당뇨병, 고지혈증, 골관절염이 있는 65세 여성이 아래 약물로 치료받다가 지난달부터 심해진 피로감으로 내원하였다. 지난 몇 주간 검은색 변을 보았고, 기타 특이사항은 없었다. 원인약물은?

[검사 결과] Hb 10 g/dL

① 나프록센 (Naproxen)
② 로수바스타틴 (Rosuvastatin)
③ 암로디핀 (Amlodipine)
④ 메트포르민 (Metformin)
⑤ 칸데사르탄 (Candesartan)

19. 소화성궤양

7. 페니실린에 알러지가 있는 소화성궤양을 가진 32세 남성이 Helicobacter pylori에 감염된 경우, 란소프라졸 (Lansoprazole) 30mg 하루 2회와 함께 사용할 수 있는 14일 약물요법은?

① 클래스로마이신(Clarithromycin) + 아목시실린(Amoxicillin)
② 비스무스(Bismuth) + 메트로니다졸(Metronidazole)
③ 비스무스(Bismuth) + 메트로니다졸(Metronidazole) + 테트라사이클린(Tetracycline)
④ 클래리스로마이신(Clarithromycin) + 레보플록사신(Levofloxacin)
⑤ 메트로니다졸(Metronidazole) + 레보플록사신(Levofloxacin)

정답: 5. ③ 6. ① 7. ③

03 소화기질환 20. 위식도역류병

1. 74세 남성 파킨슨병으로 진단 받은 환자가 약물을 복용중이다. 어느날 갑자기 환자가 하루에도 종종 가슴이 타는 듯한 증상과 함께 시고 쓴 맛을 호소한다고 하였다. 다음 중 이 환자의 증상에 영향을 주었을 가능성이 있는 가장 적절한 약물은?

① 레보도파/카비도파 (Levodopa/carbidopa)
② 프라미펙솔 (Pramipexole)
③ 벤즈트로필 (Benztropine)
④ 로라제팜 (Lorazepam)
⑤ 모두

2. 32세 남성이 뇌전증으로 약물을 복용중이다. 어느날 갑자기 환자가 하루에도 종종 가슴이 타는 듯한 증상과 함께 시고 쓴 맛을 호소한다고 하였다. 다음 중 이 환자의 증상에 영향을 주었을 가능성이 있는 가장 적절한 약물은?

① 레베티라세탐 (Levetiracetam)
② 발프로산 (Valproate)
③ 라모트리진 (Lamotrigine)
④ 조니사미드 (Zonisamide)
⑤ 페노바비탈 (Phenobarbital)

3. 32세 남성이 음식물 섭취 후 가슴쓰림 증상을 주소로 내원하였다. 만성적으로 마른 기침을 호소하기도 했으며, 증상은 주로 밤에 악화되었다. 위식도역류질환으로 진단받았을 때, 이 환자의 증상 완화를 위해 권유할 수 있는 비약물요법이 아닌 것은?

① 침상 머리쪽을 15cm 정도 높임
② 상체를 30도 정도 올림
③ 취침 시 몸을 왼쪽 아래로 하고 누움
④ 취침 시 몸을 오른쪽 아래로 하고 누움
⑤ 지방식, 초콜릿 섭취를 피함

4. 수차례의 정맥혈전색전증과 위식도역류질환 이력이 있는 65세 남성이 가슴쓰림 증상이 심해져 내원하였다. 그는 와파린을 복용중이며, 가슴쓰림 증상 완화 목적으로 약을 처방받아 복용하였다. 일주일 후 INR 검사 결과 5.0으로 나왔을 때, 다음 중 INR 상승 유발 요인으로 가장 적절한 약물은?

① 파모티딘 (Famotidine)
② 라니티딘 (Ranitidine)
③ 란소프라졸 (Lansoprazole)
④ 시메티딘 (Cimetidine)
⑤ 니자티딘 (Nizatindine)

정답: 1. ⑤ 2. ⑤ 3. ④ 4. ④

5. 32세 남성이 과식 후 속쓰림 증상으로 내원하였다. 그는 오전에 일어나자마자 같은 증상을 느꼈으며, 증상은 2시간동안 지속되었다. 그는 비가역적으로 위벽의 H+/K+ ATPase/Pump를 억제하는 약물을 처방받았다. 다음 중 이 약물이 유발할 수 있는 부작용이 아닌 것은?

① 철 결핍
② 골밀도 감소
③ 저마그네슘혈증
④ *C.difficile* 감염
⑤ 니아신 결핍

6. 32세 남성이 어느날 갑자기 환자가 하루에도 종종 가슴이 타는 듯한 증상과 함께 시고 쓴 맛을 호소한다고 하였다. 다음 중 이 환자의 증상을 악화시킬 수 있는 약물은?

① 메토클로프라미드 (Metoclopramide)
② 돔페리돈 (Domperidone)
③ 바클로펜 (Baclofen)
④ 니페디핀 (Nifedipine)
⑤ 베타네콜 (Bethanechol)

7. 65세 남성의 병력과 투여약물이 다음과 같을 때, 음식물로 인한 생체이용률 감소 방지를 위해 식전에 복용하면 좋은 약물은?

[병력] 이상지질혈증, 심부전, 위식도역류염
[투여약물]
로수바스타틴 (Rosuvastatin)
비소프롤롤 (Bisoprolol)
스피로노락톤 (Spironolactone)
퓨로세미드 (Furosemide)
판토프라졸 (Pantoprazole)

① 로수바스타틴 (Rosuvastation)
② 비소프롤롤 (Bisoprolol)
③ 스피로노락톤 (Spironolactone)
④ 퓨로세미드 (Furosemide)
⑤ 판토프라졸 (Pantoprazole)

정답: 5. ⑤ 6. ④ 7. ⑤

1. 32세 남성이 최근 심해진 변비 증상을 주소로 내원하였다. 질환적으로 특별한 원인을 찾지 못했을 때, 다음 중 변비를 유발했을 것으로 추정되는 약물로 가장 적절한 것은?

① 디시클로민 (Dicyclomine)
② 딜티아젬 (Diltiazem)
③ 아미트립틸린 (Amitriptyline)
④ 황산제일철 (Ferrous Sulfate)
⑤ 모두

2. 32세 여성이 변비형 과민대장증후군 (IBS-C)를 진단받았다. 여성은 평소에 속쓰림 증상으로 Famotidine 20 mg 하루 2회 용법을 처방받아 복용중이나 저녁에 먹는 것을 종종 잊어버린다. Psyllium 과립 하루 1포 복용하고 있으나, 최근 배변 횟수가 감소하고 있다. 그녀는 복부 불편감과 고창을 겪고 있다. 다음 중 환자에게 권해줄 수 있는 적절한 조치는?

① Psyllium 과립 하루 2포로 증량
② 플레카나타이드 (Plecanatide) 추가
③ 테가세로드 (Tegaserod) 추가
④ 루비프로스톤 (Lubiprostone) 추가
⑤ 알로세트론 (Alosetron) 추가

3. 32세 남성이 반복되는 물설사를 주소로 내원하였다. 평소에 스트레스를 받으면 물설사 횟수가 늘어난다고 하고,배가 아픈 증상은 대변을 보고 나면 호전되었다. 과민성대장증후군으로 진단되었을 때, 이 환자에게 가장 적절한 치료는?

① 비스무스 (Bismuth)
② 디시클로민 (Dicyclomine)
③ 알로세트론 (Alosetron)
④ 폴리카보필 (Polycarbophil)
⑤ 로페라미드 (Loperamide)

4. 32세 남성이 몇 주 전부터 시작된 하루 수차례의 물설사를 주소로 내원하였다. 혈변이나 점액변은 없었다. 그는 최근 직장일로 스트레스를 많이 받아 속쓰림을 호소하였으며 속쓰림 증상이 있을 때마다 제산제 수산화마그네슘 ($Mg(OH)_2$)을 복용하였고 속쓰림 증상은 호전되었다. 이 환자를 위한 적절한 조치는?

① 수산화마그네슘 증량
② 수산화마그네슘 중단
③ 탄산수소칼슘으로 변경
④ 수산화알루미늄 추가
⑤ 로페라미드 추가

정답: 1. ⑤ 2. ② 3. ⑤ 4. ③

5. 32세 여성이 설사형 과민대장증후군 (IBS-D)로 진단받아 로페라미드 (Loperamide)로 증상을 조절중이였다. 최근 심한 복통이 잦고 대변 절박과 변실금으로 일상활동에 제약을 받고 있어 병원으로 찾아왔을 때, 다음 중 환자에게 권해줄 수 있는 가장 적절한 약물은?

① 비스무스 (Bismuth)
② 디시클로민 (Dicyclomine)
③ 알로세트론 (Alosetron)
④ 폴리카보필 (Polycarbophil)
⑤ 파록세틴 (Paroxetine)

6. 32세 남성이 몇 주 전부터 시작된 변비를 주소로 내원하였다. 그는 최근 직장일로 스트레스를 많이 받아 속쓰림을 호소하였으며 증상 완화를 위해 제산제를 복용하고 싶다고 하였다. 이 환자를 위한 약물로 가장 적절한 것은?

① 수산화마그네슘 ($Mg(OH)_2$)
② 탄산수소칼슘 ($Ca(HCO_3)_2$)
③ 탄산칼슘 ($CaCO_3$)
④ 인산알루미늄 ($AlPO_4$)
⑤ 수산화알루미늄 ($Al(OH)_3$)

7. 32세 남성이 설사형 과민대장증후군 (IBS-D)로 진단받아 로페라미드 (Loperamide)로 증상을 조절중이였다. 최근 심한 복통이 잦은 증상으로 내원하였다. 기타 다른 증상은 불편하지 않다고 했을 때, 이 환자에게 가장 적절한 치료는?

① 비스무스 (Bismuth) 추가
② 히오시아민 (Hyoscyamine) 추가
③ 알로세트론 (Alosetron) 추가
④ 폴리카보필 (Polycarbophil) 추가
⑤ 파록세틴 (Paroxetine) 추가

정답: 5. ③ 6. ① 7. ②

03 소화기질환 22. 염증장질환

1. 활동기 크론병을 앓는 50세 남성이 프레드니솔론 (Predisolone) 40mg 경구 치료로 12일간 치료했지만 적절한 관해를 보이지 않았다. 입원 후 5일간 메칠프레드니솔론 정맥주사 요법에도 반응하지 않았을 때, 적절한 치료 약물은?

[검사 결과] 결핵균중합효소연쇄반응: 음성

① 메토트렉세이트 (Methotrexate)
② 아자치오프린 (Azathioprine)
③ 부데소나이드 (Budesonide)
④ 인플릭시맙 (Infliximab)
⑤ 메살라진 (Mesalazine)

2. 32세 남성이 최근 2개월간 하루 2-3번의 잦은 혈변을 보여 대장내시경 검사 결과 직장부터 하행결장에 삼출물이 덮인 점막 발적과 혈관 모양 소실이 발견되어 경증 궤양대장염으로 진단되었다. 적절한 치료 약물은?

① 5-아미노살리실산 (5-aminosalicylate)
② 프레드니솔론 (Prednisolone)
③ 아자치오프린 (Azathioprine)
④ 메토트렉세이트 (Methotrexate)
⑤ 메트로니다졸 (Metronidazole)

3. 32세 임산부 여성이 최근 2개월간 하루 2-3번의 잦은 혈변을 보여 대장내시경 검사 결과 직장부터 하행결장에 삼출물이 덮인 점막 발적과 혈관 모양 소실이 발견되어 경증 궤양대장염으로 진단되었다. 적절한 치료 약물은?

① 5-아미노살리실산 (5-aminosalicylate)
② 프레드니솔론 (Prednisolone)
③ 아자치오프린 (Azathioprine)
④ 메토트렉세이트 (Methotrexate)
⑤ 메트로니다졸 (Metronidazole)

4. 40세 남성이 지난 4주간 잦은 혈변과 복통을 주소로 내원하였다. 직장 생검 결과 장샘 농양 (crypt abscess)가 발견되었고, 내시경 결과 직장부위에만 다수의 표재성 궤양들이 발견되어 궤양대장염으로 진단되었다. 이 환자가 1차 치료제에 약물과민반응(알러지)을 보였을 때, 다음 중 피해야 하는 약물은?

① 메트로니다졸 (Metronidazole)
② 메토트렉세이트 (Methotrexate)
③ 아자치오프린 (Azathioprine)
④ 프레드니솔론 (Prenisolone)
⑤ 아스피린 (Aspirin)

정답: 1. ④ 2. ① 3. ① 4. ⑤

5. 32세 크론병 병력이 있는 남성이 메토트렉세이트 (Methotrexate) 치료를 시작했다. 3개월 후 내원시 그는 어지러움, 피로, 쉽게 멍드는 증상을 호소하였고, 검사결과 빈혈, 혈소판감소증, 백혈구감소증으로 나타났다. 이러한 환자의 상태를 예방하기 위해 3개월 전 메토트렉세이트 처방시 함께 처방되었다면 좋은 것은?

① 류코보린 (Leucovorin)
② 비타민 B12
③ 비타민 B6
④ 비타민 B1
⑤ 덱사메타손 (Dexamethasone)

6. 32세 남성이 지난 3개월간 지속적인 피로, 체중감소, 복통을 주소로 내원하였다. 진단 결과 크론병으로 진단되었고, 크론병 활동 지수 (CDI, Crohn's Disease activity Index)가 150으로 경도 활동성으로 분류되었다. 항문 주위 누공 소견을 보였을 때, 다음 중 유도요법으로 가장 적절한 약물은?

① 설파살라진 (Sulfasalazine)
② 경구 부데소나이드 (Budesonide)
③ 메트로니다졸 (Metronidazole)
④ 프레드니솔론 (Prednisolone)
⑤ 메토트렉세이트 (Methotrexate)

7. 32세 남성이 6개월 전부터 오른쪽 아랫배 통증을 주소로 내원하였다. 하루 1-3회 무른 변(설사)을 보며, 일상 생활에 때때로 지장이 있다고 한다. 경도 활동성 크론병으로 진단되었고 검사 결과가 다음과 같을 때, 다음 중 환자에게 가장 적절한 치료는?

[검사 결과]
CRP 150 mg/dL
대장내시경 상 회장말단에 선형 궤양 병변이 보임

① 설파살라진 (Sulfasalazine)
② 경구 부데소나이드 (Budesonide)
③ 메트로니다졸 (Metronidazole)
④ 프레드니솔론 (Prednisolone)
⑤ 메토트렉세이트 (Methotrexate)

8. 32세 남성이 3년 전 궤양성 대장염 진단 후 아자치오프린 (Azathioprine) 유지요법으로 치료중이다. 이틀 전부터 지속적으로 하루 7-8 차례 혈변을 동반한 설사와 발열이 동반되어 내원하였으며, 검사 결과가 다음과 같을 때 다음 중 환자에게 가장 적절한 치료는?

[검사 결과]
체온 37.6도 맥박 90회/분 백혈구 17,000 mm^3
대변검사 상 *C. difficile* toxin A (-) toxin B (-)

① 설파살라진 (Sulfasalazine)
② 부데소나이드 (Budesonide) 경구
③ 메트로니다졸 (Metronidazole)
④ 히드로코르티손 (Hydrocortisone) 정맥주사
⑤ 인플릭시맙 (Infliximab)

정답: 5. ① 6. ③ 7. ② 8. ④

9. 65세 남성이 3년 전 궤양성 대장염 진단 후 설파살라진(Sulfasalazine)으로 치료했으나, 최근 조절이 되지 않아 아자치오프린 (Azathioprine) 치료를 시작하려 한다. 치료 시작 전 독성발현 예방을 위해 평가되어야 하는 테스트로 적절한 것은?

① CYP2C19 활성도
② Xanthine Oxidase 활성도
③ TPMT 활성도
④ HLA-B*15:02 유전자 검사
⑤ HLA-B*58:01 유전자 검사

10. 32세 남성이 6개월 전부터 오른쪽 아랫배 통증을 주소로 내원하였다. 하루 1-3회 무른 변(설사)을 보며, 일상 생활에 때때로 지장이 있다고 한다. 경도 활동성 크론병으로 진단되었다. 다음 중 크론병의 유지요법으로 사용되지 않는 약물로 적절한 것은?

① 메토트렉세이트 (Methotrexate)
② 아자치오프린 (Azathioprine)
③ 프레드니솔론 (Prednisolone)
④ 베돌리주맙 (Vedolizumab)
⑤ 우스테키누맙 (Ustekinumab)

정답: 9. ③ 10. ③

04 호흡기 질환

04 호흡기질환 23. 천식

1. 32세 남성이 반복적인 호흡 곤란, 숨 쉴 때 쌕쌕거리는 소리, 심한 기침을 주소로 내원하였다. 증상이 1개월에 2회정도 있었고, 야간증상은 없었다. 천식으로 진단되었을 때, 다음 중 환자에게 가장 적절한 초기 질병조절제는?

① 저용량 ICS/formoterol 필요 시 사용
② 저용량 ICS/formoterol 유지
③ 중간용량 ICS/formoterol 유지
④ 고용량 ICS/formoterol 유지
⑤ 티오트로피움 (Tiotropium) 유지

2. 32세 남성이 반복적인 호흡 곤란, 숨 쉴 때 쌕쌕거리는 소리, 심한 기침을 주소로 내원하였다. 증상은 거의 매일 있었고, 주 1회정도 야간증상으로 잠에서 깨곤 했다. 천식으로 진단되었을 때, 다음 중 환자에게 가장 적절한 초기 질병조절제는?

[검사 결과] FEV1/FVC(%) 80%
(폐기능 정상)

① 저용량 ICS/formoterol 필요 시 사용
② 저용량 ICS/formoterol 유지
③ 중간용량 ICS/formoterol 유지
④ 고용량 ICS/formoterol 유지
⑤ 티오트로피움 (Tiotropium) 유지

3. 32세 남성이 반복적인 호흡 곤란, 숨 쉴 때 쌕쌕거리는 소리, 심한 기침을 주소로 내원하였다. 증상은 거의 매일 있었고, 야간증상으로 거의 매일 잠에서 깼다. 중증으로 조절이 안되는 천식의 조기증상으로 진단되었을 때, 단기간 경구스테로이드 투여와 함께 다음 중 환자에게 가장 적절한 초기 질병조절제는?

① 저용량 ICS/formoterol 필요 시 사용
② 저용량 ICS/formoterol 유지
③ 중간용량 ICS/formoterol 유지
④ 고용량 ICS/formoterol 유지
⑤ 티오트로피움 (Tiotropium) 유지

4. 32세 남성이 최근 1달 전부터 심해진 반복적인 호흡 곤란, 숨 쉴 때 쌕쌕거리는 소리, 기침을 주소로 내원하였다. 일주일에 3번 정도 주간증상이 있었고, 종종 야간증상으로 잠에서 깨곤 했다. 다음 중 환자에게 가장 적절한 치료는?

[병력] 천식
[투여 약물] 저용량 ICS

① 저용량 ICS/formoterol 필요 시 사용
② 저용량 ICS/formoterol 유지
③ 중간용량 ICS/formoterol 유지
④ 경구 스테로이드 추가
⑤ 티오트로피움 (Tiotropium)으로 변경

정답: 1. ① 2. ② 3. ③ 4. ②

5. 32세 남성이 급성 호흡곤란으로 인해 내원하였다. 3일 전부터 감기 증상이 동반되었으며, 천식이 급성 악화되어 일시적으로 2주간 약물 용량을 변경하도록 안내하려 할 때, 다음 중 일시적으로 증량될 용량으로 가장 적절한 것은?

[병력] 천식
[투여 약물] ICS/formoterol

① ICS/formoterol 1.5배로 증량
② ICS/formoterol 2배로 증량
③ ICS/formoterol 2.5배로 증량
④ ICS/formoterol 3배로 증량
⑤ ICS/formoterol 4배로 증량

정답: 5. ⑤

04 호흡기질환 24. 만성폐쇄성폐질환

1. 32세 남성이 만성폐쇄성폐질환으로 진단되었다. 다음 중 초기 약물요법으로 가장 적절한 것은?

[검사 결과] mMRC (호흡곤란점수): 1점
FEV1 (1초간노력성호기량): 60%
1년간 급성 악화 횟수: 1회

① 살부타몰 (Salbutamol) 필요시 사용
② 포모테롤 (Formoterol) 유지요법
③ 티오트로피움 (Tiotropium) 유지요법
④ 포모테롤 (Formoterol)+ 티오트로피움 (Tiotropium)
⑤ ICS (Inhaled Corticosteroid) 단독 사용

2. 32세 남성이 내원하였다. 다음 중 초기 약물요법으로 가장 적절한 것은?

[병력] 만성폐쇄성폐질환
[검사 결과] mMRC (호흡곤란점수): 2점
FEV1 (1초간노력성호기량): 60%
1년간 급성 악화 횟수: 1회
[투여 약물] 살부타몰 (Salbutamol) 흡입제 필요시 사용
포모테롤 (Formoterol) 흡입제 유지요법

① 포모테롤 (Formoterol) 용량 증량
② 티오트로피움 (Tiotropium) 추가
③ ICS (Inhaled Corticosteroid) 흡입용 스테로이드 추가
④ 로플루밀라스트 (Roflumilast) 추가
⑤ 아지스로마이신 (Azithromycin) 추가

3. 32세 남성이 만성폐쇄성폐질환으로 진단되었다. 다음 중 초기 약물요법으로 가장 적절한 것은?

[검사 결과] mMRC (호흡곤란점수): 2점
FEV1 (1초간노력성호기량): 58%
1년간 급성 악화 횟수: 2회

① 살부타몰 (Salbutamol) 필요시 사용
② 포모테롤 (Formoterol) 유지요법
③ 티오트로피움 (Tiotropium) 유지요법
④ 포모테롤 (Formoterol)+티오트로피움 (Tiotropium)
⑤ ICS (Inhaled Corticosteroid) 단독 사용

4. 32세 남성이 내원하였다. 다음 중 약물요법으로 가장 적절한 것은?

[병력] 만성폐쇄성폐질환
[검사 결과] mMRC (호흡곤란점수): 2점
FEV1 (1초간노력성호기량): 55%
1년간 급성 악화 횟수: 2회
[투여 약물] 살부타몰 (Salbutamol) 흡입제 필요시 사용
포모테롤 (Formoterol) 흡입제 유지요법
티오트로피움 (Tiotropium) 흡입제 유지요법

① 포모테롤 (Formoterol) 용량 증량
② 티오트로피움 (Tiotropium) 용량 증량
③ ICS (Inhaled Corticosteroid) 흡입용 스테로이드 추가
④ 로플루밀라스트 (Roflumilast) 추가
⑤ 아지스로마이신 (Azithromycin) 추가

정답: 1. ① 2. ② 3. ④ 4. ③

5. 32세 남성이 내원하였다. 다음 중 약물 요법으로 가장 적절한 것은?

[병력] 만성폐쇄성폐질환, 만성기관지염
[검사 결과] mMRC (호흡곤란점수): 2점
FEV1 (1초간노력성호기량): 49%
1년간 급성 악화 횟수: 2회
[투여 약물] 살부타몰 (Salbutamol) 필요시 사용
포모테롤 (Formoterol) 흡입제 유지요법
티오트로피움 (Tiotropium) 흡입제 유지요법
부데소나이드 (Budesonide) 흡입제 유지요법

① 포모테롤 (Formoterol) 용량 증량
② 티오트로피움 (Tiotropium) 용량 증량
③ ICS (Inhaled Corticosteroid) 용량 증량
④ 로플루밀라스트 (Roflumilast) 추가
⑤ 아지스로마이신 (Azithromycin) 추가

24. 만성폐쇄성폐질환

6. 50세 남성이 내원하였다. 다음 중 약물 요법으로 가장 적절한 것은?

[병력] 만성폐쇄성폐질환
[흡연력] 20년 (과거)
[검사 결과] mMRC (호흡곤란점수): 2점
FEV1 (1초간노력성호기량): 55%
1년간 급성 악화 횟수: 2회
[투여 약물] 살부타몰 (Salbutamol) 필요시 사용
포모테롤 (Formoterol) 흡입제 유지요법
티오트로피움 (Tiotropium) 흡입제 유지요법
부데소나이드 (Budesonide) 흡입제 유지요법

① 포모테롤 (Formoterol) 용량 증량
② 티오트로피움 (Tiotropium) 용량 증량
③ ICS (Inhaled Corticosteroid) 용량 증량
④ 로플루밀라스트 (Roflumilast) 추가
⑤ 아지스로마이신 (Azithromycin) 추가

정답: 5. ④ 6. ⑤

25. 알레르기비염

1. 32세 남성이 1주일전부터 시작된 기침, 코막힘, 열을 주소로 내원하였다. 증상이 시작된 이후로 그는 이전에 처방받아놓은 코막힘 완화 스프레이를 임의로 사용중이였다. 현재 기침과 열 증상은 완화되었으나 코막힘 증상은 나아지다가 다시 심해진 것 같다고 하였을 때, 다음 중 환자에게 필요한 가장 적절한 조치는?

① 코막힘 완화 스프레이 유지
② 코막힘 완화 스프레이 횟수 증량
③ 코막힘 완화 스프레이 횟수 감량
④ 코막힘 완화 스프레이 중단
⑤ 세균성 부비동염 가능성에 대해 항생제 요법 시작

2. 32세 남성이 전반적인 가려움증, 재채기 흐르는 콧물, 눈이 간지러워 눈물을 흘리는 증상을 주소로 내원하였다. 직업이 택시기사여서 늦은 밤중에도 오랜 시간동안 운전하는 일이 많다고 할 때, 다음 중 환자에게 가장 적절한 약물은?

① 펙소페나딘 (Fexofenadine)
② 세티리진 (Cetirizine)
③ 클로르페니라민 (Chlorpheniramine)
④ 디펜히드라민 (Diphenhydramine)
⑤ 히드록시진 (Hydroxyzine)

3. 32세 남성이 지속성 경증 알레르기 비염으로 약물치료를 시작하려 한다. 코막힘 증상은 심하지 않고, 스프레이 등 외용제를 사용하고 싶지 않다고 할 때, 다음 중 환자에게 가장 적절한 약물은?

① 세티리진 (Cetirizine)
② 크로몰린 나트륨 (Cromolyn Sodium)
③ 자일로메타졸린 (Xylomethazoline)
④ 몬테루카스트 (Montelukast)
⑤ 플루티카손 푸로에이트 (Fluticasone furoate)

4. 32세 남성이 지속성 경증 알레르기 비염으로 세티리진 (Cetirizine) 약물치료 시작 4주 후 증상 조절 평가를 위해 병원에 내원하였다. 전반적인 증상이 개선되었을 때, 다음 중 환자에게 가장 적절한 조치는?

① 2주 약물치료 지속
② 1개월 약물치료 지속
③ 약물치료 중단
④ 몬테루카스트 (Montelukast)로 변경
⑤ 크로몰린 나트륨 (Cromolyn Sodium)로 변경

정답: 1. ④ 2. ① 3. ① 4. ②

5. 32세 남성이 지속성 경증 알레르기 비염으로 세티리진 (Cetirizine)을 복용중이다. 코막힘 증상은 심하지 않고, 콧물, 재채기, 비강 가려움증 증상이 조절되지 않는다고 할 때 다음 중 환자에게 가장 적절한 조치는?

① 비강분무 스테로이드로 변경
② 비강분무 스테로이드 추가
③ 몬테루카스트 (Montelukast) 추가
④ 비강 항히스타민제 추가
⑤ 슈도에페드린 (Pseudoephedrine) 추가

6. 32세 남성이 지속성 경증 알레르기 비염으로 세티리진 (Cetirizine)을 복용중이다. 콧물, 재채기, 비강 가려움증 증상은 심하지 않고, 코막힘 증상만 심하다고 할 때 다음 중 환자에게 가장 적절한 조치는?

① 비강분무 스테로이드로 변경
② 비강분무 스테로이드 추가
③ 몬테루카스트 (Montelukast) 추가
④ 비강 항히스타민제 추가
⑤ 슈도에페드린 (Pseudoephedrine) 추가

7. 32세 남성이 지속성 경증 알레르기 비염으로 세티리진 (Cetirizine)을 복용중이다. 콧물, 재채기, 비강 가려움증 증상은 심하지 않고, 코막힘 증상만 심하다고 할 때 다음 중 환자에게 가장 적절한 조치는?

[병력] 고혈압

① 비강분무 스테로이드로 변경
② 비강분무 스테로이드 추가
③ 옥시메타졸린 (Oxymethazoline) 비강분무제 추가
④ 페닐에프린 (Phenylephrine) 추가
⑤ 슈도에페드린 (Pseudoephedrine) 추가

8. 32세 남성이 지속성 경증 알레르기 비염으로 세티리진 (Cetirizine)을 복용중이다. 코막힘, 재채기, 비강 가려움증 증상은 심하지 않고, 콧물 증상만 심하다고 할 때 다음 중 환자에게 가장 적절한 조치는?

① 비강 항히스타민제 추가
② 슈도에페드린 (Pseudoephedrine) 추가
③ 몬테루카스트 (Montelukast) 추가
④ 비강분무 스테로이드 추가
⑤ 이프라트로피움 (Ipratropium) 비강 분무제 추가

정답: 5. ① 6. ⑤ 7. ③ 8. ⑤

9. 32세 남성이 지속성 경증 알레르기 비염으로 비강 항히스타민제 (Azelastine)을 사용중이다. 코막힘 증상은 심하지 않고, 콧물, 재채기, 비강 가려움증 증상이 조절되지 않는다고 할 때 다음 중 환자에게 가장 적절한 조치는?

① 비강분무 스테로이드로 변경
② 비강분무 스테로이드 추가
③ 몬테루카스트 (Montelukast) 추가
④ 경구 항히스타민제 추가
⑤ 슈도에페드린 (Pseudoephedrine) 추가

[10-11]
10. 32세 남성이 수면을 방해하고 일상활동에 장애가 될만큼 지속성 중등도 알레르기 비염으로 약물치료를 시작하려 한다. 다음 중 환자에게 가장 적절한 약물은?

① 세티리진 (Cetirizine)
② 크로몰린 나트륨 (Cromolyn Sodium)
③ 자일로메타졸린 (Xylomethazoline)
④ 몬테루카스트 (Montelukast)
⑤ 플루티카손 푸로에이트 (Fluticasone furoate)

11. 10번 환자가 약물치료 시작 1주일 후 조절되지 않는 비염 증상으로 내원하였다. 다음 중 환자에게 가장 적절한 조치는?

① 플루티카손 푸로에이트 (Fluticasone furoate) 용량 유지
② 플루티카손 푸로에이트 (Fluticasone furoate) 용량 증량
③ 자일로메타졸린 (Xylomethazoline) 추가
④ 몬테루카스트 (Montelukast) 추가
⑤ 세티리진 (Cetirizine) 추가

12. 32세 남성이 지속성 중등도 알레르기 비염으로 비강 분무 스테로이드를 사용중이다. 약물치료 시작 4주 후 증상 조절 평가를 위해 병원에 내원하였다. 전반적인 증상이 개선되었을 때, 다음 중 환자에게 가장 적절한 조치는?

① 2주 약물치료 지속
② 1개월 약물치료 지속
③ 약물치료 중단
④ 경구/비강분무 항히스타민제로 변경
⑤ 몬테루카스트 (Montelukast)로 변경

정답: 9. ② 10. ⑤ 11. ① 12. ④

13. 32세 남성이 지속성 중등도 알레르기 비염으로 비강 분무 스테로이드를 사용중이다. 3개월 이상 증상 조절이 잘되다가 최근 증상이 조절되지 않아 내원하였다. 코막힘 증상은 괜찮다고 할 때, 다음 중 환자에게 가장 적절한 조치는?

① 세티리진 (Cetirizine) 추가
② 몬테루카스트 (Montelukast) 추가
③ 자일로메타졸린 (Xylomethazoline) 추가
④ 아젤라스틴 (Azelastine) 비강 분무제 추가
⑤ 이프라트로피움 (Ipratropium) 흡입제 추가

14. 32세 남성이 지속성 중등도 알레르기 비염으로 비강 분무 스테로이드 및 비강 분무 항히스타민제를 사용중이다. 3개월 이상 증상 조절이 잘되다가 최근 증상이 조절되지 않아 내원하였다. 다음 중 환자에게 가장 적절한 조치는?

① 세티리진 (Cetirizine) 추가
② 몬테루카스트 (Montelukast) 추가
③ 자일로메타졸린 (Xylomethazoline) 추가
④ 경구 스테로이드 단기 사용
⑤ 이프라트로피움 (Ipratropium) 흡입제 추가

15. 32세 임산부 여성이 지속성 경증 알레르기 비염으로 약물치료를 시작하려 한다. 안전성을 고려할 때, 다음 중 환자에게 가장 적절한 약물은?

① 펙소페나딘 (Fexofenadine)
② 크로몰린 나트륨 (Cromolyn Sodium)
③ 자일로메타졸린 (Xylomethazoline)
④ 몬테루카스트 (Montelukast)
⑤ 플루티카손 푸로에이트 (Fluticasone furoate)

16. 알레르기비염으로 몬테루카스트 (Montelukast)를 투여 중인 환자에서 모니터링이 필요한 검사항목은?

① 간기능 검사
② 신기능 검사
③ 전혈구 검사
④ 불면증 여부
⑤ 자살성 사고 검사

정답: 13. ④ 14. ④ 15. ② 16. ⑤

05 신경 질환

05 신경질환 26. 편두통

1. 32세 남성이 두통을 주소로 내원하였다. 기저 질환으로 고혈압이 있는 환자로, 두통은 오른쪽 측두부위에 국한하였고, 구역, 구토 증상이 동반되었다. 두통 양상은 맥박이 뛰는 듯한 통증이였고, 두통 시작 1시간 정도 전에 광시증 전조증상이 동반되었다. 1주일에 2회 이상 자주 나타났고, 편두통으로 진단되었을 때 기저질환을 고려하여 편두통 예방을 위해 사용할 수 있는 약물로 가장 적절한 것은?

① 아세트아미노펜 (Acetaminophen)
② 아미트립틸린 (Amitriptyline)
③ 발프로익산 (Valproic acid)
④ 프로프라놀롤 (Propranolol)
⑤ 토피라메이트 (Topiramate)

2. 32세 여성이 두통을 주소로 내원하였다. 기저 질환으로 뇌전증, 제 1형 당뇨병이 있는 환자로, 이전에 인슐린이 체중증가 부작용이 있어 임의로 투약 중단을 한 이력이 있던 환자이다. 두통은 오른쪽 측두부위에 국한하였고, 구역, 구토 증상이 동반되었다. 두통 양상은 맥박이 뛰는 듯한 통증이였고, 두통 시작 1시간 정도 전에 광시증 전조증상이 동반되었다. 1주일에 2회 이상 자주 나타났고, 편두통으로 진단되었을 때 기저질환을 고려하여 편두통 예방을 위해 사용할 수 있는 약물로 가장 적절한 것은?

① 아세트아미노펜 (Acetaminophen)
② 아미트립틸린 (Amitriptyline)
③ 발프로익산 (Valproic acid)
④ 프로프라놀롤 (Propranolol)
⑤ 토피라메이트 (Topiramate)

3. 32세 남성이 두통을 주소로 내원하였다. 신장 결석 과거력이 있고, 기저 질환으로 뇌전증이 있는 환자로, 두통은 오른쪽 측두부위에 국한하였고, 구역, 구토 증상이 동반되었다. 두통 양상은 맥박이 뛰는 듯한 통증이였고, 두통 시작 1시간 정도 전에 광시증 전조증상이 동반되었다. 1주일에 2회 이상 자주 나타났고, 편두통으로 진단되었을 때 기저질환을 고려하여 편두통 예방을 위해 사용할 수 있는 약물로 가장 적절한 것은?

① 아세트아미노펜 (Acetaminophen)
② 아미트립틸린 (Amitriptyline)
③ 발프로익산 (Valproic acid)
④ 프로프라놀롤 (Propranolol)
⑤ 토피라메이트 (Topiramate)

4. 32세 남성이 두통을 주소로 내원하였다. 불면증으로 잠을 잘 못잔다고 하였다. 두통은 오른쪽 측두부위에 국한하였고, 구역, 구토 증상이 동반되었다. 두통 양상은 맥박이 뛰는 듯한 통증이였고, 두통 시작 1시간 정도 전에 광시증 전조증상이 동반되었다. 1주일에 2회 이상 자주 나타났고, 편두통으로 진단되었을 때 기저질환을 고려하여 편두통 예방을 위해 사용할 수 있는 약물로 가장 적절한 것은?

① 아세트아미노펜 (Acetaminophen)
② 아미트립틸린 (Amitriptyline)
③ 발프로익산 (Valproic acid)
④ 프로프라놀롤 (Propranolol)
⑤ 토피라메이트 (Topiramate)

정답: 1. ④ 2. ⑤ 3. ③ 4. ②

5. 32세 임산부 여성이 두통을 주소로 내원하였다. 두통은 오른쪽 측두부위에 국한하였고, 구역, 구토 증상이 동반되었다. 두통 양상은 맥박이 뛰는 듯한 통증이였고, 두통 시작 1시간 정도 전에 광시증 전조증상이 동반되었다. 1주일에 2회 이상 자주 나타났고, 편두통으로 진단되었을 때 기편두통 예방을 위해 사용할 수 있는 약물로 가장 적절한 것은? (2가지)

① 아세트아미노펜 (Acetaminophen)
② 아미트립틸린 (Amitriptyline)
③ 발프로익산 (Valproic acid)
④ 프로프라놀롤 (Propranolol)
⑤ 토피라메이트 (Topiramate)

6. 32세 남성이 두통을 주소로 내원하였다. 두통은 오른쪽 측두부위에 국한하였고, 구역, 구토 증상이 동반되었다. 두통 양상은 맥박이 뛰는 듯한 통증이였고, 두통 시작 1시간 정도 전에 광시증 전조증상이 동반되었다. 편두통으로 진단되었을 때 편두통 증상 완화를 위해 가장 먼저 사용할 수 있는 약물로 가장 적절한 것은?

① 이부프로펜 (Ibuprofen)
② 수마트립탄 (Sumatriptan)
③ 디히드로에르고타민 (Dihydroergotamine)
④ 프로프라놀롤 (Propranolol)
⑤ 프로클로페라진 (Prochloperazine)

7. 65세 남성이 두통을 주소로 내원하였다. 편두통으로 진단받았고, 기존에 아세트아미노펜 (Acetaminophen) 및 이부프로펜 (Ibuprofen)을 복용했으나 두통이 조절되지 않았다. 수마트립탄 (Sumatriptan)으로 치료를 시작하려 할 때, 다음 중 이 약을 사용할 수 없는 금기사항으로 적절하지 않은 것은?

① 허혈성심장질환
② 흡연
③ 고혈압
④ 65세 이상의 나이
⑤ 만성콩팥병

8. 32세 여성이 월경 때마다 수일간 지속되는 편두통을 주소로 내원하였다. 작용시간(반감기)을 고려할 때, 편두통의 재발률을 낮추기 위해 사용할 수 있는 약물로 다음 중 가장 적절한 것은?

① 수마트립탄 (Sumatriptan)
② 졸미트립탄 (Zolmitriptan)
③ 알모트립탄 (Almotriptan)
④ 나라트립탄 (Naratriptan)
⑤ 프로바트립탄 (Frovatriptan)

정답: 5. ②,④ 6. ① 7. ⑤ 8. ⑤

9. 32세 남성이 신장이식을 받아 타크로리무스 (Tacrolimus)를 복용중이다. 최근 편두통으로 진단받아 약물 상호작용이 적은 약물을 선택하려 할 때, 다음 중 가장 적절한 약물은?

① 수마트립탄 (Sumatriptan)
② 졸미트립탄 (Zolmitriptan)
③ 알모트립탄 (Almotriptan)
④ 나라트립탄 (Naratriptan)
⑤ 일레트립탄 (Eletriptan)

10. 32세 남성이 편두통 급성기 치료를 위해 약물을 사용하려 한다. 울렁거리는 오심 부작용으로 인해 삼켜서 먹는 경구제제를 선호하지 않는다고 할 때, 다음 중 환자에게 가장 적절한 약물은?

① 돔페리돈 (Domperidone)
② 에르고타민 (Ergotamine)
③ 알모트립탄 (Almotriptan)
④ 나라트립탄 (Naratriptan)
⑤ 프로바트립탄 (Frovatriptan)

정답: 9. ④ 10. ④

1. 32세 여성 뇌전증 환자가 라모트리진(Lamotrigine)을 복용하면서 증상이 잘 조절되고 있었다. 3개월 후 내원했을 때, 임신 1개월 째였고, 발작 횟수가 전보다 늘었다고 했을 때 다음 중 환자에게 필요한 적절한 조치는?

① 최기형성 위험 증가 우려로 인한 라모트리진 중단
② 라모트리진 용량 감량
③ 라모트리진 용량 증량
④ 발프로산 (Valproate) 추가
⑤ 토피라메이트 (Topiramate) 추가

2. 32세 남성이 뇌전증으로 Levetiracetam, Valproate, Lamotrigine, Zonisamide, Phenobarbital을 복용중이다. 이틀전부터 등, 가슴 부위의 방사통을 동반한 심한 복통을 주소로 내원하였다. 복통은 누우면 심해지고 상체를 구부리거나 무릎을 굽히면 경감되었다. 오심, 구토 및 미열을 동반하였으며 검사 결과 혈청 amylase, lipase 증가소견을 보여 급성췌장염으로 진단되었다. 다음 중 이 환자의 증상에 영향을 주었을 가능성이 있는 가장 적절한 약물은?

① 레베티라세탐 (Levetiracetam)
② 발프로산 (Valproate)
③ 라모트리진 (Lamotrigine)
④ 조니사미드 (Zonisamide)
⑤ 페노바비탈 (Phenobarbital)

3. 32세 여성이 뇌전증으로 Levetiracetam, Valproate, Lamotrigine, Zonisamide, Phenobarbital을 복용중이다. 최근 3개월간 월경이 없고, 여드름이 많이 나고 몸에 털이 많이 나는 증상을 주소로 내원하였다. 검사 결과 다낭성난소증후군(PCOS)으로 진단되었을 때, 다음 중 이 환자의 증상에 영향을 주었을 가능성이 있는 가장 적절한 약물은?

① 레베티라세탐 (Levetiracetam)
② 발프로산 (Valproate)
③ 라모트리진 (Lamotrigine)
④ 조니사미드 (Zonisamide)
⑤ 페노바비탈 (Phenobarbital)

4. 32세 남성이 뇌전증으로 진단받아 카바마제핀 (Carbamazepine)으로 치료를 고려중이다. 치료 시작 전 독성발현 예방을 위해 평가되어야 하는 테스트로 적절한 것은?

① CYP2C19 활성도
② CYP3A4 활성도
③ TPMT 활성도
④ HLA-B*15:02 유전자 검사
⑤ HLA-B*58:01 유전자 검사

정답: 1. ③ 2. ② 3. ② 4. ④

5. 32세 남성이 뇌전증으로 진단받아 치료를 시작하려고 한다. 기저 병력으로 양극성 장애를 가지고 있다. 다음 중 동반된 질환을 고려했을 때 이점이 되는 약물로 적절하지 않은 것은? (2가지)

① 레베티라세탐 (Levetiracetam)
② 카바마제핀 (Carbamazepine)
③ 옥스카바제핀 (Oxcarbazepine)
④ 발프로산 (Valproate)
⑤ 라모트리진 (Lamotrigine)

6. 32세 남성이 뇌전증으로 진단받아 치료를 시작하려고 한다. 기저 병력으로 편두통을 가지고 있다. 다음 중 동반된 질환을 고려했을 때 이점이 되는 약물로 가장 적절한 것은? (2가지)

① 카바마제핀 (Carbamazepine)
② 프레가발린 (Pregabalin)
③ 가바펜틴 (Gabapentin)
④ 발프로산 (Valproate)
⑤ 토피라메이트 (Topiramate)

7. 32세 여성이 뇌전증으로 진단받아 약물치료를 시작하였다. 2개월 후 내원 시 전보다 체중이 증가하였고, 약을 먹고 나서부터 체중이 늘어난 것 같다고 해서 임의로 중단한 적이 많다고 하였다. 다음 중 환자가 복용했을 약물로 추정되는 것은?

① 레베티라세탐 (Levetiracetam)
② 카바마제핀 (Carbamazepine)
③ 옥스카바제핀 (Oxcarbazepine)
④ 발프로산 (Valproate)
⑤ 라모트리진 (Lamotrigine)

8. 32세 여성이 뇌전증으로 진단받아 약물치료를 시작하였다. 2개월 후 내원 시 전보다 체중이 증가하였고, 약을 먹고 나서부터 체중이 늘어난 것 같다고 해서 임의로 중단한 적이 많다고 하였다. 다음 중 체중 증가를 유발하는 약물이 아닌 것은?

① 조니사미드 (Zonisamide)
② 프레가발린 (Pregabalin)
③ 가바펜틴 (Gabapentin)
④ 발프로산 (Valproate)
⑤ 페람파넬 (Perampanel)

정답: 5. ①,③ 6. ④,⑤ 7. ④ 8. ①

9. 32세 비만인 여성이 뇌전증으로 진단받아 약물치료를 시작하였다. 2개월 후 내원 시 전보다 체중이 증가하였고, 약을 먹고 나서부터 체중이 늘어난 것 같다고 해서 임의로 중단한 적이 많다고 하였다. 다음 중 약물 부작용 및 복약순응도를 고려했을 때, 환자에게 권해줄 수 있는 약물로 가장 적절한 것은? (2가지)

① 레베티라세탐 (Levetiracetam)
② 카바마제핀 (Carbamazepine)
③ 페노바비탈 (Phenobarbital)
④ 토피라메이트 (Topiramate)
⑤ 조니사미드 (Zonisamide)

10. 32세 뇌전증 병력이 있는 환자가 의식저하를 주소로 내원하였다. 그 외 빈호흡 증상을 보였으며, 검사 결과가 다음과 같을 때 환자가 복용하고 있을 약물로 추정되는 것으로 가장 적절한 것은? (2가지)

[검사 결과]
동맥혈가스분석: pH 7.3
PaCO2 30mmHg
PO2 85 mmHg HCO3- 22 mEq/L

① 발프로산 (Valproate)
② 라모트리진 (Lamotrigine)
③ 카바마제핀 (Carbamazepine)
④ 토피라메이트 (Topiramate)
⑤ 조니사미드 (Zonisamide)

11. 32세 남성이 뇌전증으로 진단받아 약물치료를 시작하려고 한다. 이전에 대상포진을 진단받아 아시클로버 (Acyclovir)를 복용 후 신장결석이 발생한 이력이 있었다. 해당 이력을 고려했을 때, 다음 중 환자에게 가능하면 피해야 하는 약물로 가장 적절한 것은? (2가지)

① 발프로산 (Valproate)
② 라모트리진 (Lamotrigine)
③ 카바마제핀 (Carbamazepine)
④ 토피라메이트 (Topiramate)
⑤ 조니사미드 (Zonisamide)

12. 50세 여성이 뇌전증으로 진단받아 약물치료를 시작하였다. 기저 병력으로 골다공증이 있어, 칼슘, 비타민 D를 복용하고 있다. 기저병력을 고려했을 때, 다음 중 환자에게 권해줄 수 있는 약물로 가장 적절한 것은?

① 카바마제핀 (Carbamazepine)
② 페노바비탈 (Phenobarbital)
③ 페니토인 (Phenytoin)
④ 발프로산 (Valproate)
⑤ 레베티라세탐 (Levetiracetam)

정답: 9. ④,⑤ 10. ④,⑤ 11. ④,⑤ 12. ⑤

13. 32세 뇌전증 병력이 있는 환자가 최근 졸음증이 동반된 의식부전의 증상을 주소로 내원하였다. 의식저하와 함께 경련 빈도가 증가하여 복용하고 있는 약물 용량을 증량하였으나 의식저하 증상이 더 심해졌다. 검사 결과가 다음과 같을 때, 다음 중 증상을 일으킨 원인으로 가장 적절한 약물은?

[검사 결과]
혈중 암모니아 120 mcg/dL (정상범위 30~86 mcg/dL)

① 발프로산 (Valproate)
② 라모트리진 (Lamotrigine)
③ 페니토인 (Phenytoin)
④ 조니사미드 (Zonisamide)
⑤ 카바마제핀 (Carbamazepine)

14. 32세 뇌전증 병력이 있는 환자가 최근 잇몸에 염증이 생기는 듯한 느낌을 받아 병원에 내원하였다. 1개월 전부터 뇌전증을 진단받아 약물을 복용중이라고 했고, 잇몸 증식의 소견을 보였을 때 다음 중 환자의 증상을 나타나게 한 원인 약제로 가장 적절한 것은?

① 페니토인 (Phenytoin)
② 라모트리진 (Lamotrigine)
③ 토피라메이트 (Topiramate)
④ 조니사미드 (Zonisamide)
⑤ 페노바비탈 (Phenobarbital)

15. 뇌전증으로 발프로산 (Valproate)를 장기 투여 중인 환자에서 모니터링이 필요한 약물이상반응이 아닌 것은?

① 체중감소
② 간독성
③ 고암모니아혈증
④ 탈모
⑤ 혈소판감소증

16. 32세 여성이 요로감염으로 인해 설파메톡사졸-트리메토프림 (SMX/TMP)을 복용하기 시작 한 뒤 얼마 지나지 않아 발진(알러지)이 발생하였다. 뇌전증 약물치료를 위해 사용할 수 있는 약물 중 이 환자가 피해야 하는 약물은?

① 레베티라세탐 (Levetiracetam)
② 발프로산 (Valproate)
③ 라모트리진 (Lamotrigine)
④ 조니사미드 (Zonisamide)
⑤ 옥스카바제핀 (Oxcarbazepine)

정답: 13. ① 14. ① 15. ① 16. ④

17. 60세 남성이 1개월 전부터 시작된 전신무력감과 계단을 오를 때 숨이 차는 증상을 주소로 내원하였다. 혀에는 설염 증상이 있었고, 식욕부진이 동반되었다. 병력과 검사 결과가 다음과 같을 때, 환자의 증상을 나타나게 한 원인 약제로 가장 적절한 것은?
(2가지)

[병력] 뇌전증
[검사 결과]
헤모글로빈 (혈색소) 10g/dL MCV (평균적혈구용적) 101fL (정상치, 80~94) 혈장엽산 1ng/mL (정상치 3~16 ng/mL)

① 페니토인 (Phenytoin)
② 라모트리진 (Lamotrigine)
③ 토피라메이트 (Topiriamate)
④ 조니사미드 (Zonisamide)
⑤ 페노바비탈 (Phenobarbital)

18. 32세 여성이 경구피임약 복용을 원하여 약국에 와 상담을 요청하였다. 기저 질환으로 뇌전증이 있다고 하였고, 복용중인 약물을 검토한 결과 경구피임약 효과를 감소시키는 약물이 있어 의사에게 다른 약제로 변경을 권고하려 한다. 다음 중 경구피임약 효과를 감소시키는 약물로 적절한 것은? (2가지)

① 발프로산 (Valproate)
② 라모트리진 (Lamotrigine)
③ 토피라메이트 (Topiramate)
④ 루피나미드 (Rufinamide)
⑤ 조니사미드 (Zonisamide)

19. 뇌전증으로 비가바트린 (Vigabatrin)을 투여 중인 환자에서 모니터링이 필요한 검사항목은?

① 신기능 검사
② 간기능 검사
③ 갑상선기능 검사
④ 시력 검사
⑤ 폐기능 검사

[20-21]
20. 32세 여성이 하루 전부터 시작된 고열과 인후염 증상을 주소로 응급실로 내원하였다. 뇌전증 병력으로 약물치료 중일 때, 다음 중 환자가 복용 중인 것으로 추정되는 약물로 가장 적절하지 않은 것은?

① 카바마제핀 (Carbamazepine)
② 에토숙시미드 (Ethosuximide)
③ 페니토인 (Phenytoin)
④ 프리미돈 (Primidone)
⑤ 레베티라세탐 (Levetiracetam)

정답: 17. ①,⑤ 18. ③,④ 19. ④ 20. ⑤

21. 20번 문제의 환자에서 현재 최우선적으로 필요한 검사항목으로 적절한 것은?

① 신기능 검사
② 간기능 검사
③ 전혈구 검사
④ 갑상선 기능 검사
⑤ 전해질 검사

22. 50세 남성이 심한 편두통으로 인해 Sumatriptan (수마트립탄) 을 처방받아 복용을 시작하였다. 일주일 뒤 불안, 초조 증상을 동반하고 떨리는 증상, 고열, 발한을 주소로 응급실로 내원하였다. 그 외 간대성근경련 증상도 보였으며 저혈압 증세가 동반되었을 때, 환자가 함께 복용하고 있었을 약물로 가장 적절하지 않은 것은?

① 플루옥세틴 (Fluoxetine)
② 트라마돌 (Tramadol)
③ 셀레길린 (Selegiline)
④ 리네졸리드 (Linezolid)
⑤ 부프로피온 (Bupropion)

23. 32세 남성이 신장이식을 받아 타크로리무스 (Tacrolimus)를 복용중이다. 최근 뇌전증으로 진단받아 약물 상호작용이 적은 약물을 선택하려 할 때, 다음 중 가장 적절한 약물은?

① 카바마제핀 (Carbamazepine)
② 옥스카바제핀 (Oxcarbazepine)
③ 페니토인 (Phenytoin)
④ 페노바비탈 (Phenobarbital)
⑤ 라코사미드 (Lacosamide)

24. 32세 남성이 전신에 발진이 생기는 증상을 주소로 내원하였다. 전신적인 쇠약감과 발열을 동반하였으며, 전신 피부에서 물집이 일부 동반되었다. 약물로 인한 이상반응으로 의심되었을 때, 다음 중 증상을 나타나게 한 원인 약제로 가장 적절한 것은?

[병력] 뇌전증

① 레베티라세탐 (Levetiracetam)
② 발프로산 (Valproate)
③ 라모트리진 (Lamotrigine)
④ 가바펜틴 (Gabapentin)
⑤ 펠바메이트 (Felbamate)

정답: 21. ③ 22. ⑤ 23. ⑤ 24. ③

25. 32세 남성이 전신에 발진이 생기는 증상을 주소로 내원하였다. 전신적인 쇠약감과 발열을 동반하였으며, 전신 피부에서 물집이 일부 동반되었다. 약물로 인한 이상반응으로 의심되었을 때, 다음 중 증상을 나타나게 한 원인 약제로 가장 적절한 것은?

[병력] 뇌전증

① 카바마제핀 (Carbamazepine)
② 레베티라세탐 (Levetiracetam)
③ 발프로산 (Valproate)
④ 가바펜틴 (Gabapentin)
⑤ 펠바메이트 (Felbamate)

정답: 25. ①

05 신경질환 28. 알츠하이머병

1. 65세 남성이 최근 기억력 감퇴 증상을 주소로 내원하였다. 배우자가 말하길 최근 의심이 많아지고 화를 잘 내는 증상을 함께 보였으며 운전 중에 길을 잃은 적도 있다고 하였다. 알츠하이머병으로 진단되어 검사 결과가 다음과 같을 때, 다음 중 초기 치료 약물요법으로 가장 적절한 것은?

[검사 결과]
MMSE(간이정신상태검사): 20점

① 도네페질 (Donepezil) 10mg 1일 1회
② 리바스티그민 (Rivastigmine) 3mg 1일 2회
③ 갈란타민 (Galantamine) 8mg 1일 2회
④ 메만틴 (Memantine) 5mg 1일 1회
⑤ 아리피프라졸 (Aripiprazole) 10mg 1일 1회

2. 65세 남성이 최근 기억력 감퇴 증상을 주소로 내원하였다. 배우자가 말하길 최근 의심이 많아지고 화를 잘 내는 증상을 함께 보였으며 운전 중에 길을 잃은 적도 있다고 하였다. 알츠하이머병으로 진단되어 검사 결과가 다음과 같다. 콜린효능약 (Cholinesterase inhibitor)로 치료 계획 중일 때, 다음 중 이 계열 약물의 가장 흔한 부작용으로 적절한 것은?

[검사 결과]
MMSE(간이정신상태검사): 20점

① 위장장애 (오심, 구토)
② 서맥
③ 체중 감소
④ 불면증
⑤ 전신 피로감

[3-4]
3. 65세 남성이 최근 기억력 감퇴 증상을 주소로 내원하였다. 배우자가 말하길 최근 의심이 많아지고 화를 잘 내는 증상을 함께 보였으며 운전 중에 길을 잃은 적도 있다고 하였다. 알츠하이머병으로 진단되어 검사 결과가 다음과 같다. 이전에 Tramadol을 복용 후 오심, 구토 증상이 심하여 약에 대한 거부감이 있는 환자일 때, 다음 중 환자에게 사용할 수 있는 약물로 가장 적절한 것은?

① 도네페질 (Donepezil)
② 리바스티그민 (Rivastigmine)
③ 갈란타민 (Galantamine)
④ 아리피프라졸 (Aripiprazole)
⑤ 퀘티아핀 (Quetiapine)

4. 3번 환자가 도네페질 (Donepezil) 5mg 1일 1회로 복용을 시작하였다. 1개월 후 내원하여 검사 결과가 다음과 같을 때, 다음 중 환자에게 필요한 조치로 가장 적절한 것은?

[검사 결과]
MMSE(간이정신상태검사): 20점 (1개월 전)
MMSE(간이정신상태검사): 20점 (오늘)

① 도네페질 (Donepezil) 10mg 1일 1회로 용량 증량
② 도네페질 (Donepezil) 용량 유지
③ 도네페질 (Donepezil) 23mg 1일 1회로 용량 증량
④ 메만틴 (Memantine) 10mg 1일 1회 추가
⑤ 도네페질 (Donepezil)을 메만틴 (Memantine)으로 변경

정답: 1. ④ 2. ① 3. ① 4. ①

5. 65세 알츠하이머병으로 진단받은 환자가 도네페질 (Donepezil) 10mg 1일 1회로 복용중이다. 특별한 부작용 없이 내약성이 좋아 복약순응도는 좋은 편이다. 금일 내원하여 검사 결과가 다음과 같을 때, 다음 중 환자에게 필요한 조치로 가장 적절한 것은?

[검사 결과]
MMSE(간이정신상태검사): 20점 (6개월 전)
MMSE(간이정신상태검사): 15점 (오늘)

① 아리피프라졸 (Aripiprazole) 추가
② 도네페질 (Donepezil) 용량 유지
③ 도네페질 (Donepezil) 23mg 1일 1회로 용량 증량
④ 메만틴 (Memantine) 5mg 1일 1회 추가
⑤ 도네페질 (Donepezil)을 메만틴 (Memantine)으로 변경

6. 65세 알츠하이머병으로 진단받은 환자가 리바스티그민 (Rivastigmine) 6mg 1일 2회로 복용중이다. 복용하면서 오심, 구토 증상으로 힘들어하였고, 금일 내원하여 검사 결과가 다음과 같을 때, 다음 중 환자에게 필요한 조치로 가장 적절한 것은?

[검사 결과]
MMSE(간이정신상태검사): 20점 (6개월 전)
MMSE(간이정신상태검사): 22점 (오늘)

① 아리피프라졸 (Aripiprazole) 추가
② 리바스티그민 (Rivastigmine) 패치로 변경
③ 리바스티그민 (Rivastigmine) 3mg 1일 2회로 용량 감량
④ 메만틴 (Memantine) 5mg 1일 1회 추가
⑤ 리바스티그민 (Rivastigmine)을 메만틴 (Memantine)으로 변경

정답: 5. ④ 6. ②

1. 60세 남성이 1주일 전부터 시작된 손떨림과 침을 흘리는 증상, 행동이 느려지는 증상을 주소로 내원하였다. 특이사항으로는 2개월 전 새로운 약물을 처방받았다고 하였을 때, 다음 중 환자의 증상을 나타나게 한 원인 약제로 가장 적절한 것은?

① 메토클로프라미드 (Metoclopramide)
② 돔페리돈 (Domperidone)
③ 프로프라놀롤 (Propranolol)
④ 글리코피롤레이트 (Glycopyrrolate)
⑤ 브로모크립틴 (Bromocriptine)

2. 59세 남성이 1주일 전부터 시작된 손떨림과 침을 흘리는 증상, 행동이 느려지는 증상을 주소로 내원하였다. 경증의 파킨슨병으로 진단되었을 때, 가장 먼저 사용할 수 있는 약물로 적절한 것은?

① 레보도파/카르비도파 (Levodopa/Carbidopa)
② 프라미펙솔 (Pramipexole)
③ 로피니롤 (Ropinirole)
④ 브로모크립틴 (Bromocriptine)
⑤ 라사길린 (Rasagiline)

3. 59세 남성이 1달 전부터 손떨림과 침을 흘리는 증상, 보행이 느려지는 증상이 심해져 내원하였다. 다음 중 환자에게 추가하면 좋을 약물로 가장 적절한 것은?

[병력] 파킨슨병, 심방세동
[투여 약물] 라사길린 (Rasagiline)
메토프롤롤 (Metoprolol)
[검사 결과] 심박수 60회/분

① 벤즈트로핀 (Benztropine)
② 아만타딘 (Amantadine)
③ 레보도파/카르비도파 (Levodopa/Carbidopa)
④ 로피니롤 (Ropinirole)
⑤ 사피나미드 (Safinamide)

4. 60세 남성이 1주일 전부터 시작된 손떨림과 침을 흘리는 증상, 행동이 느려지는 증상을 주소로 내원하였다. 중등도-중증의 파킨슨병으로 진단되었을 때, 가장 먼저 사용할 수 있는 약물로 적절한 것은?

① 레보도파/카르비도파 (Levodopa/Carbidopa)
② 프라미펙솔 (Pramipexole)
③ 로피니롤 (Ropinirole)
④ 브로모크립틴 (Bromocriptine)
⑤ 라사길린 (Rasagiline)

정답: 1. ① 2. ⑤ 3. ④ 4. ①

5. 60세 남성이 파킨슨병으로 레보도파/카르비도파 (Levodopa/Carbidopa)를 복용 중이다. 일주일 전부터 하루 중 운동이 조절이 잘되다가 갑자기 몇 분 동안 현저한 운동 불능상태가 나타나는 증상으로 내원하였다. 다음 중 증상을 조절하기 위한 대처로 가장 적절한 것은?

① 오피카폰 (Opicapone) 추가
② 취침 직전 로피니롤 (Ropinirole) 서방형 제제 추가
③ 아침 일어나기 직전 속효성 레보도파 (Levodopa) 추가
④ 보툴리눔 독소 (Botulinum Toxin) 주사 투여
⑤ 아만타딘 (Amantadine) 추가

6. 60세 남성이 파킨슨병으로 레보도파/카르비도파 (Levodopa/Carbidopa)를 복용 중이다. 일주일 전부터 주로 아침에 무의식적으로 발가락에 힘이 주어지는 증상과 발을 떠는 증상으로 내원하였다. 다음 중 증상을 조절하기 위한 대처로 가장 적절하지 않은 것은?

① 엔타카폰 (Entacapone) 추가
② 취침 직전 로피니롤 (Ropinirole) 서방형 제제 추가
③ 아침 일어나기 직전 속효성 레보도파 (Levodopa) 추가
④ 보툴리눔 독소 (Botulinum Toxin) 주사 투여
⑤ 아만타딘 (Amantadine) 추가

7. 60세 남성이 파킨슨병으로 레보도파/카르비도파 (Levodopa/Carbidopa)를 복용 중이다. 최근 1주일 전부터 시작된 증상으로 내원하였다. 다음 약물을 투여하기 약 30분 전부터 운동증상이 악화된다고 할 때, 다음 중 증상을 조절하기 위한 대처로 가장 적절하지 않은 것은?

① 프라미펙솔 (Pramipexole) 추가
② 레보도파 (Levodopa) 용량 증량 혹은 횟수 증가
③ 레보도파 (Levodopa) 서방형 제제로 변경
④ 엔타카폰 (Entacapone) 추가
⑤ 아만타딘 (Amantadine) 추가

8. 60세 파킨슨병 병력이 있는 환자가 최근 Levodopa 증량 후 무도병과 비슷한 운동증상 (chorea-like movements)를 보여 증상 조절을 위해 약물을 추가하였다. 약물 복용 3주 후 갑자기 팔다리의 산재성 반점이 발생하였고, 하지 부종 등의 증상이 나타났다. 그 외 구강건조 증상이 함께 나타났을 때, 다음 중 최근 추가되었을 약물로 가장 적절한 것은?

① 벤즈트로핀 (Benztropine)
② 트리헥시페니딜 (Trihexyphenidyl)
③ 프로시클리딘 (Procyclidine)
④ 아만타딘 (Amantadine)
⑤ 라사길린 (Rasagiline)

정답: 5. ① 6. ⑤ 7. ⑤ 8. ④

9. 60세 파킨슨병 병력이 있는 환자가 최근 진전 (Tremer) 증상이 심해져 벤즈트로핀 (Benztropine)을 추가로 처방받았다. 환자의 병력이 다음과 같을 때, 다음 중 처방받은 약물로 인해 악화될 수 있는 질환으로 가장 적절한 것은?

[병력] 녹내장, 심부전, 심방세동, 레이노 증후군 (Raynaud Syndrome), 고혈압

① 녹내장
② 심부전
③ 심방세동
④ 레이노 증후군 (Raynaud Syndrome)
⑤ 고혈압

10. 60세 남성이 최근 도박에 빠지고 성욕이 과잉되는 증상 등 충동이 조절되지 않는 증상을 주소로 내원하였다. 신경학적 검사 결과 특별히 이상이 없었다고 할 때, 다음 중 환자의 증상을 유발했을 원인이 되는 약제로 가장 적절한 것은?

[병력] 파킨슨병

① 레보도파/카르비도파 (Levodopa/Carbidopa)
② 로피니롤 (Ropinirole)
③ 돔페리돈 (Domperidone)
④ 라사길린 (Rasagiline)
⑤ 벤즈트로핀 (Benztropine)

11. 60세 남성이 소변색이 주황색으로 나타난 증상을 주소로 내원하였다. 검사 결과 특별히 이상이 없었다고 할 때, 다음 중 환자의 증상을 유발했을 원인이 되는 약제로 가장 적절한 것은?

[병력] 파킨슨병

① 레보도파/카르비도파 (Levodopa/Carbidopa)
② 프라미펙솔 (Pramipexole)
③ 엔타카폰 (Entacapone)
④ 아만타딘 (Amanatadine)
⑤ 벤즈트로핀 (Benztropine)

정답: 9. ① 10. ② 11. ③

06 감염 질환

06 감염질환 30. 감염질환 치료의 원칙

1. 65세 남성이 뇌수막염으로 진단받아, CSF 배양 검사 결과 Enterococcus faecalis로 동정되어 암피실린 (Ampicillin)과 겐타마이신 (Gentamicin) 병용 요법로 치료를 시작하였다. 겐타마이신 (Gentamicin)이 전통 요법 (하루 3회 정맥주사)로 투여되었을 때, 적절한 TDM (Therapeutic Drug Monitoring, 모니터링) 방법은?

① 매 8시간마다 혈중농도 측정
② 매 6시간마다 혈중농도 측정
③ 다음 투여 직전 최저(trough) 농도 측정. 투여 1시간 후 최고(peak) 농도 측정
④ 다음 투여 직전 최저(trough) 농도 측정. 및 투여 직후 최고(peak) 농도 측정
⑤ 투여 1시간 후 최고(peak) 농도 측정

2. 피부/연조직 감염으로 답토마이신 (Daptomycin)으로 치료받고 있는 65세 남성에서 부작용 발생 여부를 알기 위해 모니터링이 필요한 항목은?

① 오심/구토
② 어지러움
③ 현기증
④ 근육통
⑤ 시야 장애

3. 피부/연조직 감염으로 답토마이신 (Daptomycin)으로 치료 예정인 65세 남성에게 치료 시작 전과 치료 시작 후 매주 모니터링이 필요한 검사항목은?

① 간기능 검사
② 신기능 검사
③ 갑상선 기능 검사
④ 크레아틴키나아제 (CK) 검사
⑤ 폐기능 검사

4. 65세 남성이 3일 전부터 시작된 기침, 가래, 발열을 주소로 내원하였다. 지역사회 획득성 폐렴으로 진단되었고 심하지 않아 외래 치료로 결정되어 Gemifloxacin로 5일간 치료하려고 계획중이다. 기존 병력, 복용 약물, 검사 결과는 다음과 같다. 새롭게 추가된 약물 복용 시 부작용 발생 여부 파악을 위해 모니터링이 필요한 증상으로 가장 적절한 것은?

[병력] 신장이식, 이상지질혈증
[투여약물]
타크로리무스 (Tacrolimus)
미코페놀레이트 (Mycophenolate)
메틸프레드니솔론 (Methylprednisolone)
프라바스타틴 (Pravastatin)

[검사 결과]
심전도 ECG 상 QTc 350 ms (정상, 350-450)
CrCl = 60 ml/min

① 신독성
② QT 간격 연장
③ 건파열 (Tendon rupture)
④ 설사
⑤ 발진

정답: 1. ③ 2. ④ 3. ④ 4. ③

5. 32세 남성이 인후염 증상으로 Amylmetacresol (아밀메타크레졸), 디클로로벤질알코올 (Dichlorobenzyl Alcohol) 성분이 포함된 트로키제를 복용하였다. 그는 1주 전에 같은 약을 복용했을 때, 심한 오심/구토 증상과 함께 어지러움, 깨질듯한 두통 증상을 느꼈다 (Disulfiram-like reaction로 진단됨)고 하였다. 트로키제를 함께 복용 했을 때, 증상을 나타나게 한 원인약물로 가장 적절한 것은?

① 메트로니다졸 (Metronidazole)
② 시프로플록사신 (Ciprofloxacin)
③ 독시사이클린 (Doxycycline)
④ 콜리스틴 (Colistin)
⑤ 설파메톡사졸/트리메토프림 (SMX/TMP)

6. 요로감염으로 설파메톡사졸/트리메토프림 (SMX/TMP)을 복용중인 환자에서 모니터링이 필요한 전해질 관련 이상반응은?

① 고칼륨혈증
② 저칼륨혈증
③ 저나트륨혈증
④ 고칼슘혈증
⑤ 저칼슘혈증

30. 감염질환 치료의 원칙

7. 폐렴 치료 중 리네졸리드 (Linezolid)를 투여 중인 환자에서 모니터링이 필요한 이상반응으로 적절하지 않은 것은?

① 골수억제 (혈소판감소증, 빈혈 등)
② 말초신경 및 시신경병증
③ 젖산 산증 (Lactic Acidosis)
④ 세로토닌 증후군
⑤ 답 없음

8. 다음 항생제 중 감각이상, 현기증, 운동실조, 발음 불분명 등의 신경독성과 호흡억제 등 신경근차단 징후 약물 이상반응 모니터링이 필요한 약물은?

① 메트로니다졸 (Metronidazole)
② 시프로플록사신 (Ciprofloxacin)
③ 독시사이클린 (Doxycycline)
④ 콜리스틴 (Colistin)
⑤ 설파메톡사졸/트리메토프림 (SMX/TMP)

정답: 5. ① 6. ① 7. ⑤ 8. ④

9. 50세 남성이 입원 중 발생한 폐렴으로 약물치료 중이다. 약물 주입 시작한지 10분이 지나지 않아 갑자기 환자가 가려움을 호소하였다. 얼굴과 목에 발진이 발생하였고, 약간의 발열과 함께 호흡곤란이 동반되었다. 갑작스러운 혈압 저하가 동반되었고, 즉시 약물 주입을 중단하였다. 이후 같은 약제를 오랜 시간에 거쳐 정맥 주입하였을 땐 동일한 증상이 발생하지 않았다. 다음 중 환자의 증상을 나타나게 한 원인 약제로 가장 적절한 것은?

① 레보플록사신 (Levofloxacin)
② 피페라실린/타조박탐 (Piperacillin/Tazobactam)
③ 세페핌 (Cefepime)
④ 메로페넴 (Meropenem)
⑤ 반코마이신 (Vancomycin)

10. 3일 전 충수염 수술로 입원한 50세 알코올중독 이력이 있는 건강한 남성에게 병원획득성 폐렴이 발생하였다.
원인균 배양 동정 결과 *Acinetobacter baumannii* 가 나와 항생제를 투여하였다. 투여 후 발작이 발생하였을 때, 다음 중 환자가 투여 받았을 항생제로 추정되는 것은?

[병력] 뇌전증
[활력징후 및 검사 결과]
체온 38.3℃,혈압 120/80 mmHg, 맥박 80회/분,
호흡수 20회/분, BUN 5 mg/dL, WBC 11,000/mm^3
해당 병원 동정 *S.aureus* 중 MRSA 비율 8%
[투여약물] 발프로산 (Valproate)

① 세프트리악손 (Ceftriaxone)
② 세페핌 (Cefepime)
③ 이미페넴 (Imipenem)
④ 리네졸리드 (Linezolid)
⑤ 답토마이신 (Daptomycin)

정답: 9. ⑤ 10. ③

31. 상기도감염

1. 6세 남성이 일주일 전부터 시작된 발열을 동반한 오른쪽 귀의 통증, 귀가 붓는 느낌으로 잠을 제대로 못자는 증상을 주소로 내원하였다. 고막 검진 결과 급성 중이염으로 진단되었을 때, 다음 중 환자에게 가장 먼저 권고할 수 있는 약물요법은? (단, 특별한 알러지력 및 이전 항생제 치료 이력은 없음)

① 아목시실린 (Amoxicillin)
② 세프디니르 (Cefdinir)
③ 세프포독심 (Cefpodoxime)
④ 세프트리악손 (Ceftriaxione)
⑤ 클린다마이신 (Clindamycin)

[2-3]
2. 6세 남성이 일주일 전부터 시작된 발열(38.5℃)을 동반한 오른쪽 귀의 통증, 귀가 붓는 느낌으로 잠을 제대로 못자는 증상을 주소로 내원하였다. 고막 검진 결과 이루 및 천공이 발견되었고, 급성 중이염으로 진단되었을 때, 다음 중 환자에게 가장 먼저 권고할 수 있는 약물요법은? (단, 특별한 알러지력 및 이전 항생제 치료 이력은 없음)

① 아목시실린 (Amoxicillin)
② 아목시실린/클라불란산 (Amoxicillin/Clavulanate)
③ 세프포독심 (Cefpodoxime)
④ 세프트리악손 (Ceftriaxione)
⑤ 클린다마이신 (Clindamycin)

3. 2번 문제의 환자가 3일 뒤 내원하였다. 증상 호전이 되지 않아, 치료 실패로 진단되었을 때, 다음 중 환자에게 권고할 수 있는 약물요법으로 가장 적절한 것은? (단, 특별한 알러지력은 없음)

① 세푸록심 (Cefuroxime)
② 세프디니르 (Cefdinir)
③ 세프포독심 (Cefpodoxime)
④ 세프트리악손 (Ceftriaxione)
⑤ 클린다마이신 (Clindamycin)

4. 6세 남성이 일주일 전부터 시작된 발열을 동반한 오른쪽 귀의 통증, 귀가 붓는 느낌으로 잠을 제대로 못자는 증상을 주소로 내원하였다. 고막 검진 결과 급성 중이염으로 진단되었을 때, 다음 중 환자에게 가장 먼저 권고할 수 있는 약물요법은?

[알러지력] 페니실린 4형 과민반응 (발진) (+)

① 아목시실린 (Amoxicillin)
② 아목시실린/클라불란산 (Amoxicillin/Clavulanate)
③ 세프디니르 (Cefdinir)
④ 클린다마이신 (Clindamycin)
⑤ 아지스로마이신 (Azithromycin)

정답: 1. ① 2. ② 3. ④ 4. ③

5. 6세 남성이 일주일 전부터 시작된 발열을 동반한 오른쪽 귀의 통증, 귀가 붓는 느낌으로 잠을 제대로 못자는 증상을 주소로 내원하였다. 고막 검진 결과 급성 중이염으로 진단되었을 때, 다음 중 환자에게 가장 먼저 권고할 수 있는 약물요법은?

[알러지력]
페니실린 1형 과민반응 (아나필락시스) (+)

① 세푸록심 (Cefuroxime)
② 세프디니르 (Cefdinir)
③ 세프포독심 (Cefpodoxime)
④ 세프트리악손 (Ceftriaxone)
⑤ 클린다마이신 (Clindamycin)

6. 다음 중 급성 부비동염을 일으키는 가장 흔한 원인균으로 적절한 것은?

① *Streptococcus pneumoniae*
② *Hemophilus influenzae*
③ *Pseudomonas aeruginosa*
④ *E.coli*
⑤ *Klebsiella pneumoniae*

7. 8세 남성이 10일 이상 지속되는 감기 증상을 주소로 내원하였다. 감기 증상이 호전되다가 발열(39.1℃), 코막힘, 안면 두통을 동반한 증상이 다시 악화되었고, 농성 콧물과 후비루(코뒤흐름) 증상이 있었다. 급성 부비동염으로 진단되었을 때, 다음 중 환자에게 가장 먼저 권고할 수 있는 약물요법은?

① 아목시실린 (Amoxicillin)
② 아목시실린/클라불란산
(Amoxicillin/Clavulanate)
③ 세프포독심 (Cefpodoxime)
④ 세프디니르 (Cefdinir)
⑤ 세프디토렌 (Cefditoren)

8. 어린이집을 다니는 23개월 남성이 10일 이상 지속되는 감기 증상을 주소로 내원하였다. 감기 증상이 호전되다가 발열(39.1℃), 코막힘, 안면 두통을 동반한 증상이 다시 악화되었고, 농성 콧물과 후비루(코뒤흐름) 증상이 있었다. 3주 전 급성 중이염으로 진단받아 항생제 치료 받은 이력이 있었다. 급성 부비동염으로 진단되었을 때, 다음 중 환자에게 가장 먼저 권고할 수 있는 약물요법은?

① 아목시실린/클라불란산
(Amoxicillin/Clavulanate) 표준용량
② 아목시실린/클라불란산
(Amoxicillin/Clavulanate) 고용량
③ 세프포독심 (Cefpodoxime)
④ 세프디니르 (Cefdinir)
⑤ 세프디토렌 (Cefditoren)

정답: 5. ⑤ 6. ① 7. ② 8. ②

9. 8세 남성이 10일 이상 지속되는 감기 증상을 주소로 내원하였다. 감기 증상이 호전되다가 발열(39.1℃), 코막힘, 안면 두통을 동반한 증상이 다시 악화되었고, 농성 콧물과 후비루(코뒤흐름) 증상이 있었다. 급성 부비동염으로 진단되었을 때, 다음 중 환자에게 권고할 수 없는 약물로 가장 적절한 것은?

[알러지력]
페니실린 4형 과민반응 (발진) (+)

① 세푸록심 (Cefuroxime)
② 세프포독심 (Cefpodoxime)
③ 세프디토렌 (Cefditoren)
④ 세프디니르 (Cefdinir)

10. 소아 급성 세균성 부비동염의 최소 항생제 치료 기간으로 가장 적절한 것은?

① 3일
② 5일
③ 7일
④ 10일
⑤ 14일

11. 32세 남성이 10일 이상 지속되는 감기 증상을 주소로 내원하였다. 감기 증상이 호전되다가 발열(39.1℃), 코막힘, 안면 두통을 동반한 증상이 다시 악화되었고, 농성 콧물과 후비루(코뒤흐름) 증상이 있었다. 급성 부비동염으로 진단되었을 때, 다음 중 환자에게 가장 먼저 권고할 수 있는 약물요법은?

[알러지력] 페니실린 과민반응 (+)

① 아목시실린 (Amoxicillin)
② 아목시실린/클라불란산 (Amoxicillin/Clavulanate)
③ 세프디토렌 (Cefditoren)
④ 세티리진 (Cetirizine)
⑤ 목시플록사신 (Moxifloxacin)

12. 32세 남성이 이틀 전부터 발열을 동반한 목의 통증을 주소로 내원하였다. 인두 삼출물이 있어 인두액 고름사슬알균(*S.pyogenes*) 항원검사 결과 양성으로 나왔을 때, 다음 중 환자에게 가장 먼저 권고할 수 있는 약물요법은? (특별한 알러지력은 없음)

[검사 결과] GABHS 감염 (+)
(Group A beta-hemolytic Streptococcus)

① 이부프로펜 (Ibuprofen)
② 아세트아미노펜 (Acetaminophen)
③ 아목시실린 (Amoxicillin)
④ 시프로플록사신 (Ciprofloxacin)
⑤ 클린다마이신 (Clindamycin)

정답: 9. ① 10. ④ 11. ⑤ 12. ③

13. 32세 남성이 이틀 전부터 발열을 동반한 목의 통증을 주소로 내원하였다. 인두 삼출물이 있어 인두액 고름사슬알균 (*S.pyogenes*) 항원검사 결과 양성으로 나왔을 때, 다음 중 환자에게 가장 먼저 권고할 수 있는 약물요법은?

[검사 결과] GABHS 감염 (+)
(Group A beta-hemolytic Streptococcus)
[알러지력] 페니실린 4형 과민반응 (발진) (+)

① 아목시실린 (Amoxicillin)
② 세파드록실 (Cefadroxil)
③ 클린다마이신 (Clindamycin)
④ 아지스로마이신 (Azithromycin)
⑤ 클래리스로마이신 (Clarithromycin)

14. 32세 남성이 이틀 전부터 발열을 동반한 목의 통증을 주소로 내원하였다. 인두 삼출물이 있어 인두액 고름사슬알균 (*S.pyogenes*) 항원검사 결과 양성으로 나왔을 때, 다음 중 환자에게 가장 먼저 권고할 수 있는 약물요법은?

[검사 결과] GABHS 감염 (+)
(Group A beta-hemolytic Streptococcus)
[알러지력]
페니실린 1형 과민반응 (아나필락시스) (+)

① 아목시실린 (Amoxicillin)
② 세파드록실 (Cefadroxil)
③ 세프포독심 (Cefpodoxime)
④ 세프디니르 (Cefdinir)
⑤ 아지스로마이신 (Azithromycin)

15. 32세 남성이 이틀 전부터 발열을 동반한 목의 통증을 주소로 내원하였다. 인두 삼출물이 있어 인두액 고름사슬알균 (*S.pyogenes*) 항원검사 결과 양성으로 나왔다. 1개월 전 같은 증상으로 인두염으로 진단받아 항생제 치료를 받은 이력이 있다고 할 때, 다음 중 환자에게 가장 먼저 권고할 수 있는 약물요법은? (특별한 알러지력은 없음)

[검사 결과] GABHS 감염 (+)
(Group A beta-hemolytic Streptococcus)

① 아목시실린 (Amoxicillin)
② 세파드록실 (Cefadroxil)
③ 세프포독심 (Cefpodoxime)
④ 세프디니르 (Cefdinir)
⑤ 클린다마이신 (Clindamycin)

16. GABHS 인두염으로 진단받아 아목시실린 (Amoxicillin) 치료를 계획중이라고 할 때, 치료 기간으로 가장 적절한 것은?

① 3일
② 5일
③ 7일
④ 10일
⑤ 14일

정답: 13. ② 14. ⑤ 15. ⑤ 16. ④

1. 65세 남성이 고열, 정신 혼미, 호흡곤란을 주소로 내원하였다. 그는 알코올 중독의 이력이 있었으며, 기침을 할 때 검붉은색의 건포도젤리 같은 가래가 많이 나온다고 하였고 폐렴으로 진단되었다. 항생제 감수성 검사 결과가 아래와 같을 때, 다음 중 환자에게 가장 적절한 약물은?

[항생제 감수성 검사 결과]
Ceftriaxone: S (Susceptible)
Moxifloxacin: R (Resistant)
Cefepime: S (Susceptible)
ESBL (Extended Spectrum Beta-Lacatamse): (+)

① 카바페넴 계열 (Carbapenems)
② 세프트리악손 (Ceftriaxone)
③ 목시플록사신 (Moxifloxacin)
④ 세페핌 (Cefepime)
⑤ 세프트리악손 (Ceftriaxone) + 목시플록사신 (Moxifloxacin)

2. 알코올 중독 이력이 있는 65세 남성이 며칠간 지속된 피가 섞여 나오는 기침을 주소로 내원하였다. 흉부 X-Ray 검사 결과 폐침윤양상이 보였으며, 폐렴으로 진단되었다. 객담 배양 검사 및 그람 염색 검사 결과 Klebsiella Pneumonia가 동정되었다. 환자는 페니실린계 항생제와 세팔로스포린계 항생제에 알러지 이력이 있을 때, 다음 중 환자에게 가장 적절한 약물은?

① 반코마이신 (Vancomycin)
② 포스포마이신 (Fosfomycin)
③ 레보플록사신 (Levofloxacin)
④ 겐타마이신 (Gentamycin)
⑤ 콜리스틴 (Colistin)

3. 65세 여성이 발열, 기침, 호흡곤란 및 가래를 주소로 내원하였다. 우울증 병력으로 Escitalopram을 복용중이였으며, 검체채취 배양 검사 결과 그람 양성 구균으로, mecA (+)로 나타나 Methicillin에 저항성을 보였다. 폐렴으로 진단되었을 때, 다음 중 이 환자에게 적절한 약물은?

① 나프실린 (Nafcillin)
② 세페핌 (Cefepime)
③ 반코마이신 (Vancomycin)
④ 리네졸리드 (Linezolid)
⑤ 답토마이신 (Daptomycin)

4. 폐렴 치료 중 리네졸리드 (Linezolid)를 투여 중인 환자에서 모니터링이 필요한 검사항목으로 가장 적절한 것은?

① 신기능 검사
② 간기능 검사
③ 갑상선기능 검사
④ 시력/시야 검사
⑤ 폐기능 검사

정답: 1. ① 2. ③ 3. ③ 4. ④

5. 폐렴 치료 중 목시플록사신 (Moxifloxacin)을 투여 중인 환자에서 모니터링이 필요한 검사항목으로 가장 적절한 것은?

① 중추신경계 기능 이상 여부
② 폐기능 검사
③ 갑상선기능 검사
④ 시력/시야 검사
⑤ 전혈구 검사

6. 32세 건강한 남성이 3일 전부터 시작된 기침, 가래, 발열을 주소로 내원하였다. 지역사회획득성 폐렴으로 진단되었고 심하지 않아 외래 치료로 결정되었을 때, 적절한 경험적 항생제(요법)이 아닌 것은?

[활력징후 및 검사 결과]
체온 38.3℃,혈압 120/80 mmHg, 맥박 80회/분,
호흡수 20회/분, BUN 5 mg/dL,
WBC 11,000/mm^3

① 목시플록사신 (Moxifloxacin)
② 세프디토렌 (Cefditoren)
③ 세프포독심 (Cefpodoxime)
④ 아목시실린 (Amoxicillin) +
 아지트로마이신 (Azithromycin)
⑤ 아목시실린 (Amoxicillin) +
 제미플록사신 (Gemifloxacin)

7. 32세 건강한 남성이 3일 전부터 시작된 기침, 가래, 발열을 주소로 내원하였다. 지역사회획득성 폐렴으로 진단되었고 일반병동에 입원하였을 때, 가장 적절한 경험적 항생제(요법)는?

[활력징후 및 검사 결과]
체온 38.3℃,혈압 120/80 mmHg, 맥박 80회/분, 호흡수 20회/분, BUN 5 mg/dL, WBC 11,000/mm^3

① 아목시실린 (Amoxicillin) +
 제미플록사신 (Gemifloxacin)
② 시프로플록사신 (Ciprofloxacin)
③ 세프트리악손 (Ceftriaxone) +
 아지트로마이신 (Azithromycin)
④ 세포탁심 (Cefotaxime) +
 레보플록사신 (Levofloxacin)
⑤ 세페핌 (Cefepime) +
 레보플록사신 (Levofloxacin)

8. 65세 남성이 3일 전부터 시작된 기침, 가래, 발열을 주소로 응급실을 통해 내원하여 중환자실에 입원하였다. 지역사회 획득폐렴으로 진단되었고 *Pseudomonas aeruginosa* 감염 관련 위험인자는 없을 때, 가장 적절한 경험적 항생제(요법)는?
[활력징후 및 검사 결과]
체온 38.3℃,혈압 90/60 mmHg, 맥박 100회/분, 호흡수 30회/분, BUN 20 mg/dL, WBC 11,000/mm^3

① 아목시실린 (Amoxicillin) +
 제미플록사신 (Gemifloxacin)
② 목시플록사신 (Moxifloxacin)
③ 세프트리악손 (Ceftriaxone) +
 아지트로마이신 (Azithromycin)
④ 반코마이신 (Vancomycin) +
 레보플록사신 (Levofloxacin)
⑤ 세페핌 (Cefepime) +
 레보플록사신 (Levofloxacin)

정답: 5. ① 6. ⑤ 7. ③ 8. ③

9. 65세 남성이 3일 전부터 시작된 기침, 가래, 발열을 주소로 응급실을 통해 내원하여 중환자실에 입원하였다. 지역사회 획득폐렴으로 진단되었을 때, 가장 적절한 경험적 항생제(요법)는?

[병력]

기관지확장증

[활력징후 및 검사 결과]

체온 38.3℃,혈압 90/60 mmHg, 맥박 100회/분, 호흡수 30회/분, BUN 20 mg/dL, WBC 11,000/mm^3

① 아목시실린 (Amoxicillin) + 제미플록사신 (Gemifloxacin)
② 목시플록사신 (Moxifloxacin)
③ 세프트리악손 (Ceftriaxone) + 아지트로마이신 (Azithromycin)
④ 세포탁심 (Cefotaxime) + 레보플록사신 (Levofloxacin)
⑤ 세페핌 (Cefepime) + 레보플록사신 (Levofloxacin)

10. 3일 전 충수염 수술로 입원한 32세 건강한 남성에게 병원획득성 폐렴이 발생하였다. 가장 적절한 경험적 항생제(요법)는?

[활력징후 및 검사 결과]

체온 38.3℃,혈압 120/80 mmHg, 맥박 80회/분, 호흡수 20회/분, BUN 5 mg/dL, WBC 11,000/mm^3
해당 병원 동정 *S.aureus* 중 MRSA 비율 8%

① 아목시실린 (Amoxicillin) + 제미플록사신 (Gemifloxacin)
② 레보플록사신 (Levofloxacin)
③ 세프트리악손 (Ceftriaxone) + 아지트로마이신 (Azithromycin)
④ 세포탁심 (Cefotaxime) + 레보플록사신 (Levofloxacin)
⑤ 세페핌 (Cefepime) + 레보플록사신 (Levofloxacin)

11. 3일 전 충수염 수술로 입원한 32세 건강한 남성에게 병원획득성 폐렴이 발생하였다. 가장 적절한 경험적 항생제(요법)는?

[활력징후 및 검사 결과]

체온 38.3℃,혈압 120/80 mmHg, 맥박 80회/분, 호흡수 20회/분, BUN 5 mg/dL, WBC 11,000/mm^3
해당 병원 동정 *S.aureus* 중 MRSA 비율 21%

① 세페핌 (Cefepime)
② 피페라실린/타조박탐
③ 세포탁심 (Cefotaxime) + 반코마이신 (Vancomycin)
④ 에르타페넴 (Ertapenem) + 반코마이신 (Vancomycin)
⑤ 세프타지딤 (Ceftazidime) + 반코마이신 (Vancomycin)

정답: 9. ⑤ 10. ② 11. ⑤

[12-13]

12. 3일 전 충수염 수술로 입원한 65세 남성에게 병원획득성 폐렴이 발생하였다. 환자의 의식이 혼미해졌고, 0.9% 생리식염수를 공급하였으나 혈압이 회복되지 않았을 때, 가장 적절한 경험적 항생제(요법)는?

[활력징후 및 검사 결과]

체온 38.3℃,혈압 80/60 mmHg, 맥박 100회/분, 호흡수 30회/분, BUN 20 mg/dL, WBC 13,000/mm^3

① Amikacin + Vancomycin
② Meropenem + Levofloxacin
③ Cefotaxime + Vancomycin
④ Ceftazidime + Vancomycin
⑤ Cefepime + Ciprofloxacin + Vancomycin

13. 12번 환자를 항생제 요법으로 15일간 치료했으나, 활력징후가 개선되지 않고, 지난 밤 사이 백혈구증가증이 다시 악화되었을 때, 다음 중 이 환자에게 사용할 수 있는 대체 요법으로 가장 적절한 것은?

[검사 결과]

혈청 크레아티닌 (15일 전) 0.5 mg/dL
혈청 크레아티닌 (오늘) 1.0 mg/dL

① Piperacillin/tazobactam + Vancomycin
② Piperacillin/tazobactam + Levofloxacin + Daptomycin
③ Ertapenem + Tobramycin + Vancomycin
④ Meropenem + Tobramycin + Linezolid
⑤ Meropenem + Tobramycin + Daptomycin

14. 3일 전 충수염 수술로 입원한 50세 알코올중독 이력이 있는 건강한 남성에게 병원획득성 폐렴이 발생하였다.
원인균 배양 동정 결과 *Acinetobacter baumannii* 가 나왔을 때, 다음 중 반드시 포함되어야 할 항생제로 적절한 것은?

[활력징후 및 검사 결과]

체온 38.3℃,혈압 120/80 mmHg, 맥박 80회/분, 호흡수 20회/분, BUN 5 mg/dL, WBC 11,000/mm^3
해당 병원 동정 *S.aureus* 중 MRSA 비율 8%

① 세프트리악손 (Ceftriaxone)
② 세페핌 (Cefepime)
③ 메로페넴 (Meropenem)
④ 리네졸리드 (Linezolid)
⑤ 답토마이신 (Daptomycin)

정답: 12. ⑤ 13. ④ 14. ③

33. 뇌수막염

1. 65세 신장이식 이력이 있는 남성이 발열, 오한, 심한두통, 목이 뻣뻣하고 경직되는 증상을 주소로 응급실로 내원하였다. 뇌수막염이 의심되어 즉각적 혈액배양 및 요추 천자가 시행되었으며, 특징적으로 최근 치즈와 저온 살균되지 않은 우유를 복용하였다고 하였다. 특별히 항생제 관련 알레르기는 없으며 배양 검사 결과 그람양성 간균으로 동정되었을 때, 이 균을 처치하기 위해 이 환자에게 특별히 포함되어야 할 적절한 항생제는?

① 암피실린 (Ampicillin)
② 아즈트레오남 (Aztreonam)
③ 반코마이신 (Vancomycin)
④ 세포탁심 (Cefotaxime)
⑤ 세프트리악손 (Ceftriaxone)

2. 65세 신장이식 이력이 있는 남성이 발열, 오한, 심한두통, 목이 뻣뻣하고 경직되는 증상을 주소로 응급실로 내원하였다. 뇌수막염이 의심되어 즉각적 혈액배양 및 요추 천자가 시행되었으며, 특징적으로 최근 치즈와 저온 살균되지 않은 우유를 복용하였다고 하였다. 페니실린 항생제에 알레르기가 있으며, 배양 검사 결과 그람양성 간균으로 동정되었을 때, 이 균을 처치하기 위해 이 환자에게 특별히 포함되어야 할 적절한 항생제는?

① 암피실린 (Ampicillin)
② 트리메토프림/설파메톡사졸 (TMP/SMX)
③ 반코마이신 (Vancomycin)
④ 세포탁심 (Cefotaxime)
⑤ 세프트리악손 (Ceftriaxone)

3. 생후 4주 신생아 남아가 발열, 오한, 심한두통, 목이 뻣뻣하고 경직되는 증상을 주소로 응급실로 내원하였다. 뇌수막염이 의심되어 즉각적 혈액배양 및 요추 천자가 시행되었으며, 혈액배양 검사 결과 *Streptococcus agalactiae*가 동정되었을 때 사용할 수 있는 가장 적절한 약물은?

① 암피실린 (Ampicillin)
② 세포탁심 (Cefotaxime)
③ 반코마이신 (Vancomycin)
④ 세포탁심 (Cefotxaime) +
반코마이신 (Vancomycin)
⑤ 트리메토프림/설파메톡사졸 (TMP/SMX)

4. 32세 남성이 발열, 오한, 심한두통, 목이 뻣뻣하고 경직되는 증상을 주소로 응급실로 내원하였다. 뇌수막염이 의심되어 즉각적 혈액배양 및 요추 천자가 시행되었으며, 혈액배양 검사 결과 *Neisseria Meningitidis*가 동정되었을 때 경험적으로 사용할 수 있는 가장 적절한 약물은? (단, 항생제 감수성 결과는 나오지 않은 상태이다.)

① 암피실린 (Ampicillin)
② 세포탁심 (Cefotaxime)
③ 반코마이신 (Vancomycin)
④ 세포탁심 (Cefotaxime) +
반코마이신 (Vancomycin)
⑤ 트리메토프림/설파메톡사졸 (TMP/SMX)

정답: 1. ① 2. ② 3. ① 4. ②

06 감염질환 33. 뇌수막염

5. 32세 남성이 발열, 오한, 심한두통, 목이 뻣뻣하고 경직되는 증상을 주소로 응급실로 내원하였다. 뇌수막염이 의심되어 즉각적 혈액배양 및 요추 천자가 시행되었으며, 혈액배양 검사 결과 *Pseudomonas aeruginosa*가 동정되었을 때 사용할 수 있는 가장 적절한 약물은?

① 세프트리악손 (Ceftriaxone)
② 세포탁심 (Cefotaxime)
③ 세페핌 (Cefepime)
④ 암피실린 (Ampicillin)
⑤ 반코마이신 (Vancomycin)

6. 32세 남성이 발열, 오한, 심한두통, 목이 뻣뻣하고 경직되는 증상을 주소로 응급실로 내원하였다. 뇌수막염이 의심되어 즉각적 혈액배양 및 요추 천자가 시행되었으며, 혈액배양 검사 결과 *Enterococcus spp.*가 동정되었을 때 반코마이신 (Vancomycin)에 더하여 경험적으로 추가해야하는 약물 중 가장 적절한 약물은? (단, 항생제 감수성 결과는 나오지 않은 상태이다.)

① 메로페넴 (Meropenem)
② 세포탁심 (Cefotaxime)
③ 겐타마이신 (Gentamicin)
④ 목시플록사신 (Moxifloxacin)
⑤ 트리메토프림/설파메톡사졸 (TMP/SMX)

7. 32세 남성이 발열, 오한, 심한두통, 목이 뻣뻣하고 경직되는 증상을 주소로 응급실로 내원하였다. 뇌수막염이 의심되어 즉각적 혈액배양 및 요추 천자가 시행되었으며, 검사 결과가 나오기 전 경험적 항생제 요법으로 가장 적절한 것은?

① 암피실린 (Ampicillin)
② 세포탁심 (Cefotaxime)
③ 반코마이신 (Vancomycin)
④ 세포탁심 (Cefotaxime) + 반코마이신 (Vancomycin)
⑤ 트리메토프림/설파메톡사졸 (TMP/SMX)

8. 65세 남성이 발열, 오한, 심한두통, 목이 뻣뻣하고 경직되는 증상을 주소로 응급실로 내원하였다. 뇌수막염이 의심되어 즉각적 혈액배양 및 요추 천자가 시행되었으며, 검사 결과가 나오기 전 세포탁심 (Cefotaxime) + 반코마이신 (Vancomycin)에 더하여 경험적으로 추가해야 하는 약물로 가장 적절한 것은?

① 암피실린 (Ampicillin)
② 메로페넴 (Meropenem)
③ 리팜핀 (Rifampin)
④ 목시플록사신 (Moxifloxacin)
⑤ 트리메토프림/설파메톡사졸 (TMP/SMX)

정답: 5. ③ 6. ③ 7. ④ 8. ①

9. 생후 20일이 된 신생아가 발열, 오한, 심한두통, 목이 뻣뻣하고 경직되는 증상을 주소로 응급실로 내원하였다. 뇌수막염이 의심되어 즉각적 혈액배양 및 요추 천자가 시행되었으며, 검사 결과가 나오기 전 경험적 항생제 요법으로 가장 적절한 것은?

① 세포탁심 (Cefotaxime) + 암피실린 (Ampicillin)
② 목시플록사신 (Moxifloxacin) + 반코마이신 (Vancomycin)
③ 세프트리악손 (Ceftriaxone) + 반코마이신 (Vancomycin)
④ 세포탁심 (Cefotaxime) + 반코마이신 (Vancomycin)
⑤ 세프타지딤 (Ceftazidime) + 반코마이신 (Vancomycin)

10. 32세 건강한 성인 남성이 발열, 오한, 심한두통, 목이 뻣뻣하고 경직되는 증상을 주소로 응급실로 내원하였다. 뇌수막염이 의심되어 즉각적 혈액배양 및 요추 천자가 시행되었다. 과거 Beta-lactam계 항균제에 알러지가 있었다고 할 때, 검사 결과가 나오기 전 반코마이신(Vancomycin)에 더하여 추가해야 할 경험적 항생제로 가장 적절한 것은?

① 목시플록사신 (Moxifloxacin)
② 리팜핀 (Rifampin)
③ 아즈트레오남 (Aztreonam)
④ 시프로플록사신 (Ciprofloxacin)
⑤ 트리메토프림/설파메톡사졸 (TMP/SMX)

11. 51세 신장이식을 한 성인 남성이 발열, 오한, 심한두통, 목이 뻣뻣하고 경직되는 증상을 주소로 응급실로 내원하였다. 뇌수막염이 의심되어 즉각적 혈액배양 및 요추 천자가 시행되었다. 과거 Beta-lactam계 항균제에 알러지가 있었다고 할 때, 검사 결과가 나오기 전 반코마이신(Vancomycin)에 더하여 추가해야 할 경험적 항생제로 가장 적절한 것은?

① 세포탁심 (Cefotaxime) + 암피실린 (Ampicillin)
② 목시플록사신 (Moxifloxacin) + 암피실린 (Ampicillin)
③ 메로페넴 (Meropenem) + 트리메토프림/설파메톡사졸 (TMP/SMX)
④ 목시플록사신 (Moxifloxacin) + 트리메토프림/설파메톡사졸 (TMP/SMX)
⑤ 목시플록사신 (Moxifloxacin)

12. 32세 성인 남성이 발열, 오한, 심한두통, 목이 뻣뻣하고 경직되는 증상을 주소로 응급실로 내원하였다. 뇌수막염이 의심되어 즉각적 혈액배양 및 요추 천자가 시행되었다. 알코올중독 이력이 있었을 때, 검사 결과가 나오기 전 기본 경험적 항생제 요법에 더하여 추가해야 할 항생제로 가장 적절한 것은?

① 목시플록사신 (Moxifloxacin)
② 리팜핀 (Rifampin)
③ 아즈트레오남 (Aztreonam)
④ 시프로플록사신 (Ciprofloxacin)
⑤ 암피실린 (Ampicillin)

정답: 9. ① 10. ① 11. ④ 12. ⑤

13. 32세 남성이 발열, 오한, 심한두통, 목이 뻣뻣하고 경직되는 증상을 주소로 응급실로 내원하였다. 뇌수막염이 의심되어 즉각적 혈액배양 및 요추 천자가 시행되었으며, 3주 전 교통사고로 인해 두경부외상이 있어 신경외과 수술한 이력이 있다. 검사 결과가 나오기 전 경험적 항생제 요법으로 가장 적절한 것은?

① 세포탁심 (Cefotaxime) + 암피실린 (Ampicillin)
② 목시플록사신 (Moxifloxacin) + 반코마이신 (Vancomycin)
③ 세프트리악손 (Ceftriaxone) + 반코마이신 (Vancomycin)
④ 세포탁심 (Cefotaxime) + 반코마이신 (Vancomycin)
⑤ 세프타지딤 (Ceftazidime) + 반코마이신 (Vancomycin)

14. 32세 남성이 발열, 오한, 심한두통, 목이 뻣뻣하고 경직되는 증상을 주소로 응급실로 내원하였다. 뇌수막염이 의심되어 즉각적 혈액배양 및 요추 천자가 시행되었으며, 3주 전 교통사고로 인해 두경부외상이 있어 신경외과 수술한 이력이 있다. 과거 Beta-lactam계 항균제에 알러지가 있었다고 할 때, 검사 결과가 나오기 전 반코마이신(Vancomycin)에 더하여 추가해야 할 경험적 항생제로 가장 적절한 것은?

① 목시플록사신 (Moxifloxacin)
② 리팜핀 (Rifampin)
③ 아즈트레오남 (Aztreonam)
④ 겐타마이신 (Gentamicin)
⑤ 트리메토프림/설파메톡사졸 (TMP/SMX)

15. *Meningococcal meningitis*에 의한 세균성 뇌수막염의 치료기간으로 가장 적절한 것은?

① 7일
② 10일
③ 14일
④ 21-28일
⑤ 최소 21일

16. *H.Influenzae meningitis*에 의한 세균성 뇌수막염의 치료기간으로 가장 적절한 것은?

① 7일
② 10일
③ 14일
④ 21-28일
⑤ 최소 21일

정답: 13. ⑤ 14. ③ 15. ① 16. ①

17. *S.aureus*에 의한 세균성 뇌수막염의 치료기간으로 가장 적절한 것은?

① 7일
② 10일
③ 14일
④ 21-28일
⑤ 최소 21일

18. *Pseudomonas aeruginosa*에 의한 세균성 뇌수막염의 치료기간으로 가장 적절한 것은?

① 7일
② 10일
③ 14일
④ 21-28일
⑤ 최소 21일

19. *Enterobacterales*에 의한 세균성 뇌수막염의 치료기간으로 가장 적절한 것은?

① 7일
② 10일
③ 14일
④ 21-28일
⑤ 최소 21일

20. *Listeria monocytogenes meningitis*에 의한 세균성 뇌수막염의 치료기간으로 가장 적절한 것은?

① 7일
② 10일
③ 14일
④ 21-28일
⑤ 최소 21일

정답: 17. ③ 18. ④ 19. ④ 20. ⑤

21. 건강한 32세 성인이 뇌수막염에 걸린 환자에 노출 후 24시간 이내에 리팜핀(Rifampin)을 이용해 화학 예방요법을 고려하고 있다. 다음 중 화학 예방요법 시행이 이득이 되는 뇌수막염 원인균으로 가장 적절한 것은?

① *Meningococcal meningitis*
② *H.Influenzae meningitis*
③ *Pneumococcal meningitis*
④ *S.aureus meningitis*
⑤ *Listeria monocytogenes meningitis*

22. *Meningococcal meningitis* 균에 의한 뇌수막염 감염자에 노출 후 감염 예방을 위해 사용할 수 있는 화학 예방 요법 항생제로 가장 적절한 것은?

① 세프트리악손 (Ceftriaxone)
② 세포탁심 (Cefotaxime)
③ 세페핌 (Cefepime)
④ 세프타지딤 (Ceftazidime)
⑤ 세프포독심 (Cefpodoxime)

23. *Meningococcal meningitis* 균에 의한 뇌수막염 감염자에 노출 후 감염 예방을 위해 항생제를 사용하려고 한다. 환자가 주사에 대한 거부감이 있어 가능하면 경구약으로 복용하고 싶다고 할 때, 사용할 수 있는 화학 예방 요법 항생제로 가장 적절한 것은?

① 시프로플록사신 (Ciprofloxacin)
② 세프트리악손 (Ceftriaxone)
③ 아지스로마이신 (Azithromycin)
④ 세파렉신 (Cephalexin)
⑤ 세프포독심 (Cefpodoxime)

정답: 21. ① 22. ① 23. ①

34. 결핵

1. 32세 남성이 폐결핵으로 진단받고, 항결핵제 4제 요법으로 복용 중이다. 2주 복용 후 증상이 호전되었고, 검사 결과가 다음과 같을 때, 다음 중 가장 적절한 조치는? (기타 특이한 증상은 없다.)

[검사 결과]
- 치료 전: AST 30 U/L, ALT 30 U/L
- 오늘 (2주 복용 후): AST 100 U/L, ALT 100 U/L

① 4제 요법 유지
② 다른 약물로 변경
③ 약물 투여 중단 후 모니터링
④ 아지트로마이신(Pyrazinamide)만 중단
⑤ 에탐부톨 (Ethambutol)만 중단

2. 32세 여성이 폐결핵으로 진단받고 총 5개월 째 항결핵제 Isoniazid, Rifampin, Ethambutol으로 치료중이다. 금일 내원 시 임신 2주째라고 하였을 때, 다음 중 환자에게 필요한 가장 적절한 조치는?

① 3제 요법 유지
② 에탐부톨 (Ethambutol)을 피라진아미드 (Pyrazinamide)로 변경
③ 항결핵제 중단 및 출산 후 재치료 시작
④ 항결핵제 중단 및 1개월 후 재발 여부 모니터링
⑤ 리팜핀 (Rifampin), 에탐부톨 (Ethambutol) 중단

[3-4]
3. 32세 만성콩팥병 병력이 있는 남성이 폐결핵으로 진단되었다. 금일 검사 결과가 다음과 같을 때, 투여 간격을 늘려야 하는 약제로 적절한 것은? (2가지)

[검사 결과]
CrCl = 30 ml/min

① 이소니아지드 (Isoniazid)
② 리팜핀 (Rifampin)
③ 피라진아미드 (Pyrazinamide)
④ 에탐부톨 (Ethambutol)
⑤ 목시플록사신 (Moxifloxacin)

4. 3번 환자가 항결핵제 치료를 시작하였다. 복용 2개월 후 시력이 감소하고, 적녹색맹 증상이 나타났을 때, 증상을 나타나게 한 원인이 되는 약물로 가장 적절한 것은?

① 이소니아지드 (Isoniazid)
② 리팜핀 (Rifampin)
③ 피라진아미드 (Pyrazinamide)
④ 에탐부톨 (Ethambutol)
⑤ 목시플록사신 (Moxifloxacin)

정답: 1. ① 2. ① 3. ③,④ 4. ④

5. 6세 소아 환자가 폐결핵으로 진단되었다. 다음 중 약물 부작용으로 인해 이 환자에게 사용하면 안되는 약물로 적절한 것은?

① 이소니아지드 (Isoniazid)
② 리팜핀 (Rifampin)
③ 피라진아미드 (Pyrazinamide)
④ 에탐부톨 (Ethambutol)
⑤ 목시플록사신 (Moxifloxacin)

6. 32세 남성이 폐결핵으로 진단받고, 항결핵제를 복용중이다. 복용 중 어깨, 무릎, 손관절의 통증이 발생했을 때, 증상을 나타나게 한 원인이 되는 약물로 가장 적절한 것은?

① 이소니아지드 (Isoniazid)
② 리팜핀 (Rifampin)
③ 피라진아미드 (Pyrazinamide)
④ 에탐부톨 (Ethambutol)
⑤ 목시플록사신 (Moxifloxacin)

7. 32세 남성이 폐결핵으로 진단받고, 항결핵제를 복용중이다. 복용 중 소변과 눈물의 색이 오렌지색으로 변색되었을 때, 증상을 나타나게 한 원인이 되는 약물로 가장 적절한 것은?

① 이소니아지드 (Isoniazid)
② 리팜핀 (Rifampin)
③ 피라진아미드 (Pyrazinamide)
④ 에탐부톨 (Ethambutol)
⑤ 목시플록사신 (Moxifloxacin)

8. 50세 알코올중독, 당뇨병 이력이 있는 남성이 폐결핵으로 진단받고, 항결핵제를 복용하려고 한다. 다음 항결핵제 중 손과 발이 저리는 느낌이 드는 말초신경병증을 예방하기 위해 피리독신 (Pyridoxine)을 함께 복용하는 것을 권고받는 약제가 아닌 것은? (2가지)

① 이소니아지드 (Isoniazid)
② 리팜핀 (Rifampin)
③ 에탐부톨 (Ethambutol)
④ 시클로세린 (Cycloserine)
⑤ 리네졸리드 (Linezolid)

정답: 5. ④ 6. ③ 7. ② 8. ②,③

9. 32세 남성이 폐결핵으로 진단받고, 항결핵제 4제 요법으로 복용 중이다. 2개월 복용 후 증상이 호전되었고, 검사 결과가 다음과 같을 때, 다음 중 중단이 가능한 약물은?
(2가지)

[약제 감수성검사 결과]
이소니아지드 (Isoniazid): S (Susceptible)
리팜핀 (Rifampin): S (Susceptible)

① 이소니아지드 (Isoniazid)
② 리팜핀 (Rifampin)
③ 피라진아미드 (Pyrazinamide)
④ 에탐부톨 (Ethambutol)

10. 32세 남성이 폐결핵으로 진단받고, 항결핵제 4제 요법으로 복용 중이다. 2개월 복용 후 증상이 호전되었고, 금일 시행한 검사 결과가 다음과 같을 때, 다음 중 남은 적절한 치료 기간은?

[검사 결과 (치료 2개월 후)]
- 흉부 X선 사진: 공동 (Cavitity) 이 동반됨
- 객담 배양 항산막대균펴바른표본검사 (+)

① 2개월 (총 치료기간 4개월)
② 4개월 (총 치료기간 6개월)
③ 7개월 (총 치료기간 9개월)
④ 10개월 (총 치료기간 12개월)
⑤ 16개월 (총 치료기간 18개월)

11. 32세 고요산혈증 병력이 있는 남성이 폐결핵으로 진단받았다. 항결핵제 3제 요법 (Isoniazid, Rifampin, Ethambutol) 복용을 시작했다. 2개월 복용 후 증상이 호전되었고, 금일 시행한 검사 결과가 다음과 같을 때, 다음 중 남은 적절한 치료 기간은?
[검사 결과 (치료 2개월 후)]
- 흉부 X선 사진: 공동 (Cavitity) (-)
- 객담 배양 항산막대균펴바른표본검사 (-)

① 2개월 (총 치료기간 4개월)
② 4개월 (총 치료기간 6개월)
③ 7개월 (총 치료기간 9개월)
④ 10개월 (총 치료기간 12개월)
⑤ 16개월 (총 치료기간 18개월)

12. 50세 남성이 폐결핵으로 진단받아 항결핵제로 치료중이다. 2주 전부터 쉽게 추위를 타고 피곤하고 기운이 없는 증상을 주소로 내원하였다. 금일 검사 결과가 다음과 같을 때, 증상을 나타나게 한 원인이 되는 약물로 가장 적절한 것은?
[약제 감수성검사 결과]
이소니아지드 (Isoniazid): R (Resistant)
리팜핀 (Rifampin): R (Resistant)
[검사 결과]
TSH 8 mIU/L (상승) Free T4 1.3 ng/dL (정상)

① 시클로세린 (Cycloserine)
② 프로치오아미드 (Prothioamide)
③ 베다퀼린 (Bedaquilline)
④ 델라마니드 (Delamanid)
⑤ 이미페넴 (Imipenem)

정답: 9. ③,④ 10. ③ 11. ③ 12. ②

13. 50세 남성이 폐결핵으로 진단받아 항결핵제로 치료중이다. 1달 전부터 우울감, 피로감이 지속되고 수면장애와 감소된 체중을 주소로 내원하였다. 다음 중 증상을 나타나게 한 원인이 되는 약물로 가장 적절한 것은?

[약제 감수성검사 결과]
이소니아지드 (Isoniazid): R (Resistant)
리팜핀 (Rifampin): R (Resistant)

① 시클로세린 (Cycloserine)
② 프로치오아미드 (Prothioamide)
③ 베다퀼린 (Bedaquilline)
④ 델라마니드 (Delamanid)
⑤ 이미페넴 (Imipenem)

14. 50세 남성이 폐결핵으로 진단받아 항결핵제로 치료중이다. 1달 전부터 시작된 난청, 이명 및 어지러움 증상을 주소로 내원하였다. 다음 중 증상을 나타나게 한 원인이 되는 약물로 가장 적절한 것은?

[약제 감수성검사 결과]
이소니아지드 (Isoniazid): R (Resistant)
리팜핀 (Rifampin): R (Resistant)

① 시클로세린 (Cycloserine)
② 프로치오아미드 (Prothioamide)
③ 베다퀼린 (Bedaquilline)
④ 델라마니드 (Delamanid)
⑤ 스트렙토마이신 (Streptomycin)

15. 다제내성결핵(MDR)으로 베다퀼린 (Bedaquilline)을 투여받는 환자에서 모니터링이 필요한 검사항목이 아닌 것은?

① 혈청 K 수치
② 혈청 Ca 수치
③ 혈청 Mg 수치
④ 심전도 (ECG) 검사
⑤ 갑상선 기능 검사

[16-17]
16. 기계판막치환술을 받아 와파린 (Warfarin)을 복용중인 32세 남성이 잠복결핵을 진단받아 치료를 시작하려 한다. 다음 중 적절한 약물은?

① 이소니아지드 (Isoniazid)
② 리팜핀 (Rifampin)
③ 피라진아미드 (Pyrazinamide)
④ 에탐부톨 (Ethambutol)
⑤ 목시플록사신 (Moxifloxacin)

정답: 13. ① 14. ⑤ 15. ⑤ 16. ①

17. 15번 환자의 잠복결핵 총 치료기간으로 적절한 것은?

① 3개월
② 4개월
③ 6개월
④ 9개월
⑤ 12개월

[18-19]
18. 32세 남성이 잠복결핵으로 진단받았다. 환자가 약물을 오래 복용하는 것을 선호하지 않아, 가장 짧은 기간 치료하는 것을 원한다고 할 때, 다음 중 치료약물(요법)으로 권할 수 있는 것은?

① 이소니아지드 (Isoniazid)
② 리팜핀 (Rifampin)
③ 이소니아지드 (Isoniazid) + 리팜핀 (Rifampin)
④ 이소니아지드 (Isoniazid) + 리파펜틴 (Rifapentin)
⑤ 에탐부톨 (Ethambutol)

19. 17번 환자의 잠복결핵 총 치료기간으로 적절한 것은?

① 2개월
② 3개월
③ 4개월
④ 6개월
⑤ 9개월

[20-21]
20. 32세 당뇨병성신경병증 병력이 있는 남성이 잠복결핵으로 진단받았다. 환자가 손, 발이 저리는 증상으로 Duloxetine (둘록세틴)을 복용중이다. 부작용으로 인한 복약순응도를 고려했을 때, 다음 중 치료약물(요법)으로 권할 수 있는 것 중 가장 적절한 것은?

① 이소니아지드 (Isoniazid)
② 리팜핀 (Rifampin)
③ 이소니아지드 (Isoniazid) + 리팜핀 (Rifampin)
④ 이소니아지드 (Isoniazid) + 리파펜틴 (Rifapentin)
⑤ 에탐부톨 (Ethambutol)

정답: 17. ④ 18. ③ 19. ② 20. ②

21. 17번 환자의 잠복결핵 총 치료기간으로 적절한 것은?

① 2개월
② 3개월
③ 4개월
④ 6개월
⑤ 9개월

정답: 21. ③

35. 요로감염

1. 다음 중 요로감염을 일으키는 가장 흔한 원인균으로 적절한 것은?

① *Streptococcus pneumoniae*
② *Hemophilus influenzae*
③ *Pseudomonas aeruginosa*
④ *E.coli*
⑤ *Klebsiella pneumoniae*

[2-3]
2. 32세 임신 5개월된 여성이 정기 검진차 내원하였다. 두 차례 실시한 요배양 검사에서 *E.coli* 가 동정되었으며 개수는 $2x10^5$개 bacteria/ml 이상이었다. 특별한 요로감염 관련 증상은 없었을 때, 다음 중 환자에게 필요한 가장 적절한 조치는?

① 2주 뒤 소변배양 재실시
② 경과 관찰
③ 세파렉신 (Cephalexin)
④ 시프로플록사신 (Ciprofloxacin)
⑤ 포스포마이신 (Fosfomycin)

3. 2번 환자의 요로감염 치료 기간으로 가장 적절한 것은?

① 1일
② 3일
③ 5일
④ 7일
⑤ 14일

4. 65세 뇌졸중 이후 거동 제한으로 도뇨관을 삽입하고 있는 남성에게서 두 차례 실시한 요배양 검사에서 *E.coli* 가 동정되었다. 개수는 $2x10^5$개 bacteria/ml 이상이었다. 특별한 요로감염 관련 증상은 없었을 때, 다음 중 환자에게 필요한 가장 적절한 조치는?

① 경과 관찰
② 포스포마이신 (Fosfomycin)
③ 세파렉신 (Cephalexin)
④ 시프로플록사신 (Ciprofloxacin)
⑤ 설파메톡사졸/트리메토프림 (SMX/TMP)

정답: 1. ④ 2. ③ 3. ④ 4. ①

5. 32세 여성이 2일 전부터 소변이 자주 마렵고 소변을 본 후 잔뇨감이 있는 증상을 주소로 내원하였다. 발열은 없었고, 옆구리 통증은 없었으며 소변검사 결과 급성 방광염으로 진단되었다. 포스포마이신 (Fosfomycin)으로 치료를 시작했을 때, 치료 기간으로 가장 적절한 것은

① 1일
② 3일
③ 5일
④ 7일
⑤ 14일

6. 32세 여성이 2일 전부터 소변이 자주 마렵고 소변을 본 후 잔뇨감이 있는 증상을 주소로 내원하였다. 발열은 없었고, 옆구리 통증은 없었으며 소변검사 결과 급성 방광염으로 진단되었다. 설파메톡사졸/트리메토프림 (SMX/TMP)으로 치료를 시작했을 때, 치료 기간으로 가장 적절한 것은

① 1일
② 3일
③ 5일
④ 7일
⑤ 14일

7. 32세 여성이 2일 전부터 소변이 자주 마렵고 소변을 본 후 잔뇨감이 있는 증상을 주소로 내원하였다. 발열은 없었고, 옆구리 통증은 없었으며 소변검사 결과 급성 방광염으로 진단되었다. 시프로플록사신 (Ciprofloxacin)으로 치료를 시작했을 때, 치료 기간으로 가장 적절한 것은

① 1일
② 3일
③ 5일
④ 7일
⑤ 14일

8. 32세 여성이 2일 전부터 소변이 자주 마렵고 소변을 본 후 잔뇨감이 있는 증상을 주소로 내원하였다. 발열은 없었고, 옆구리 통증은 없었으며 소변검사 결과 급성 방광염으로 진단되었다. 니트로푸란토인 (Nitrofurantoin)으로 치료를 시작했을 때, 치료 기간으로 가장 적절한 것은

① 1일
② 3일
③ 5일
④ 7일
⑤ 14일

정답: 5. ① 6. ② 7. ② 8. ③

9. 32세 여성이 2일 전부터 소변이 자주 마렵고 소변을 본 후 잔뇨감이 있는 증상을 주소로 내원하였다. 오한, 발열과 옆구리 통증이 동반되었으며 급성신우신염으로 진단되었다. 설파메톡사졸/트리메토프림 (SMX/TMP)으로 치료를 시작했을 때, 치료 기간으로 가장 적절한 것은

① 1일
② 3일
③ 5일
④ 7일
⑤ 14일

10. 32세 여성이 2일 전부터 소변이 자주 마렵고 소변을 본 후 잔뇨감이 있는 증상을 주소로 내원하였다. 오한, 발열과 옆구리 통증이 동반되었으며 급성신우신염으로 진단되었다.
시프로플록사신 (Ciprofloxacin) 500mg IR 하루 2회로 치료를 시작했을 때, 치료 기간으로 가장 적절한 것은

① 1일
② 3일
③ 5일
④ 7일
⑤ 14일

11. 32세 여성이 2일 전부터 소변이 자주 마렵고 소변을 본 후 잔뇨감이 있는 증상을 주소로 내원하였다. 발열은 없었고, 옆구리 통증은 없었으며 지난 6개월 이내 요로감염으로 2번 감염되어 치료받은 이력이 있었다. 반복성 요로감염의 지속 요법을 계획하여 니트로푸란토인 (Nitrofurantoin)으로 치료를 시작했을 때, 치료 기간으로 가장 적절한 것은?

① 14일
② 28일
③ 3개월
④ 6개월
⑤ 12개월

12. 32세 여성이 2일 전부터 소변이 자주 마렵고 소변을 본 후 잔뇨감이 있는 증상을 주소로 내원하였다. 발열은 없었고, 옆구리 통증은 없었으며 지난 6개월 이내 요로감염으로 2번 감염되어 치료받은 이력이 있었다. 설파계 알러지가 있었으며, 금일 검사 결과는 다음과 같다. 반복성 요로감염의 지속 요법을 계획하고 있을 때, 다음 중 가장 적절한 약물은?

[검사 결과]
CrCl = 59 ml/min

① 설파메톡사졸/트리메토프림 (SMX/TMP)
② 니트로푸란토인 (Nitrofurantoin)
③ 시프로플록사신 (Ciprofloxacin)
④ 포스포마이신 (Fosfomycin)
⑤ 세파렉신 (Cephalexin)

정답: 9 ⑤ 10. ⑤ 11. ④ 12. ③

13. 요로감염 치료 중 설파메톡사졸/트리메토프림 (SMX/TMP)을 투여 중인 환자에서 혈중 농도를 모니터링해야 하는 항목은?

① 나트륨 (Na)
② 칼륨 (K)
③ 마그네슘 (Mg)
④ 인 (P)
⑤ 칼슘 (Ca)

14. 요로감염 치료 중 니트로푸란토인 (Nitrofurantoin)을 투여 중인 환자에서 특징적으로 모니터링해야 하는 이상반응은?

① 간독성
② 이독성
③ 폐독성
④ 골수독성
⑤ 갑상선독성

15. 32세 여성이 전신에 발진이 생기는 증상을 주소로 내원하였다. 전신적인 쇠약감과 발열을 동반하였으며, 전신 피부에서 물집이 일부 동반되었다. 약물로 인한 이상반응으로 의심되었을 때, 다음 중 증상을 나타나게 한 원인 약제로 가장 적절한 것은?

[병력] 요로감염

① 설파메톡사졸/트리메토프림 (SMX/TMP)
② 니트로푸란토인 (Nitrofurantoin)
③ 시프로플록사신 (Ciprofloxacin)
④ 포스포마이신 (Fosfomycin)
⑤ 아미카신 (Amikacin)

정답: 13. ② 14. ③ 15. ①

36. 전립샘염

1. 65세 남성이 2일 전부터 시작된 발열을 주소로 내원하였다. 소변 마려운 느낌이 있어 화장실을 갈때면 잘 나오지 않는 배뇨곤란 증세가 있었으며, 회음부와 성기 부근에 통증이 있고 배뇨시 통증이 있다고 하였다. 중간뇨 소변 배양 검사 결과 급성 세균성 전립선염으로 진단되었다. 국내 요로감염 원인균의 항생제 내성을 고려했을 때 다음 중 환자에게 필요한 가장 적절한 조치는?

① 세프트리악손 (Ceftriaxone)
② 시프로플록사신 (Ciprofloxacin)
③ 아미카신 (Amikacin)
④ 탐술로신 (Tamsulosin)
⑤ 쏘팔메토 (Saw Palmetto)

2. 65세 남성이 회음부와 성기 부근에 통증이 있고 배뇨시 통증이 있는 증상을 주소로 내원하였다. 과거에도 전립샘 치료 병력이 있었으며 검사 결과, 만성세균성전립샘염으로 진단되었다. Ciprofloxacin으로 치료를 시작했을 때, 치료 기간으로 가장 적절한 것은?

① 3일
② 7일
③ 14일
④ 4주-6주
⑤ 6개월

정답: 1. ① 2. ④

1. 65세 여성이 발열, 복통과 심한 설사를 주소로 내원하였다. 대변검사 시행 결과 C.difficile Toxin A, B 모두 양성으로 나타났다. 다음 중 환자의 증상을 일으킨 원인 약제로 가장 적절한 것은?

① 유산균 (Probiotics)
② 란소프라졸 (Lansoprazole)
③ 리팍시민 (Rifaximin)
④ 소르비톨 (Sorbitol)
⑤ 메토클로프로마이드 (Metoclopramide)

2. 65세 여성이 발열, 복통과 심한 설사를 주소로 내원하였다. 대변검사 시행 결과 C.difficile Toxin A, B 모두 양성으로 나타났다. 다음 중 환자의 증상을 일으킨 원인 약제로 가장 적절한 것은?

① 세파졸린 (Cefazolin)
② 비스무스 (Bismuth)
③ 클린다마이신 (Clindamycin)
④ 디페녹실레이트 (Diphenoxylate)
⑤ 아트로핀 (Atropine)

3. 65세 여성이 발열, 복통과 심한 설사를 주소로 내원하였다. 대변검사 시행 결과 C.difficile Toxin A, B 모두 양성으로 나타났다. 다음 중 환자의 증상을 일으킨 원인 약제로 가장 적절한 것은?

① 리튬 (Lithium)
② 디곡신 (Digoxin)
③ 인슐린 (Insulin)
④ 퓨로세미드 (Furosemide)
⑤ 독시사이클린 (Doxycycline)

4. 65세 여성이 발열, 복통과 심한 설사를 주소로 내원하였다. 3일전 하기도감염 증상으로 지역사회획득 폐렴으로 진단받아 Levofloxacin 250mg 하루 3회 경구 투여 복용중이였다. 호흡기 검사 결과 수포음 등 아직 폐렴 증상이 남아있었으며, 대변검사 시행 결과 C.difficile Toxin A, B 모두 양성으로 나타났다. 다음 중 적절한 조치는?

① Levofloxacin 중단 및
경구 Vancomycin 시작
② Levofloxacin 유지 및
경구 Vancomycin 시작
③ Levofloxacin 중단 및
경구 Metronidazole 시작
④ Levofloxacin에서 Azithromycin으로
변경 및 경구 Vancomycin 시작
⑤ Levofloxacin 중단 및
정맥주사 Vancomycin 시작

정답: 1. ② 2. ③ 3. ⑤ 4. ④

5. 65세 여성이 발열, 복통과 하루 수차례의 심한 물설사를 주소로 내원하였다. 대변검사 시행 결과 C.difficile Toxin A, B 모두 양성으로 나타났다. 다음 중 최우선적으로 권고되는 치료 요법으로 가장 적절한 것은?

① 피닥소미신 (Fidaxomicin) 200 mg 1일 2회 10일
② 피닥소미신 (Fidaxomicin) 200 mg 1일 2회 14일
③ 반코마이신 (Vancomycin) 125 mg 1일 4회 10일 주사
④ 반코마이신 (Vancomycin) 125 mg 1일 4회 14일 경구
⑤ 메트로니다졸 (Metronidazole) 500mg 1일 3회 10일

[6-7]
6. 32세 남성이 고열 (38.6℃)을 동반한 지속적인 구토, 설사를 주소로 내원하였다. 최근 동남아 여행을 다녀왔다고 하였으며, 대변에서 피가 섞여 나오는 등의 증상은 없었다고 한다. 여행자 설사로 진단되었을 때, 다음 중 치료 요법으로 가장 적절한 것은?

① 비스무스 (Bismuth)
② 시프로플록사신 (Ciprofloxacin)
③ 클린다마이신 (Clindamycin)
④ 메트로니다졸 (Metronidazole)
⑤ 반코마이신 (Vancomycin)

7. 6번 남성이 시프로플록사신 (Ciprofloxacin) 750mg 1회 요법으로 치료하였으나, 호전되지 않았을 때 다음 중 사용할 수 있는 항생제로 가장 적절한 것은?

① 아지스로마이신 (Azithromycin)
② 독시사이클린 (Doxycycline)
③ 세파졸린 (Cefazolin)
④ 세프트리악손 (Ceftriaxone)
⑤ 피닥소미신 (Fidaxomicin)

8. 32세 남성이 복통과 뒤무직 (tenesmus)를 동반한 잦은 설사를 주소로 내원하였다. 처음에는 물같은 변이였으나, 이후 점액과 피가 섞인 설사가 나왔다고 하였으며, 대변 검사 결과 대변에서 백혈구가 다량 관찰되었고 배양 검사 상 Shigella sonnei (이질)이 검출되어 세균성 이질로 진단되었다. 다음 중 가장 선호되는 치료로 적절한 것은?

① 시프로플록사신 (Ciprofloxacin)
② TMP/SMX
③ 암피실린 (Ampicillin)
④ 독시사이클린 (Doxycycline)
⑤ 리팍시민 (Rifaxmin)

정답: 5. ① 6. ② 7. ① 8. ①

9. 32세 남성이 지속적인 대량의 쌀뜨물 같은 물설사를 주소로 내원하였다. 최근 동남아 여행을 다녀왔다고 하였으며, 복통과 대변에서 피가 섞여 나오는 등의 증상은 없었다고 한다. 중증의 콜레라에 의한 여행자 설사로 진단되었을 때, 다음 중 가장 선호되는 치료 요법으로 적절한 것은?

① 독시사이클린 (Doxycycline)
② 시프로플록사신 (Ciprofloxacin)
③ 아지스로마이신 (Azithromycin)
④ 세프트리악손 (Ceftriaxone)
⑤ 반코마이신 (Vancomycin)

10. 32세 임산부 여성이 지속적인 대량의 쌀뜨물 같은 물설사를 주소로 내원하였다. 최근 동남아 여행을 다녀왔다고 하였으며, 복통과 대변에서 피가 섞여 나오는 등의 증상은 없었다고 한다. 콜레라에 의한 여행자 설사로 진단되었을 때, 다음 중 치료 요법으로 가장 적절한 것은?

① 비스무스 (Bismuth)
② 시프로플록사신 (Ciprofloxacin)
③ 아지스로마이신 (Azithromycin)
④ 메트로니다졸 (Metronidazole)
⑤ 반코마이신 (Vancomycin)

11. 32세 남성이 복통과 열, 두통, 근육통을 동반한 설사를 주소로 내원하였다. 검사 결과 캄필로박터 (Campylobacter)에 의한 설사로 진단되었을 때, 다음 중 최우선으로 권고되는 약물로 가장 적절한 것은?

① 독시사이클린 (Doxycycline)
② 시프로플록사신 (Ciprofloxacin)
③ 아지스로마이신 (Azithromycin)
④ 세프트리악손 (Ceftriaxone)
⑤ 반코마이신 (Vancomycin)

12. 32세 남성이 복통과 열, 구역/구토를 동반한 설사를 주소로 내원하였다. 검사 결과 비장티푸스성 살모넬라(Nontyphoidal Salmonellosis)에 의한 설사로 진단되었을 때, 다음 중 최우선으로 권고되는 약물로 가장 적절한 것은?

[병력] 비장절제, 항암화학요법 중

① 독시사이클린 (Doxycycline)
② 클린다마이신 (Clindamycin)
③ 아지스로마이신 (Azithromycin)
④ 세프트리악손 (Ceftriaxone)
⑤ 반코마이신 (Vancomycin)

정답: 9. ① 10. ③ 11. ③ 12. ③

13. 65세 만성콩팥병으로 인해 지속외래 복막투석(CAPD)로 치료 받는 환자가 갑자기 시작된 복통과 발열, 투석물이 탁해지는 증상으로 내원하였다. 이 환자에게 사용할 수 있는 적절한 경험적 항생제는?

① Cefazolin + Ertapenem
② Ceftriaxone + Azithromycin
③ Moxifloxacin +Metronidazole
④ Cefazolin + Cefepime
⑤ Cefotetan

14. 32세 남성이 내원 2일 전부터 시작된 고열, 황달, 우상복부 통증을 주소로 내원하였다. 최근 급격한 체중감량 이력이 있었고, 초음파 검사상 쓸개돌이 보였다. 기침했을 때 복통이 심해진다고 한다. 급성 담낭염 (지역사회획득)으로 진단되었을 때, 다음 중 1차 경험적 항생제 치료로 가장 적절한 것은?

① 세포테탄 (Cefotetan)
② 세포탁심 (Cefotaxime)
③ 세포탁심 (Cefotaxime) + 메트로니다졸 (Metronidazole)
④ 시프로플록사신 (Ciprofloxacin) + 메트로니다졸 (Metronidazole)
⑤ 피페라실린/타조박탐 (Piperacillin/tazobactam)

15. 32세 여성이 내원 2일 전부터 시작된 고열, 복부 통증을 주소로 내원하였다. 세균성 간농양으로 진단되었을 때, 다음 중 1차 경험적 항생제 치료로 가장 적절한 것은?

① 세파졸린 (Cefazolin)
② 세포테탄 (Cefotetan)
③ 세포탁심 (Cefotaxime) + 메트로니다졸 (Metronidazole)
④ 시프로플록사신 (Ciprofloxacin) + 메트로니다졸 (Metronidazole)
⑤ 피페라실린/타조박탐 (Piperacillin/tazobactam)

16. 65세 남성이 2일 전부터 시작된 오른쪽 아랫배 쪽의 통증과 하루 2차례 정도의 설사를 주소로 내원하였다. 배변 후에도 복통은 지속되었고, 검사결과가 다음과 같아 급성 게실염 (Acute diverticulitis)로 진단되었다. 게실염에 의한 이차성 세균성 복막염이 의심될 때, 다음 중 경험적 항생제(요법)으로 적절하지 않은 것은?

[검사 결과]
복부 CT 상 대장벽의 비후가 관찰됨
(천공은 발견되지 않았다.)
백혈구 15,000/mm^3 체온 38.0℃
CRP(C-반응단백질) 40mg/dL

① 세파졸린 (Cefazolin)
② 세포시틴 (Cefoxitin)
③ 세포탁심 (Cefotaxime) + 메트로니다졸 (Metronidazole)
④ 시프로플록사신 (Ciprofloxacin) + 메트로니다졸 (Metronidazole)
⑤ 피페라실린/타조박탐 (Piperacillin/tazobactam)

정답: 13. ④ 14. ② 15. ③ 16. ①

07 정신 질환

38. 주의력결핍과다활동장애

1. 5세 남아가 학교와 가정에서 산만함을 주소로 내원하였다. 질문이 끝나기도 전에 대답하거나 숙제도 제대로 하지 않았으며 검사 결과 ADHD로 진단되었다. 다음 중 환자에게 가장 적절한 조치는?

① 행동치료 요법
② 메틸페니데이트 (Methylphenidate)
③ 아토목세틴 (Atomoxetine)
④ 클로니딘 (Clonidine)
⑤ 부프로피온 (Bupropion)

[2-3]

2. 6세 남아가 학교와 가정에서 산만함을 주소로 내원하였다. 질문이 끝나기도 전에 대답하거나 숙제도 제대로 하지 않았으며 검사 결과 ADHD로 진단되었다. 다음 중 환자에게 권할 수 있는 1차 선택 약물로 가장 적절한 것은?

① 메틸페니데이트 (Methylphenidate)
② 아토목세틴 (Atomoxetine)
③ 클로니딘 (Clonidine)
④ 할로페리돌 (Haloperidol)
⑤ 부프로피온 (Bupropion)

3. 2번 문제의 남아가 메틸페니데이트 10mg 하루 3회를 복용중이다. 복용 도중 저녁에 신경과민증 증세와 자꾸 보채는 증상이 생겼고, 검사상 기타 공존질환은 없는 것으로 확인되었다. 다음 중 환자의 증상 조절을 위해 할 수 있는 조치로 가장 적절한 것은?

① 속효성에서 서방형 제제로의 변경
② 서방형에서 속효성 제제로의 변경
③ 더 이른 시간에 약물 복용
④ 식사 후 약물 복용
⑤ 메틸페니데이트 중단

4. 6세 남아가 학교와 가정에서 산만함을 주소로 내원하였다. 질문이 끝나기도 전에 대답하거나 숙제도 제대로 하지 않았으며 검사 결과 ADHD로 진단되었다. 경미한 틱장애도 동반되었을 때, 다음 중 환자에게 가장 적절한 약물은?

① 메틸페니데이트 (Methylphenidate)
② 아토목세틴 (Atomoxetine)
③ 클로니딘 (Clonidine)
④ 할로페리돌 (Haloperidol)
⑤ 부프로피온 (Bupropion)

정답: 1. ① 2. ① 3. ① 4. ②

5. ADHD로 아토목세틴(Atomoxetine)을 투여 중인 환자에서 모니터링이 필요한 검사항목은?

① 신기능 검사
② 간기능 검사
③ 갑상선기능 검사
④ 심혈관계기능 검사
⑤ 폐기능 검사

6. ADHD로 메틸페니데이트 (Methylphenidate)를 투여 중인 환자에서 모니터링이 필요한 검사항목이 아닌 것은?

① 혈압
② 맥박
③ 불면증 여부
④ 키, 몸무게
⑤ 자살성 사고 검사

7. 14세 남자 청소년이 매사에 부정적이고 반항적이며 잦은 결석 등을 주소로 내원하였다. 진단 결과 소아기 우울장애로 진단되었으며, 경미한 ADHD도 같이 동반되었을 때 다음 중 환자에게 가장 적절한 약물은?

① 메틸페니데이트 (Methylphenidate)
② 아토목세틴 (Atomoxetine)
③ 클로니딘 (Clonidine)
④ 할로페리돌 (Haloperidol)
⑤ 부프로피온 (Bupropion)

8. 6세 ADHD로 아토목세틴 (Atomoxetine)을 복용중인 환자가 내원하였다. 1주 전부터 복용을 시작했으며, 약을 먹기 시작한 후로 학교에서 자꾸 조는 증상으로 일상생활이 불편해져서 내원하였다고 하였다. 다음 중 환자에게 가장 적절한 조치는?

① 아토목세틴 (Atomoxetine) 중단
② 현재 치료 요법 유지
③ 아침 식후로 용법 변경
④ 자기 전 복용으로 용법 변경
⑤ 클로니딘 (Clonidine)으로 변경

정답: 5. ② 6. ⑤ 7. ⑤ 8. ④

07 정신질환 39. 조현병

1. 32세 조현병 있는 남성이 입원하였다. 이전에 네 번의 정신과 입원 이력이 있었고, 현재 자살 생각이 있는 상태이다. 입원 이전에도 자살시도로 응급실에 내원한 이력이 있었다.

기존에 Quetiapine으로 치료 중이었던 환자에게 현재 가장 적절한 약물은?

① 퀘티아핀 (Quetiapine) 유지
② 리스페리돈 (Risperidone)으로 변경
③ 지프라시돈 (Ziprasidone)으로 변경
④ 아리피프라졸 (Aripiprazole)으로 변경
⑤ 클로자핀 (Clozapine)으로 변경

2. 32세 조현병이 있는 남성이 내원하였다. 그는 이전에 최대용량으로 Quetiapine과 Aripiprazole로 치료 한적이 있었으나 조절되지 않고 실패하였다. 다음 중 이 환자에게 권할 수 있는 가장 적절한 약물 요법은?

① 퀘티아핀(Quetiapine) + 아리피프라졸(Aripiprazole) 병합
② 클로자핀 (Clozapine)
③ 할로페리돌 (Haloperidol)
④ 지프라시돈 (Ziprasidone)
⑤ 올란자핀 (Olanzapine)

3. 32세 여성이 2달 전부터 시작된 피해망상과 환청을 주소로 내원하였다. 기저병력으로 우울증, 1형 당뇨병을 가지고 있어 시탈로프람 (Citalopram), 인슐린으로 치료중이며, 체중 증가 부작용으로 인해 인슐린 투약 순응도가 낮은 문제가 있었다. 조현병으로 진단되었을 때 다음 중 환자에게 가장 적절한 약물은?

① 아리피프라졸(Aripiprazole)
② 지프라시돈 (Ziprasidone)
③ 리스페리돈 (Risperidone)
④ 클로자핀 (Clozapine)
⑤ 올란자핀 (Olanzapine)

[4-5]
4. 50세 남성 파킨슨병으로 진단 받은 환자가 Levodopa/carbidopa, Pramipexole, Benztropine, Lorazepam을 복용중이다. 최근 2달 전부터 피해망상과 환청이 생겨 정신과 진료 후 조현병으로 진단되어 약물 치료를 시작하였다. 치료 2개월 후 손을 떨고 종종걸음을 걷는 파킨슨 유사증상을 보였는데, 다음 중 추체외로 부작용을 일으킬 가능성이 가장 큰 약물은?

① 올란자핀 (Olanzapine)
② 팔리페리돈 (Paliperidone)
③ 리스페리돈 (Risperidone)
④ 지프라시돈 (Ziprasidone)
⑤ 할로페리돌 (Haloperidol)

정답: 1. ⑤ 2. ② 3. ① 4. ⑤

5. 4번 문제의 환자에게 조현병 치료 목적으로 사용할 수 있는 약물 중 가장 적절한 것은?

① 아리피프라졸 (Aripiprazole)
② 클로자핀 (Clozapine)
③ 올란자핀 (Olanzapine)
④ 클로르프로마진 (Chlorpromazine)
⑤ 퍼페나진 (Perphenazine)

6. 32세 남성이 갑자기 눈동자가 위로 올라가는 증상을 주소로 내원하였다. 이틀전 조현병으로 진단받아 할로페리돌 (Haloperidol) 복용을 시작하였고, 그 외 침분비가 많이 되고 연하곤란 증상도 동반되었다. 근육긴장이상증(Dystonia)으로 진단되었을 때, 증상 조절을 위해 다음 중 환자에게 할 수 있는 처치로 적절하지 않은 것은?

① 벤즈트로핀 (Benztropine) 투여
② 트리헥시페니딜 (Trihexyphenidyl) 투여
③ 로라제팜 (Lorazepam) 투여
④ 디아제팜 (Diazepam) 투여
⑤ 할로페리돌 (Haloperidol) 용량 증량

7. 32세 남성이 갑자기 시작된 가만히 앉아있을 수 없고 안절부절하는 증상을 주소로 내원하였다. 이틀전 조현병으로 진단받아 리스페리돈 (Risperidone) 복용을 시작하였다. 정좌불능증으로 진단되었을 때, 증상 조절을 위해 다음 중 환자에게 할 수 있는 처치로 적절하지 않은 것은?

① 퀘티아핀 (Quetiapine)으로 변경
② 클로자핀 (Clozapine)으로 변경
③ 할로페리돌 (Haloperidol)로 변경
④ 프로프라놀롤 (Propranolol) 투여
⑤ 리스페리돈 (Risperidone) 용량 감량

8. 32세 남성이 갑자기 시작된 혀를 날름거리고 입맛을 다시는 증상과 손과 발의 비정상의 불수의운동을 주소로 내원하였다. 지난 2년간 조현병 조절 목적으로 할로페리돌 (Haloperidol)을 복용하고 있었으며, 지연이상운동증 (Tardive dyskinesia)로 진단되었을 때 환자의 증상 개선을 위해 변경할 약제로 가장 적절한 것은?

① 아리피프라졸 (Aripiprazole)
② 퀘티아핀 (Quetiapine)
③ 클로자핀 (Clozapine)
④ 리스페리돈 (Risperidone)
⑤ 올란자핀 (Olanzapine)

정답: 5. ① 6. ⑤ 7. ③ 8. ③

[9-10]
9. 32세 여성이 4개월 전부터 월경이 없어 내원하였다. 그 외 유즙이 흐르는 증상이 있었고, 특이사항으로는 1년 전 조현병으로 진단받아 복용중인 약이 있다고 하였다. 금일 검사 결과 혈청 프로락틴이 150mcg/L로 고프로락틴혈증으로 진단되었을 때, 환자가 복용중으로 추정되는 약으로 가장 적절한 것은?

① 리스페리돈 (Risperidone)
② 아리피프라졸 (Aripiprazole)
③ 퀘티아핀 (Quetiapine)
④ 올란자핀 (Olanzapine)
⑤ 블로난세린 (Blonanserin)

10. 9번 환자가 약물 변경이 어려운 경우 고프로락틴혈증 증상 완화를 위해 추가해야할 약물로 적절한 것은?

① 브로모크립틴 (Bromocriptine)
② 메토클로프라마이드 (Metoclopramide)
③ 시메티딘 (Cimetidine)
④ 베라파밀 (Verapamil)
⑤ 메틸도파 (Methyldopa)

11. 32세 남성이 2달 전부터 시작된 피해망상과 환청을 주소로 내원하였다. 특별히 호전적이고 공격적인 행동을 보이는 조현병으로 진단되었을 때, 다음 중 환자에게 가장 적절한 약물은?

① 아리피프라졸 (Aripiprazole)
② 퀘티아핀 (Quetiapine)
③ 올란자핀 (Olanzapine)
④ 지프라시돈 (Ziprasidone)
⑤ 아미설프라이드 (Amisulpride)

12. 32세 남성이 2달 전부터 시작된 피해망상과 환청을 주소로 내원하였다. 기저병력으로 범불안장애을 가지고 있어 시탈로프람 (Citalopram)으로 치료중이다. 강박증상이 동반된 조현병으로 진단되었을 때, 다음 중 환자에게 가장 적절한 약물은?

① 올란자핀 (Olanzapine)
② 클로자핀 (Clozapine)
③ 아리피프라졸 (Aripiprazole)
④ 지프라시돈 (Ziprasidone)
⑤ 아미설프라이드 (Amisulpride)

정답: 9. ① 10. ① 11. ③ 12. ③

13. 32세 남성이 2달 전부터 시작된 피해망상과 환청을 주소로 내원하였다. 기저 병력으로 주요우울장애를 가지고 있어 에시탈로프람 (Escitalopram)으로 치료중이다. 조현병으로 진단되었을 때, 다음 중 우울증 병력을 고려하여 환자에게 가장 적절한 약물은?

① 올란자핀 (Olanzapine)
② 클로자핀 (Clozapine)
③ 퀘티아핀 (Quetiapine)
④ 지프라시돈 (Ziprasidone)
⑤ 할로페리돌 (Haloperidol)

14. 32세 남성이 2달 전부터 시작된 피해망상과 환청을 주소로 내원하였다. 조현병으로 진단되었고, 하루 1회 복용하는 약물도 종종 빠뜨리는 등 복약순응도는 낮다고 한다. 복약순응도를 고려하여 장기지속형 주사제 치료를 고려할 때, 다음 중 적절한 약물이 아닌 것은?

① 할로페리돌 (Haloperidol)
② 아리피프라졸 (Aripiprazole)
③ 팔리페리돈 (Paliperidone)
④ 리스페리돈 (Risperidone)
⑤ 퀘티아핀 (Quetiapine)

[15-16]
15. 32세 남성이 2달 전부터 시작된 피해망상과 환청을 주소로 내원하였다. 조현병으로 진단되어 약물치료를 하고 있다. 복용한지 한 달 후 갑작스럽게 발생한 오한, 인후염 증상을 주소로 내원하였다. 다음 중 환자가 복용했을 것으로 추정되는 약물로 가장 적절한 것은?

① 할로페리돌 (Haloperidol)
② 아리피프라졸 (Aripiprazole)
③ 팔리페리돈 (Paliperidone)
④ 리스페리돈 (Risperidone)
⑤ 클로자핀 (Clozapine)

16. 15번 환자에게 약물 중단 후 모니터링이 필요한 검사 항목으로 적절한 것은?

① 신기능 검사
② 간기능 검사
③ 전해질 검사
④ 전혈구 검사
⑤ 갑상선기능 검사

정답: 13. ③ 14. ⑤ 15. ⑤ 16. ④

17. 65세 남성이 가슴 통증을 주소로 응급실로 내원하였다. 급성심근경색으로 진단되어 경피적 관상동맥중재술 (PCI)을 시행하였으며, 시행 후 심실성 빈맥이 발견되어 아미오다론 (Amiodarone)을 추가하였다. 기존 투여약물 및 새롭게 추가된 약물이 다음과 같을 때, 다음 중 이 환자에게서 주의해야 할 지프라시돈 (Ziprasidone)의 부작용으로 적절한 것은?

[투여약물]
지프라시돈 (Ziprasidone)
아스피린 (Aspirin)
클로피도그렐 (Clopdogrel)
메트포르민 (Metformin)
로수바스타틴 (Rosuvastatin)
아미오다론 (Amiodarone)

① 케토산증 (Ketoacidosis)
② 근육병증 (Myopathy)
③ 혈전증 (Thrombosis)
④ QT 연장 (QT prolongation)
⑤ 저혈압 (Hypotension)

18. 비호지킨성림프종 병력이 있는 65세 남성이 최근 자살 생각이 늘고 우울감이 늘어난 것을 주소로 내원하였다. 다음 중 환자의 증상을 나타나게 한 원인 약제로 가장 적절한 것은?

① 인터페론-알파 (Interferon-alpha)
② 옥시코돈 (Oxycodone)
③ 아세트아미노펜 (Acetaminophen)
④ 독소루비신 (Doxorubicin)
⑤ 사이클로포스파미드 (Cyclophosphamide)

19. 조현병으로 올란자핀(Olanzapine)을 복용하고 있는 환자에게 주기적으로 모니터링이 필요한 검사 항목으로 적절한 것은? (2가지)

① 공복 혈당 수치
② 공복 지질 수치
③ 전혈구 검사
④ 신기능 검사
⑤ 간기능 검사

정답: 17. ④ 18. ① 19. ①,②

1. 32세 남성이 2개월 전부터 평소보다 말이 많아지고, 잠이 줄었으며 항상 들뜬 기분 상태가 지속되는 증상을 주소로 내원하였다. 검사 결과 정신병적 양상은 동반되지 않았고, 양극성장애로 진단되어 조증 삽화 상태일 때 다음 중 치료 약물로 적절하지 않은 것은?

① 리튬 (Lithium)
② 발프로산 (Valproate)
③ 아리피프라졸 (Aripiprazole)
④ 올란자핀 (Olanzapine)
⑤ 라모트리진 (Lamotrigine)

2. 32세 남성이 2개월 전부터 평소보다 말이 많아지고, 잠이 줄었으며 항상 들뜬 기분 상태가 지속되는 증상을 주소로 내원하였다. 검사 결과 정신병적 양상은 동반되지 않았고, 양극성장애로 진단되어 조증 삽화 상태일 때 다음 중 초기 치료 약물로 가장 적절한 것은?

[병력]
고혈압, 설사형 과민대장증후군(IBS-D)
[투여약물]
하이드로클로로티아지드 (HCTZ)

① 리튬 (Lithium)
② 발프로산 (Valproate)
③ 카바마제핀 (Carbamazepine)
④ 리스페리돈 (Risperidone)
⑤ 지프라시돈 (Ziprasidone)

3. 32세 남성이 2개월 전부터 평소보다 말이 많아지고, 잠이 줄었으며 항상 들뜬 기분 상태가 지속되는 증상을 주소로 내원하였다. 검사 결과 정신병적 양상은 동반되지 않았고, 양극성장애로 진단되어 조증 삽화 상태일 때 다음 중 초기 치료 약물로 가장 적절한 것은?

[병력]
B형 간염, 간경화
[투여약물]
엔테카비어 (Entecavir)

① 리튬 (Lithium)
② 발프로산 (Valproate)
③ 카바마제핀 (Carbamazepine)
④ 리스페리돈 (Risperidone)
⑤ 지프라시돈 (Ziprasidone)

4. 32세 남성이 2개월 전부터 평소보다 말이 많아지고, 잠이 줄었으며 항상 들뜬 기분 상태가 지속되는 증상을 주소로 내원하였다. 이전에 자살 시도로 응급실에 내원한 이력이 있었고, 검사 결과 정신병적 양상은 동반되지 않았다. 양극성장애로 진단되어 조증 삽화 상태일 때 다음 중 초기 치료 약물로 가장 적절한 것은?

① 리튬 (Lithium)
② 발프로산 (Valproate)
③ 카바마제핀 (Carbamazepine)
④ 리스페리돈 (Risperidone)
⑤ 지프라시돈 (Ziprasidone)

정답: 1. ⑤ 2. ② 3. ① 4. ①

5. 양극성장애 치료 전 리튬(Lithium)을 투여를 계획하는 환자에서 모니터링이 필요한 검사항목이 아닌 것은?

① 신기능 검사
② 간기능 검사
③ 갑상선기능 검사
④ 심혈관계기능 검사
⑤ 임신 여부 검사

6. 양극성장애 치료 전 발프로산(Valproate)을 투여를 계획하는 환자에서 모니터링이 필요한 검사항목은?

① 신기능 검사
② 간기능 검사
③ 갑상선기능 검사
④ 심혈관계기능 검사
⑤ 기초 대사 검사

정답: 5. ② 6. ②

41. 주요우울장애

1. 65세 여성이 8시간 전부터 시작된 전신 쇠약감, 의식 혼미를 주소로 응급실로 내원하였다. 2형 당뇨병, 위식도역류염, 우울장애 병력으로 약물을 복용중이였으며, 검사 결과가 다음과 같을 때, 이 환자의 증상의 주원인으로 가장 적절한 것은?

[검사 결과]
Na+ 125 mEq/L

① 에시탈로프람 (Escitalopram)
② 메트포르민 (Metformin)
③ 엠파글리플로진 (Empagliflozin)
④ 에소메프라졸 (Esomeprazole)
⑤ 알프라졸람 (Alprazolam)

2. 32세 남성이 우울증을 진단받아 약물 복용을 시작했다. 며칠간 약을 복용했으나 울렁거림 증상이 심하여 식욕도 함께 떨어져 임의로 중단했다고 했다. 정신상태검사상 수면장애도 동반되었을 때, 이 환자에게 권할 수 있는 약물 중 가장 적절한 것은?

① 미르타자핀 (Mirtazapine)
② 부프로피온 (Bupropion)
③ 에시탈로프람 (Escitalopram)
④ 플루옥세틴 (Fluoxetine)
⑤ 파록세틴 (Paroxetine)

3. 32세 남성이 우울증을 진단받아 1년 전부터 약물 복용을 시작했다. 1개월간 약을 복용했으나 성기능 장애 증상이 심하여 임의로 중단했다고 했다. 약물 이상반응을 고려했을 때, 이 환자에게 권할 수 있는 약물 중 가장 적절한 것은?

① 미르타자핀 (Mirtazapine)
② 부프로피온 (Bupropion)
③ 에시탈로프람 (Escitalopram)
④ 플루옥세틴 (Fluoxetine)
⑤ 파록세틴 (Paroxetine)

4. 32세 남성이 우울증을 진단받아 1년 전부터 약물 복용을 시작했다. 1개월간 약을 복용했으나 졸림, 진정 부작용이 심하여 임의로 중단했다고 했다. 약물 이상반응을 고려했을 때, 이 환자에게 권할 수 있는 약물 중 가장 적절한 것은?

① 미르타자핀 (Mirtazapine)
② 부프로피온 (Bupropion)
③ 에시탈로프람 (Escitalopram)
④ 플루옥세틴 (Fluoxetine)
⑤ 파록세틴 (Paroxetine)

정답: 1. ① 2. ① 3. ② 4. ②

5. 뇌전증 병력이 있는 32세 남성이 우울증을 진단받아 3개월 전부터 약물 복용을 시작했다. 1개월간 약을 복용했으나 발작 증상이 늘어나 새롭게 복용을 시작한 약물 때문이라 생각하여 임의로 중단했다고 했다. 약물 이상반응을 고려했을 때, 이 환자가 처방 받았을 약물로 추정되는 것 중 가장 적절한 것은?

① 미르타자핀 (Mirtazapine)
② 부프로피온 (Bupropion)
③ 에시탈로프람 (Escitalopram)
④ 플루옥세틴 (Fluoxetine)
⑤ 파록세틴 (Paroxetine)

6. 32세 남성이 우울증을 진단받아 1년 전부터 약물 복용을 시작했다. 1개월간 약을 복용했으나 변비, 입마름, 소변이 잘 안 나오는 증상이 심하여 임의로 중단했다고 했다. 약물 이상반응을 고려했을 때, 이 환자에게 권할 수 있는 약물 중 가장 적절한 것은?

① 미르타자핀 (Mirtazapine)
② 부프로피온 (Bupropion)
③ 에시탈로프람 (Escitalopram)
④ 플루옥세틴 (Fluoxetine)
⑤ 파록세틴 (Paroxetine)

7. 32세 남성이 우울증을 진단받아 1년 전부터 약물 복용을 시작했다. 금일 내원 시 지난번보다 자살생각이 늘었다고 하였다. 약물 안전성을 고려했을 때, 이 환자에게 권할 수 있는 약물 중 가장 적절한 것은?

① 미르타자핀 (Mirtazapine)
② 부프로피온 (Bupropion)
③ 에시탈로프람 (Escitalopram)
④ 플루옥세틴 (Fluoxetine)
⑤ 파록세틴 (Paroxetine)

8. 32세 남성이 1주 전부터 시작된 설사, 안절부절못함, 고열, 경직 증상이 있어 내원하였다. 1년 전부터 우울증을 진단받아 에시탈로프람 (Escitalopram)을 복용중이였고, 1달 전부터 우울증상이 심해져 미르타자핀 (Mirtazapine)을 추가로 복용중이였다. 세로토닌 증후군으로 진단되었을 때, 약물 안전성을 고려하여 이 환자에게 권할 수 있는 약물 중 가장 적절한 것은?

① 부프로피온 (Bupropion)
② 티아넵틴 (Tianeptine)
③ 아고멜라틴 (Agomelatine)
④ 아미트립틸린 (Amitriptyline)
⑤ 볼티옥세틴 (Vortioxetine)

정답: 5. ② 6. ③ 7. ① 8. ①

9. 32세 남성이 우울증을 진단받았다. 기저 질환으로 심방세동을 가지고 있어 아픽사반 (Apixaban), 비소프롤롤 (Bisoprolol)을 복용중이다. 기저 질환을 고려했을 때, 이 환자에게 권할 수 있는 약물 중 가장 적절한 것은?

① 설트랄린 (Sertraline)
② 에시탈로프람 (Escitalopram)
③ 플루옥세틴 (Fluoxetine)
④ 부프로피온 (Bupropion)
⑤ 파록세틴 (Paroxetine)

10. 50세 남성이 오후가 될수록 심해지는 무릎관절 통증을 호소하여 골관절염으로 진단받아 나프록센 (Naproxen)을 복용중이나 통증이 잘 조절되진 않고 있다고 하였다. 최근 잠을 못자고 우울감이 심한 것을 주소로 내원하였다. 우울증으로 진단되었을 때, 이 환자에게 권할 수 있는 약물로 가장 적절한 것은?

① 에시탈로프람 (Escitalopram)
② 둘록세틴 (Duloxetine)
③ 밀나시프란 (Milnacipran)
④ 벤라팍신 (Venlafaxine)
⑤ 설트랄린 (Sertraline)

11. 주요우울장애로 아고멜라틴 (Agomelatine)을 투여 중인 환자에서 모니터링이 필요한 검사항목은?

① 신기능 검사
② 간기능 검사
③ 갑상선기능 검사
④ 심혈관계기능 검사
⑤ 임신 여부 검사

12. 32세 여성이 우울증을 진단받아 1년째 약물 복용중이다. 오늘 내원 시 임신 8주째라고 하였고, 우울장애 증상이 자주 재발하는 환자라 약물치료가 필요할 때 이 환자에게 변경을 권고할 만한 약물로 가장 적절한 것은?

① 에시탈로프람 (Escitalopram)
② 설트랄린 (Sertraline)
③ 부프로피온 (Bupropion)
④ 노르트립틸린 (Nortriptyline)
⑤ 아미트립틸린 (Amitriptyline)

정답: 9. ① 10. ② 11. ② 12. ④

13. 임신 8주째인 당뇨 병력이 있는 32세 여성이 매일 아침 식전에 중간형 인슐린(NPH)로 조절하고 있다. 최근 우울감이 심한 증상을 주소로 내원하여 주요우울장애로 진단받았다. 약물치료가 필요하여 노르트립틸린 (Nortriptyline)으로 치료를 고려중이다. 약물역학적 상호작용을 고려했을 때, 다음 중 환자에게 필요할 것으로 생각되는 가장 적절한 조치는?

① 인슐린 용량 감량
② 인슐린 용량 유지
③ 인슐린 용량 증량
④ 리라글루타이드 (Liraglutide)로 변경
⑤ 글리메피리드 (Glimepiride)로 변경

[14-15]
14. 32세 남성이 우울증을 진단받아 Escitalopram 처방을 받아 복용중이다. 복용 2주 후 약효가 없다며 다시 내원하였을 때, 다음 중 환자에게 필요할 것으로 생각되는 가장 적절한 조치는?

① 에시탈로프람 (Escitalopram) 용량 증량
② 에시탈로프람 (Escitalopram) 용량 유지
③ 부프로피온 (Bupropion)으로 변경
④ 부프로피온 (Bupropion)을 추가
⑤ 알프라졸람 (Alprazolam)으로 변경

15. 14번 환자가 에시탈로프람 (Escitalopram) 단일 요법이 효과가 있어 성공적으로 연장기 (Continuation phase) 치료를 마쳤다고 할 때, 다음 중 우울증 재발을 방지하기 위한 유지기 치료의 최소 권장 치료 기간은?

① 1개월
② 4개월
③ 9개월
④ 12개월
⑤ 36개월

16. 12세 남아가 불면증과 식욕감퇴를 주소로 내원하였다. 증상은 1달 전부터 시작되었으며, 그때부터 학교에서 친구들과 어울리는 것에 대해 흥미를 잃었으며 혼자 있는 시간이 많아졌다고 하였다. 소아/청소년 우울증으로 진단되었을 때, 환자에게 최우선 치료로 권고할 수 있는 약물로 가장 적절한 것은?

① 에시탈로프람 (Escitalopram)
② 플루옥세틴 (Fluoxetine)
③ 설트랄린 (Sertraline)
④ 부프로피온 (Bupropion)
⑤ 벤라팍신 (Venlafaxine)

정답: 13. ① 14. ② 15. ④ 16. ①

17. 32세 여성이 임신 계획 상담을 위해 병원을 내원하였다. 병력과 복용 약물이 다음과 같을 때, 다음 중 환자에게 가장 적절한 조치는?

[병력]
주요우울장애
2형 양극성장애
[투여약물]
파록세틴 (Paroxetine)
라모트리진 (Lamotrigine)
엽산 (Folic acid)

① 파록세틴 (Paroxetine), 라모트리진 (Lamotrigine) 중단
② 파록세틴 (Paroxetine) 중단
③ 라모트리진 (Lamotrigine) 중단
④ 엽산 (Folic acid) 중단
⑤ 파록세틴 (Paroxetine)을 에시탈로프람 (Escitalopram)으로 변경

18. 32세 우울증 병력이 있는 여성이 내원하였다. 처방 받은 약물을 복용하면서 증상 조절이 잘되었으나, 약을 복용후로부터 체중이 늘어나는 것 같은 기분 때문에 임의로 약을 자주 중단하였다고 하였다. 다음 중 환자가 기존에 처방받았을 약물로 추정되는 것으로 가장 적절한 것은?

① 부프로피온 (Bupropion)
② 플루옥세틴 (Fluoxetine)
③ 볼티옥세틴 (Vortioxetine)
④ 에시탈로프람 (Escitalopram)
⑤ 미르타자핀 (Mirtazapine)

41. 주요우울장애

19. 32세 남성이 우울증을 진단받아 1년 전부터 약물 복용을 시작했다. 1개월간 약을 복용했으나 변비, 입마름, 소변이 잘 안 나오는 증상이 심하여 임의로 중단했다고 했다. 약물 이상반응을 고려했을 때, 이 환자가 복용하고 있었을 것으로 추정되는 약제로 가장 적절한 것은?

① 미르타자핀 (Mirtazapine)
② 부프로피온 (Bupropion)
③ 에시탈로프람 (Escitalopram)
④ 파록세틴 (Paroxetine)
⑤ 아미트립틸린 (Amitriptyline)

정답: 17. ② 18. ⑤ 19. ⑤

07 정신질환 42. 불안장애

[1-2]

1. 32세 남성이 지하철을 타고 가던 중 갑작스럽게 발생한 호흡곤란과 식은땀, 숨이 막히는 증상이 발생하여 응급실로 내원하였다. 심혈관계 및 각종 검사에서 이상소견을 관찰되지 않았으며 공황장애로 진단되었다. 그는 이전에 약물을 시작하자마자 증상이 악화된 적이 있어 약물 처방에 대해 걱정하고 있을 때, 다음 중 이 환자에게 필요한 적절한 조치는?

① 에시탈로프람 (Escitalopram)
② 클로나제팜 (Clonazepam)
③ 에시탈로프람 (Escitalopram)+클로나제팜 (Clonazepam)
④ 플루옥세틴 (Fluoxetine)
⑤ 아미트립틸린 (Amitriptyline)

2. 1번 환자가 초기 치료에 반응이 있었을 때, 다음 중 공황 장애 유지 치료를 위해 복용해야 하는 최소 기간은?

① 1개월
② 3개월
③ 6개월
④ 12개월
⑤ 36개월

3. 32세 남성이 6개월 전부터 매사에 불안해하며 안절부절 못하는 증상을 주소로 내원하였다. 지난 몇 개월 간 잠을 제대로 못자 불면, 피로를 호소하였으며, 걱정을 스스로 조절할 수 없고, 주위 사람들에게 쉽게 짜증내었다고 했다. 범불안장애로 진단되었을 때, 다음 중 이 환자에게 한국형 범불안장애 약물치료 지침서(2009)에 따른 1차 선택으로 사용할 수 있는 약물은?

① 부스피론 (Buspirone)
② 부프로피온 (Bupropion)
③ 미르타자핀 (Mirtazapine)
④ 트라조돈 (Trazodone)
⑤ 디아제팜 (Diazepam)

정답: 1. ③ 2. ④ 3. ①

1. 불면증 이력이 있는 32세 남성이 내원하였다. 4주 전부터 졸피뎀 (Zolpidem)을 처방받아 복용중이며, 약물을 복용하는 동안 불면증 증상은 완화되었으나 지난 밤 잠에서 깨었을 때, 그는 침대 위가 아닌 거실에 있었다고 하였다. 침대에 누워 잔 이후 거실까지 갔던 기억은 전혀 없었으며 환자는 불면증 증상 완화를 위해 계속 약물을 복용하고 싶다고 의사표현 했을 때, 다음 중 환자에게 필요한 가장 적절한 조치는?

① 졸피뎀 (Zolpidem) 복용 유지
② 졸피뎀 (Zolpidem) 복용 중단
③ 멜라토닌 (Melatonin) 추가
④ 클로나제팜 (Clonazepam) 추가
⑤ 아미트립틸린 (Amitriptyline) 추가

2. 65세 남성이 불면증을 주소로 내원하였다. 그는 규칙적인 시간에 잠을 자려고 노력중이며, 올바른 수면위생을 위해 노력중이다. 한번 자게 되면 8시간 이상 길게 잠들 수 있지만, 잠이 드는 데 시간이 1-2시간 가량 걸릴만큼 수면개시에 어려움을 겪고 있다고 할 때, 다음 중 환자에게 가장 적절한 약물은?

① 라멜테온 (Ramelteon)
② 독세핀 (Doxepin)
③ 트라조돈 (Trazodone)
④ 수보렉산트 (Suvorexant)
⑤ 멜라토닌 (Melatonin) 지속형 방출제

3. 65세 남성이 불면증을 주소로 내원하였다. 그는 규칙적인 시간에 잠을 자려고 노력중이며, 올바른 수면위생을 위해 노력중이다. 한번 자게 되면 8시간 이상 길게 잠들 수 있지만, 잠이 드는 데 시간이 1-2시간 가량 걸릴만큼 수면개시에 어려움을 겪고 있다고 할 때, 다음 중 환자에게 가장 적절한 약물은?

① 멜라토닌 (Melatonin) 지속형 방출제
② 독세핀 (Doxepin)
③ 트라조돈 (Trazodone)
④ 수보렉산트 (Suvorexant)
⑤ 졸피뎀 (Zolpidem) IR

4. 65세 남성이 불면증을 주소로 내원하였다. 그는 규칙적인 시간에 잠을 자려고 노력중이며, 올바른 수면위생을 위해 노력중이다. 한번 자게 되면 8시간 이상 길게 잠들 수 있지만, 잠이 드는 데 시간이 1-2시간 가량 걸릴만큼 수면개시에 어려움을 겪고 있다고 할 때, 다음 중 환자에게 가장 적절한 약물은?

① 멜라토닌 (Melatonin) 지속형 방출제
② 독세핀 (Doxepin)
③ 에스조피클론 (Eszopiclone)
④ 수보렉산트 (Suvorexant)
⑤ 트라조돈 (Trazodone)

정답: 1. ② 2. ① 3. ⑤ 4. ③

5. 65세 남성이 불면증을 주소로 내원하였다. 그는 규칙적인 시간에 잠을 자려고 노력중이며, 올바른 수면위생을 위해 노력중이다. 한번 자게 되면 8시간 이상 길게 잠들 수 있지만, 잠이 드는 데 시간이 1-2시간 가량 걸릴만큼 수면개시에 어려움을 겪고 있다고 할 때, 다음 중 환자에게 가장 적절한 약물은?

① 멜라토닌 (Melatonin) 지속형 방출제
② 졸피뎀 (Zolpidem) CR
③ 독세핀 (Doxepin)
④ 수보렉산트 (Suvorexant)
⑤ 트라조돈 (Trazodone)

6. 65세 남성이 불면증을 주소로 내원하였다. 그는 규칙적인 시간에 잠을 자려고 노력중이며, 올바른 수면위생을 위해 노력중이다. 잠은 금방 들지만, 기상시간 전까지 수차례 깨고 한 번 잠들면 다시 잠들기 어렵다고 한다. 다음 중 환자에게 가장 적절한 약물은?

① 독세핀 (Doxepin)
② 졸피뎀 (Zolpidem) IR
③ 라멜테온 (Ramelteon)
④ 클로나제팜 (Clonazepam)
⑤ 트리아졸람 (Triazolam)

7. 65세 남성이 불면증을 주소로 내원하였다. 그는 규칙적인 시간에 잠을 자려고 노력중이며, 올바른 수면위생을 위해 노력중이다. 잠은 금방 들지만, 기상시간 전까지 수차례 깨고 한 번 잠들면 다시 잠들기 어렵다고 한다. 다음 중 환자에게 가장 적절한 약물은?

① 라멜테온 (Ramelteon)
② 졸피뎀 (Zolpidem) IR
③ 트라조돈 (Trazodone)
④ 클로나제팜 (Clonazepam)
⑤ 트리아졸람 (Triazolam)

8. 65세 남성이 불면증을 주소로 내원하였다. 그는 규칙적인 시간에 잠을 자려고 노력중이며, 올바른 수면위생을 위해 노력중이다. 잠은 금방 들지만, 기상시간 전까지 수차례 깨고 한 번 잠들면 다시 잠들기 어렵다고 한다. 다음 중 환자에게 가장 적절한 약물은?

① 라멜테온 (Ramelteon)
② 졸피뎀 (Zolpidem) IR
③ 클로나제팜 (Clonazepam)
④ 수보렉산트 (Suvorexant)
⑤ 트리아졸람 (Triazolam)

정답: 5. ② 6. ① 7. ③ 8. ④

9. 55세 남성이 불면증을 주소로 내원하였다. 그는 규칙적인 시간에 잠을 자려고 노력중이며, 올바른 수면위생을 위해 노력중이다. 잠은 금방 들지만, 기상시간 전까지 수차례 깨고 한 번 잠들면 다시 잠들기 어렵다고 한다. 다음 중 환자에게 가장 적절한 약물은?

① 라멜테온 (Ramelteon)
② 졸피뎀 (Zolpidem) IR
③ 클로나제팜 (Clonazepam)
④ 트리아졸람 (Triazolam)
⑤ 멜라토닌 (Melatonin) 지속형 방출제

10. 55세 남성이 불면증을 주소로 내원하였다. 그는 규칙적인 시간에 잠을 자려고 노력중이며, 올바른 수면위생을 위해 노력중이다. 잠은 금방 들지만, 기상시간 전까지 수차례 깨고 한 번 잠들면 다시 잠들기 어렵다고 한다. 다음 중 환자에게 가장 적절한 약물은?

① 라멜테온 (Ramelteon)
② 졸피뎀 (Zolpidem) IR
③ 졸피뎀 (Zolpidem) CR
④ 트리아졸람 (Triazolam)
⑤ 클로나제팜 (Clonazepam)

11. 55세 남성이 불면증을 주소로 내원하였다. 그는 규칙적인 시간에 잠을 자려고 노력중이며, 올바른 수면위생을 위해 노력중이다. 잠은 금방 들지만, 기상시간 전까지 수차례 깨고 한 번 잠들면 다시 잠들기 어렵다고 한다. 다음 중 환자에게 가장 적절한 약물은?

① 에스조피클론 (Eszopiclone)
② 졸피뎀 (Zolpidem) IR
③ 라멜테온 (Ramelteon)
④ 트리아졸람 (Triazolam)
⑤ 클로나제팜 (Clonazepam)

12. 55세 남성이 불면증을 주소로 내원하였다. 그는 규칙적인 시간에 잠을 자려고 노력중이며, 올바른 수면위생을 위해 노력중이다. 잠이 드는 데 시간이 1-2시간 가량 걸릴만큼 수면개시에 어려움을 겪고 있고, 기상시간 전까지 수차례 깨고 한 번 잠들면 다시 잠들기 어렵다고 한다. 다음 중 환자에게 가장 적절한 약물은?

① 에스조피클론 (Eszopiclone)
② 졸피뎀 (Zolpidem) IR
③ 라멜테온 (Ramelteon)
④ 독세핀 (Doxepin)
⑤ 수보렉산트 (Suvorexant)

정답: 9. ⑤ 10. ③ 11. ① 12. ①

13. 55세 남성이 불면증을 주소로 내원하였다. 그는 규칙적인 시간에 잠을 자려고 노력중이며, 올바른 수면위생을 위해 노력중이다. 잠이 드는 데 시간이 1-2시간 가량 걸릴만큼 수면개시에 어려움을 겪고 있고, 기상시간 전까지 수차례 깨고 한 번 잠들면 다시 잠들기 어렵다고 한다. 다음 중 환자에게 가장 적절한 약물은?

① 디아제팜 (Diazepam)
② 졸피뎀 (Zolpidem) IR
③ 졸피뎀 (Zolpidem) CR
④ 라멜테온 (Ramelteon)
⑤ 독세핀 (Doxepin)

14. 65세 남성이 불면증으로 진단받아 약물치료 중이다. 최근 불면증이 다시 심해지는 증상으로 내원하였다. 수면개시에 어려움을 겪어 약물 복용을 시작하였으며, 약물 복용 후 불면증이 개선되어 임의로 복용을 중단하였다고 한다. 환자가 약물을 복용했을 때, 다음날 점심때까지 몽롱한 증상이 지속되었었다고 했을 때, 다음 중 환자가 복용하고 있었을 것으로 추정되는 약물로 가장 적절한 것은?

① 졸피뎀 (Zolpidem) IR
② 라멜테온 (Ramelteon)
③ 에스조피클론 (Eszopiclone)
④ 졸피뎀 (Zolpidem) CR
⑤ 플루라제팜 (Flurazepam)

15. 55세 남성이 수면유지 장애로 멜라토닌 (Melatonin) 지속형 방출제 복용을 시작하였다. 복용 2주 후 불면증이 개선 되지 않아 내원하였을 때, 다음 중 환자에게 가장 적절한 조치는?

① 멜라토닌 (Melatonin) 지속형 방출제 2주 이상 더 유지
② 졸피뎀 (Zolpidem) IR으로 변경
③ 클로나제팜 (Clonazepam)으로 변경
④ 라멜테온 (Ramelteon)으로 변경
⑤ 트리아졸람 (Triazolam)으로 변경

16. 55세 남성이 최근 발생한 허리 통증(요통)과 관절통을 주소로 내원하였다. 최근 불면증으로 약물치료를 시작한 것을 제외하고 특별한 병력, 약물이 없다고 할 때, 다음 중 환자의 증상을 나타나게 한 원인 약물로 가장 적절한 것은?

① 졸피뎀 (Zolpidem) IR
② 라멜테온 (Ramelteon)
③ 독세핀 (Doxepin)
④ 트라조돈 (Trazodone)
⑤ 멜라토닌 (Melatonin) 지속형 방출제

정답: 13. ③ 14. ⑤ 15. ① 16. ⑤

08 혈액/종양 질환

08 혈액/종양질환 44. 항암치료의 원칙

[1-2]

1. 65세 여성이 유방암으로 항암치료를 받았다. 마지막 항암치료가 끝나고 3일 후 붉은색 소변을 본 것을 주소로 내원하였을 때, 다음 중 원인 약물로 가장 적절한 것은?

① 사이클로포스파미드 (Cyclophosphamide)
② 도세탁셀 (Docetaxel)
③ 파클리탁셀 (Paclitaxel)
④ 카페시타빈 (Capecitabine)
⑤ 트라스트주맙 (Trastuzumab)

2. 1번 환자의 증상을 조절하기 위해 할 수 있는 가장 적절한 처치는?

① 류코보린 (Leucovorin)
② 비타민 K
③ 신선동결혈장 (FFP, Fresh Frozen Plasma)
④ 메즈나 (Mesna)
⑤ 아크로레인 (Acrolein)

3. 결장직장암, 폐암, 만성백혈병, 뇌종양 등의 적응증을 가진 Nitrosoureas 계열 니무스틴 (Nimustine)으로 치료를 계획중이다. 다음 중 부작용 모니터링이 필요한 항목으로 가장 적절한 것은?

① 출혈성 방광염
② 지연성 골수억제
③ 폐섬유화
④ 말초신경병증
⑤ 신독성

4. 만성골수세포백혈병을 진단받은 50세 남성이 조혈모세포이식을 앞두고 전처치 요법으로 부설판 (Busulfan)을 사용하려고 한다. 다음 중 부작용 모니터링이 필요한 항목으로 가장 적절한 것은?

① 출혈성 방광염
② 간독성
③ 폐섬유화
④ 말초신경병증
⑤ 신독성

정답: 1. ① 2. ④ 3. ② 4. ③

5. 만성골수세포백혈병을 진단받은 50세 남성이 조혈모세포이식을 앞두고 전처치 요법으로 부설판 (Busulfan)을 사용하려고 한다. 다음 중 부설판에 의한 간질발작 예방을 위해 사용할 수 있는 항전간제로 가장 적절한 것은? (2가지)

① 카바마제핀 (Carbamazepine)
② 페노바비탈 (Phenobarbital)
③ 페니토인 (Phenytoin)
④ 발프로산 (Valproate)
⑤ 레베티라세탐 (Levetiracetam)

6. 50세 남성이 폐암으로 진단받아 항암치료 중이다. 항암치료의 차수가 거듭됨에 따라 귀가 잘 안들리는 등의 청력저하 증상과 이명 증상이 나타나는 현상을 주소로 내원하였다. 다음 중 원인 약물로 가장 적절한 것은?

① 시스플라틴 (Cisplatin)
② 페메트렉시드 (Pemetrexed)
③ 젬시타빈 (Gemcitabine)
④ 도세탁셀 (Docetaxel)
⑤ 아테졸리주맙 (Atezolizumab)

44. 항암치료의 원칙

7. 50세 남성이 비편평상피세포 폐암으로 진단받아 시스플라틴 (Cisplatin) + 페메트렉시드 (Pemetrexed) 요법으로 항암치료를 시작하였다. 치료 중 발생하는 구역, 구토가 심하여 항암치료를 지속하기 어려울 때, 다음 중 가장 적절한 조치는?

① 시스플라틴을 카보플라틴 (Carboplatin)으로 변경
② 시스플라틴을 옥살리플라틴 (Oxaliplatin)으로 변경
③ 페메트렉시드를 에토포시드 (Etoposide)으로 변경
④ 페메트렉시드를 젬시타빈 (Gemcitabine)으로 변경
⑤ 페메트렉시드를 도세탁셀 (Docetaxel)으로 변경

8. 50세 호지킨병으로 항암치료 중인 남성에게 몸이 떨리고 열이 오르는 증상과 함께 근육통, 코막힘 증상의 독감유사증후군 (flu-like syndrome)이 발생하였다. 다음 중 원인 약물로 가장 적절한 것은?

① 다카바진 (Dacarbazine)
② 카무스틴 (Carmustine)
③ 빈블라스틴 (Vinblastine)
④ 독소루비신 (Doxorubicin)
⑤ 블레오마이신 (Bleomycin)

정답: 5. ③, ⑤ 6. ① 7. ① 8. ①

44. 항암치료의 원칙

9. 50세 유방암 진단을 받은 여성이 메토트렉세이트 (Methotrexate) 고용량 (1g/m^2)가 포함된 치료를 하려 한다. 다음 중 독성 예방을 위해 투여 24시간 이후부터 rescue 요법으로 투여가 필요한 것으로 가장 적절한 것은?

① 비타민 B12
② 비타민 B6
③ 류코보린 (Leucovorin)
④ 메즈나 (Mesna)
⑤ 아미포스틴 (Amifostine)

[10-11]
10. 50세 여성이 메토트렉세이트 (Methotrexate)를 포함한 요법으로 항암치료를 받고 있다. 최근 입안이 허는 등의 구내염 증상이 심해지고, 설사가 늘었다고 한다. 금일 검사 결과, 간수치 (AST, ALT)와 혈청 크레아티닌 (SCr)이 기저치보다 다소 상승된 소견을 보였다. 최근 추가된 약물이 있다고 할 때, 다음 중 추정되는 원인 약물로 가장 적절한 것은? (2가지)

① 이부프로펜 (Ibuprofen)
② 아세트아미노펜 (Acetaminophen)
③ 아목시실린 (Amoxicillin)
④ 탄산수소나트륨 (Sodium Bicarbonate)
⑤ 로페라마이드 (Loperamide)

11. 10번 환자의 메토트렉세이트에 의한 독성을 줄이기 위해 MTX의 신장배설을 촉진시키려 할 때, 다음 중 사용할 수 있는 약물로 가장 적절한 것은?

① 퓨로세미드 (Furosemide)
② 히드로클로로티아지드 (HCTZ)
③ 스피로노락톤 (Spironolactone)
④ 프로베네시드 (Probenecid)
⑤ 탄산수소나트륨 (Sodium Bicarbonate)

12. 메토트렉세이트 (Methotrexate)를 포함한 항암요법으로 치료를 고려중인 환자에게 모니터링이 필요한 용량제한독성으로 가장 적절하지 않은 것은?

① 골수억제
② 점막염
③ 간독성
④ 신독성
⑤ 이독성

정답: 9. ③ 10. ①,③ 11. ⑤ 12. ⑤

[13-14]
13. 50세 여성이 페메트렉시드 (Pemetrexed)를 포함한 요법으로 비편평상피세포 폐암 항암치료를 받고 있다. 금일 검사 결과, 혈소판수치, 백혈구수치, 적혈구 수치 등이 평소 항암치료 후보다 전반적으로 다소 감소된 소견을 보였다. 최근 추가된 약물이 있다고 할 때, 다음 중 추정되는 원인 약물로 가장 적절한 것은? (2가지)

① 이부프로펜 (Ibuprofen)
② 아세트아미노펜 (Acetaminophen)
③ 프로베네시드 (Probenecid)
④ 탄산수소나트륨 (Sodium Bicarbonate)
⑤ 필그라스팀 (Filgrastim)

14. 13번 환자의 용량제한 골수억제 독성을 위해 최근 추가된 원인 약물을 중단하였다. 다음 중 페메트렉시드 (Pemetrexed)로 인한 골수독성을 줄이기 위해 추가되면 좋은 것은? (2가지)

① 엽산 (Folic acid)
② 비타민 B6 (Pyridoxine)
③ 비타민 B12
④ 스테로이드
⑤ 0.9% 생리식염수

44. 항암치료의 원칙

15. 50세 여성이 페메트렉시드 (Pemetrexed)를 포함한 요법으로 비편평상피세포 폐암 항암치료를 받고 있다. 다음 중 페메트렉시드에 의한 피부부작용 예방을 위해 항암 전일, 당일, 다음 날에 투여하는 약물로 가장 적절한 것은?

① H1-차단제 (H1-Blocker)
② H2-차단제 (H2-Blocker)
③ 몬테루카스트 (Montelukast)
④ 스테로이드
⑤ 0.9% 생리식염수

16. 59세 여성이 급성골수성백혈병(AML)을 진단받아 초기 항암치료를 받았다. 투여한 지 12시간 후 몸이 떨리고 열이 오르는 증상과 함께 근육통, 뼈통증 등의 독감유사증후군 (flu-like syndrome)이 발생하였다. 다음 중 원인 약물로 가장 적절한 것은?

① 시타라빈 (Cytarabine)
② 다우노루비신 (Daunorubicin)
③ 이다루비신 (Idarubicin)
④ 에토포시드 (Etoposide)
⑤ Gemtuzumab ozogamicin

정답: 13. ①,③ 14. ①,③ 15. ④ 16. ①

17. 급성골수성백혈병 (AML)을 진단받아 항암치료를 받은 환자가 투여 종료 이틀 후 오전부터 밥을 먹을 때 숟가락을 들 수 없을 정도의 위약증세가 발생하였다. 또한 규칙적으로 자신의 의지와는 관계 없이 눈이 빠르게 움직이는 안구진탕 증상과 걸을 때 비틀거리는 소뇌 실조 증상이 나타났다. 다음 중 원인 약물로 가장 적절한 것은?

① 시타라빈 (Cytarabine)
② 다우노루비신 (Daunorubicin)
③ 아자시티딘 (Azacitidine)
④ 미도스타우린 (Midostaurin)
⑤ ATRA (All-trans-retinoic acid)

18. 급성골수성백혈병 (AML)을 진단받아 항암치료를 계획중인 환자가 있다. 다음 중 약물에 의한 결막염, 각막염 예방을 위해 스테로이드 점안액의 예방적 투여가 필요한 약물로 가장 적절한 것은?

① 시타라빈 (Cytarabine)
② 다우노루비신 (Daunorubicin)
③ 아자시티딘 (Azacitidine)
④ 미도스타우린 (Midostaurin)
⑤ ATRA (All-trans-retinoic acid)

19. 백혈병 (Leukemia)로 진단받은 50세 남성이 척수강 내 주사 (IT)를 통한 항암치료를 받았다. 치료를 받은 후 갑작스럽게 발작, 간질 증상이 나타났다. 기존에 뇌전증 병력은 없었고, 기타 특별한 이유는 없다고 할 때, 증상을 나타나게 한 원인 약제로 가장 적절한 것은?

① 시타라빈 (Cytarabine)
② 젬시타빈 (Gemcitabine)
③ 5-FU (5-Fluorouracil)
④ 메토트렉세이트 (Methotrexate)
⑤ 빈크리스틴 (Vincristine)

20. 50세 남성이 항암치료 후 발바닥이 벗겨지고 물집이 잡혀 통증이 점점 심해지는 증상을 주소로 내원하였다. 손바닥과 발바닥이 저리며 무감각한 느낌도 함께 동반되었으며, 손발증후군 (hand-foot syndrome)으로 진단되었을 때 다음 중 원인 약물로 가장 적절하지 않은 것은?

① 시타라빈 (Cytarabine)
② 5-FU 연속주입 (5-FU infusion)
③ 카페시타빈 (Capecitabine)
④ 도세탁셀 (Docetaxel)
⑤ 리툭시맙 (Rituximab)

정답: 17. ① 18. ① 19. ① 20. ⑤

44. 항암치료의 원칙

21. 50세 남성이 카페시타빈 (Capecitabine)을 포함한 요법으로 대장암 항암치료 후 발바닥이 벗겨지고 물집이 잡혀 통증이 점점 심해지는 증상을 주소로 내원하였다. 손바닥과 발바닥이 저리며 무감각한 느낌도 함께 동반되었으며, 손발증후군 (hand-foot syndrome)으로 진단되었을 때 다음 중 증상을 경감하기 위해 투여할 수 있는 것으로 가장 적절한 것은?

① 엽산 (Folic acid)
② 비타민 B6 (Pyridoxine)
③ 비타민 B12
④ 스테로이드
⑤ 0.9% 생리식염수

22. 50세 급성전골수세포백혈병 (APL)으로 진단받은 환자가 유지요법으로 6-MP 치료를 시작하려 한다. 치료 시작 전 독성 발현 예방을 위해 평가되어야 하는 테스트로 적절한 것은?

① CYP2C19 활성도
② Xanthine Oxidase 활성도
③ TPMT 활성도
④ HLA-B*15:02 유전자 검사
⑤ HLA-B*58:01 유전자 검사

23. 50세 남성이 전이성 대장암으로 FOLFIRI 요법으로 치료중이다. 5-FU (5-Fluorouracil, 5-플루오로우라실), 류코보린 (Leucovorin), 이리노테칸 (Irinotecan)로 항암치료 종료 12시간 후 심한 설사가 발생했다. 이리노테칸에 의한 설사로 보았을 때, 증상 완화를 위해 사용할 수 있는 약물로 가장 적절한 것은?

① 칼슘 폴리카보필 (Calcium polycarbophil)
② 비스무스 차살리실산 (Bisumuth subsalicylate)
③ 로페라미드 (Loperamide)
④ 아트로핀 (Atropine)
⑤ 라모세트론 (Ramosetron)

24. 50세 남성이 전이성 대장암으로 FOLFIRI 요법으로 치료중이다. 5-FU (5-Fluorouracil, 5-플루오로우라실), 류코보린 (Leucovorin), 이리노테칸 (Irinotecan)로 항암치료 종료 48시간 후 심한 설사가 발생했다. 이리노테칸에 의한 설사로 보았을 때, 증상 완화를 위해 사용할 수 있는 약물로 가장 적절한 것은?

① 칼슘 폴리카보필 (Calcium polycarbophil)
② 비스무스 차살리실산 (Bisumuth subsalicylate)
③ 로페라미드 (Loperamide)
④ 아트로핀 (Atropine)
⑤ 라모세트론 (Ramosetron)

정답: 21. ② 22. ③ 23. ④ 24. ③

25. 50세 남성이 비편평상피세포 폐암을 진단받아 방사선요법과 항암약물요법 병행으로 치료를 시작하려 한다. Cisplatin (시스플라틴)과 Etoposide (에토포시드) 병합요법으로 치료하려 하는데, 다음 중 Etoposide (에토포시드)를 정맥주입하면서 모니터링이 필요한 항목으로 가장 적절한 것은?

① 혈압
② 호흡수
③ 맥박수
④ 심전도
⑤ 체온

26. 50세 여성이 파클리탁셀 (Paclitaxel)을 포함한 항암화학요법으로 항암치료를 계획중이다. 부작용 관련하여 다음 중 투여하면서 모니터링이 필요한 항목이 아닌 것은? (2가지)

① 혈압
② 호흡수
③ 맥박수
④ 심전도
⑤ 체온

27. 50세 여성이 유방암으로 항암약물요법을 계획중이다. 과민반응 예방을 위해 스테로이드, H1-차단제, H2-차단제로 전처치를 계획하고 있을 때, 다음 중 해당 전처치가 필요한 약물로 적절한 것은?

① 파클리탁셀 (Paclitaxel)
② 타목시펜 (Tamoxifen)
③ 독소루비신 (Doxorubicin)
④ 레트로졸 (Letrozole)
⑤ 트라스트주맙 (Trastuzumab)

28. 50세 여성이 유방암으로 도세탁셀 (Docetaxel)을 포함한 요법으로 항암치료를 받고 있다. 다음 중 도세탁셀 (Docetaxel)에 의한 체액저류 부작용 (말초부종, 흉막유출, 복수, 체중증가) 예방을 위해 병용투여하는 약물로 가장 적절한 것은?

① H1-차단제 (H1-Blocker)
② H2-차단제 (H2-Blocker)
③ 몬테루카스트 (Montelukast)
④ 덱사메타손 (Dexamethasone)
⑤ 퓨로세미드 (Furosemide)

정답: 25. ① 26. ②,⑤ 27. ① 28. ④

29. 50세 남성이 전이성 비소세포폐암 진단을 받아 타이로신 키나아제 (TKI)가 포함된 항암치료를 계획중이다. 다음 약물 중 공복에 복용해야 하는 약물로 가장 적절한 것은? (2가지)

① 아파티닙 (Afatinib)
② 엘로티닙 (Erlotinib)
③ 제피티닙 (Gefitinib)
④ 알렉티닙 (Alectinib)
⑤ 세리티닙 (Ceritinib)

30. 50세 남성이 전이성 비소세포폐암 진단을 받아 타이로신 키나아제 (TKI)가 포함된 항암치료를 계획중이다. 다음 약물 중 식사와 상관없이 복용할 수 있는 약물로 가장 적절한 것은?

① 아파티닙 (Afatinib)
② 엘로티닙 (Erlotinib)
③ 제피티닙 (Gefitinib)
④ 알렉티닙 (Alectinib)
⑤ 세리티닙 (Ceritinib)

44. 항암치료의 원칙

31. 50세 남성이 전이성 비소세포폐암 진단을 받아 타이로신 키나아제 (TKI)가 포함된 항암치료를 계획중이다. 다음 약물 중 식사와 함께 복용해야 하는 약물로 가장 적절한 것은? (2가지)

① 아파티닙 (Afatinib)
② 엘로티닙 (Erlotinib)
③ 제피티닙 (Gefitinib)
④ 알렉티닙 (Alectinib)
⑤ 세리티닙 (Ceritinib)

32. 50세 남성이 전이성 비소세포폐암 진단을 받아 유전자 변이 검사를 진행하였다. 검사 결과, 역형성림프종인산화효소 (ALK) 유전자 재배열이 양성(+)으로 판정되어 브리가티닙 (Brigatinib)을 포함한 요법으로 치료를 계획중이다. 다음 중 필요한 부작용 모니터링으로 적절하지 않은 것은?

① 서맥 (맥박수)
② QT 간격연장 (심전도)
③ 시각장애
④ 고혈당
⑤ 저혈압

정답: 29. ①,② 30. ③ 31. ④,⑤ 32. ⑤

33. 50세 남성이 전이성 비소세포폐암 진단을 받아 유전자 변이 검사를 진행하였다. 검사 결과, 역형성림프종인산화효소(ALK) 유전자 재배열이 양성(+)으로 판정되어 크리조티닙 (Crizotinib)을 포함한 요법으로 치료를 계획중이다. 다음 중 필요한 부작용 모니터링으로 적절하지 않은 것은?

① 간독성
② 신독성
③ 심부전
④ 간질성 폐질환 (폐렴)
⑤ QT 간격연장

34. 만성골수세포백혈병(CML)으로 다사티닙 (Dasatinib) 투여 계획 중인 환자에서 투여 전 혈중 농도 모니터링을 통해 필요할 경우 교정을 필요로 하는 항목은? (2가지)

① 나트륨 (Na)
② 칼륨 (K)
③ 마그네슘 (Mg)
④ 인 (P)
⑤ 칼슘 (Ca)

35. 만성골수세포백혈병(CML)으로 다사티닙 (Dasatinib) 투여 계획 중인 환자에서 다음 중 필요한 부작용 모니터링으로 적절하지 않은 것은?

① 호중구감소증
② QT 간격연장 (심전도)
③ 울혈성심부전
④ 고칼륨혈증
⑤ 저마그네슘혈증

36. 50세 남성이 만성골수세포백혈병(CML) 진단을 받아 타이로신 키나아제(TKI)가 포함된 항암치료를 계획중이다. 다음 약물 중 공복에 복용해야 하는 약물로 가장 적절한 것은? (2가지)

① 이마티닙 (Imatinib)
② 다사티닙 (Dasatinib)
③ 닐로티닙 (Nilotinib)
④ 라도티닙 (Radotinib)
⑤ 수니티닙 (Sunitinib)

정답: 33. ② 34. ②,③ 35. ④ 36. ③,④

37. 50세 남성이 만성골수세포백혈병(CML) 진단을 받아 타이로신 키나아제(TKI)가 포함된 항암치료를 계획중이다. 다음 약물 중 식사와 관계없이 복용할 수 있는 약물로 가장 적절한 것은?

① 이마티닙 (Imatinib)
② 다사티닙 (Dasatinib)
③ 닐로티닙 (Nilotinib)
④ 라도티닙 (Radotinib)
⑤ 수니티닙 (Sunitinib)

38. 50세 남성이 만성골수세포백혈병(CML) 진단을 받아 타이로신 키나아제(TKI)가 포함된 항암치료를 계획중이다. 다음 약물 중 위장관 자극 부작용으로 식사와 함께 또는 많은 양의 물과 함께 복용해야 하는 약물로 가장 적절한 것은?

① 이마티닙 (Imatinib)
② 다사티닙 (Dasatinib)
③ 닐로티닙 (Nilotinib)
④ 라도티닙 (Radotinib)
⑤ 수니티닙 (Sunitinib)

44. 항암치료의 원칙

39. 50세 남성이 항암치료 후 발바닥이 벗겨지고 물집이 잡혀 통증이 점점 심해지는 증상을 주소로 내원하였다. 손바닥과 발바닥이 저리며 무감각한 느낌도 함께 동반되었으며, 손발증후군 (hand-foot syndrome)으로 진단되었을 때 다음 중 원인 약물로 가장 적절하지 않은 것은?

① 라파티닙 (Lapatinib)
② 소라페닙 (Sorafenib)
③ 수니티닙 (Sunitinib)
④ 카페시타빈 (Capecitabine)
⑤ 베바시주맙 (Bevacizumab)

40. 50세 남성이 급성골수세포백혈병(AML) 진단을 받아 유전자 변이 검사를 진행하였다. 검사 결과, FLT3 유전자 변이가 양성(+)으로 판정되어 미도스타우린(Midostaurin)을 포함한 요법으로 치료를 계획중이다. 다음 중 필요한 부작용 모니터링으로 적절하지 않은 것은?

① 간독성
② 신독성
③ 심부전
④ 저칼슘혈증
⑤ 저칼륨혈증

정답: 37. ② 38. ① 39. ⑤ 40. ②

41. 수니티닙(Sunitinib)으로 항암치료를 계획중인 환자에게 필요한 모니터링 항목으로 가장 적절한 것은?

① 공복 혈당
② 맥박수
③ 전해질 검사
④ 심전도
⑤ 혈압

42. 50세 여성이 한 달 전부터 심해지는 피로를 주소로 내원하였다. 수년 전부터 하시모토 갑상선염으로 레보티록신 하루 100 mcg을 복용하고 있었으며 갑상선자극호르몬 (TSH)는 1.2-2.5 mIU/L로 조절되고 있었다. 3개월 전부터 항암치료 요법을 시작했으며 기타 특이사항은 없었다. 금일 검사 결과가 다음과 같을 때, 환자의 TSH 수치를 높이게 된 원인 약제로 가장 적절한 것은?

[검사 결과]
TSH 10 mIU/L

① 수니티닙 (Sunitinib)
② 리툭시맙 (Rituximab)
③ 독소루비신 (Doxorubicin)
④ 카페시타빈 (Capecitabine)
⑤ 시스플라틴 (Cisplatin)

43. 전이성 신세포암 진단을 받은 환자가 알데스류킨 (Aldesleukin)로 치료를 계획중이다. 다음 중 약물에 의한 신장혈류 감소로 인한 신기능 이상을 막기 위해 함께 투여할 수 있는 약물로 가장 적절한 것은?

① 노르에피네프린 (Norephinephrine)
② 히드로코르티손 (Hydrocortisone)
③ 바소프레신 (Vasopressin)
④ 도부타민 (Dobutamine)
⑤ 도파민 (Dopamine)

44. 전이성 결장직장암으로 베바시주맙 (Bevacizumab)으로 치료 중인 환자에게 다음중 필요한 부작용 모니터링 항목으로 적절하지 않은 것은?

① 위장관계 천공
② 동맥혈전색전성 부작용
(심근경색, 뇌졸중, 폐색전증)
③ 고혈압
④ 단백뇨
⑤ 황반변성증

정답: 41. ⑤ 42. ① 43. ⑤ 44. ⑤

45. 사람표피성장인자수용체2(HER2) (+) 유방암으로 트라스트주맙 (Trasutuzumab)으로 치료중인 환자에서 다음 중 필요한 부작용 모니터링 항목으로 적절하지 않은 것은?

① 심부전
② 부정맥
③ 저혈압
④ 호흡곤란
⑤ 호중구감소증

46. 에스트로겐 수용체 (ER) 양성 유방암으로 타목시펜 (Tamoxifen)으로 치료중인 환자에서 다음 중 필요한 부작용 모니터링 항목으로 적절하지 않은 것은?

① 혈전색전증
② 자궁내막증식
③ 안면홍조
④ 혈중 에스트로겐 농도
⑤ 질출혈

47. 폐경기 여성의 진행성 유방암 2차 치료로 레트로졸 (Letrozole)로 치료중인 환자에서 다음 중 필요한 부작용 모니터링 항목으로 적절하지 않은 것은?

① 골밀도 수치 검사
② 근골격계 통증 여부
③ 혈중 콜레스테롤 수치
④ 우울증 증상
⑤ 홍조 여부

48. 50세 여성이 호흡곤란, 피로를 주소로 응급실로 내원하였다. 그녀는 6개월 전 유방암으로 인해 항암화학요법을 받은 이력이 있었고, 검사 결과 심부전으로 진단되었을 때 다음 중 원인이 되는 약제로 가장 적절한 것은?

① 타목시펜 (Tamoxifen)
② 파클리탁셀 (Paclitaxel)
③ 레트로졸 (Letrozole)
④ 독소루비신 (Doxorubicin)
⑤ 올라파립 (Olaparib)

정답: 45. ③ 46. ④ 47. ④ 48. ④

08 혈액/종양질환 45. 백혈병

1. 32세 남성이 이틀 전부터 시작한 잇몸출혈을 주소로 내원하였다. 검사 결과 급성골수세포백혈병(AML)로 진단되었고 예후가 양호군으로 분류되어, 관해 유도 치료를 시작하려 할 때, 다음 중 약물 요법으로 가장 적절한 것은?

[검사 결과]
t(15;17)
CD33 (-)
FLT3 변이 (-)

① Cytarabine 7일 + Daunorubicin 3일
② Cytarabine 3일 + Daunorubicin 7일
③ Cytarabine 7일 + Daunorubicin 3일 + Gemtuzumab ozogamicin
④ Cytarabine 3일 + Daunorubicin 7일 + Gemtuzumab ozogamicin
⑤ Cytarabine 3일 + Daunorubicin 7일 + Midostaurin

2. 32세 남성이 이틀 전부터 시작한 잇몸출혈을 주소로 내원하였다. 검사 결과 급성골수세포백혈병(AML)로 진단되었고 예후가 양호군으로 분류되어, 관해 유도 치료를 시작하려 할 때, 다음 중 약물 요법으로 가장 적절한 것은?

[검사 결과]
t(15;17)
CD33 (+)
FLT3 변이 (-)

① Cytarabine 7일 + Daunorubicin 3일
② Cytarabine 3일 + Daunorubicin 7일
③ Cytarabine 7일 + Daunorubicin 3일 + Gemtuzumab ozogamicin
④ Cytarabine 3일 + Daunorubicin 7일 + Gemtuzumab ozogamicin
⑤ Cytarabine 3일 + Daunorubicin 7일 + Midostaurin

3. 32세 남성이 이틀 전부터 시작한 잇몸출혈을 주소로 내원하였다. 검사 결과 급성골수세포백혈병(AML)로 진단되었고 예후가 중간군으로 분류되어, 관해 유도 치료를 시작하려 할 때, 다음 중 약물 요법으로 가장 적절한 것은?

[검사 결과]
t(9;11)
CD33 (-)
FLT3 변이 (+)

① Cytarabine 7일 + Daunorubicin 3일
② Cytarabine 3일 + Daunorubicin 7일
③ Cytarabine 7일 + Daunorubicin 3일 + Gemtuzumab ozogamicin
④ Cytarabine 3일 + Daunorubicin 7일 + Gemtuzumab ozogamicin
⑤ Cytarabine 7일 + Daunorubicin 3일 + Midostaurin

4. 32세 남성이 이틀 전부터 시작한 잇몸출혈을 주소로 내원하였다. 검사 결과 급성골수세포백혈병(AML)로 진단되었고 예후가 양호군으로 분류되어, 관해 유도 치료를 마치고 관해 후 치료요법을 하려한다. 다음 중 약물 요법으로 가장 적절한 것은?

[검사 결과]
t(15;17)
CD33 (-)
FLT3 변이 (-)

① Cytarabine 7일 + Daunorubicin 3일
② Cytarabine 3일 + Daunorubicin 7일
③ HiDAC (High dose cytarabine)
④ HiDAC (High dose cytarabine) + Gemtuzumab ozogamicin
⑤ HiDAC (High dose cytarabine) + Midostaurin

정답: 1. ① 2. ③ 3. ⑤ 4. ③

5. 60세 남성이 이틀 전부터 시작한 잇몸출혈을 주소로 내원하였다. 검사 결과 급성골수세포백혈병(AML)로 진단되었고 예후가 불량군으로 분류되어 관해 유도 치료를 시작하려 할 때, 다음 중 약물 요법으로 가장 적절한 것은?

[검사 결과]
CD33 (-)
FLT3 변이 (-)
TP53 변이 (+)

① Cytarabine 7일 + Daunorubicin 3일
② Cytarabine 3일 + Daunorubicin 7일
③ 아자시티딘 (Azacitidine) 치료
④ Cytarabine 7일 + Daunorubicin 3일 + Gemtuzumab ozogamicin
⑤ Cytarabine 7일 + Daunorubicin 3일 + Midostaurin

6. 32세 남성이 이틀 전부터 시작한 잇몸출혈을 주소로 내원하였다. 검사 결과 급성전골수세포백혈병(APL)로 진단되었고 예후가 고위험군으로 분류되어 관해 유도 치료를 시작하려 할 때, 다음 중 약물 요법으로 가장 적절한 것은? (단, 특별한 금기사항은 없다.)

① Cytarabine 7일 + Daunorubicin 3일
② Cytarabine 7일 + Daunorubicin 3일 + Gemtuzumab ozogamicin
③ Cytarabine 7일 + Daunorubicin 3일 + Midostaurin
④ 트레티노인 (Tretinoin) + 이다루비신 (Idarubicin)
⑤ 트레티노인 (Tretinoin) + Arsenic Trioxide

7. 32세 남성이 급성전골수세포백혈병(APL)로 진단받아 관해 유도요법 치료를 시작하였다. 치료 시작 3일 후 갑자기 발열과 호흡곤란이 발생하였다. 분화증후군으로 진단되었을 때, 다음 중 증상을 완화하기 위해 투여해야 할 약물로 가장 적절한 것은?

[검사 결과] 흉부 X-선 사진: 흉막 삼출 (+)
K 3.3 mEq/L Mg 1 mg/dL (1.46-2.68 mg/dL)

① ATRA (All-trans Retinoic acid)
② Arsenic trioxide
③ 덱사메타손 (Dexamethasone)
④ 히드록시우레아 (Hydroxyurea)
⑤ 라스부리카제 (Rasburicase)

8. 32세 남성이 급성전골수세포백혈병(APL)로 진단받아 관해 유도요법 치료를 시작하였다. 치료 시작 3일 후 갑자기 줄어든 소변량을 주소로 내원하였다. 검사 결과가 다음과 같을 때, 다음 중 증상을 완화하기 위해 투여해야 할 약물로 가장 적절한 것은?

[검사 결과]
P 7 mg/dL (3.8-6.5 mg/dL)
Ca 6 mg/dL (8.8-10.8 mg/dL)
Uric acid 10 mg/dL (3.1-7.0 mg/dL)
K 5.6 mEq/L

① ATRA (All-trans Retinoic acid)
② Arsenic trioxide
③ 덱사메타손 (Dexamethasone)
④ 히드록시우레아 (Hydroxyurea)
⑤ 라스부리카제 (Rasburicase)

정답: 5. ③ 6. ④ 7. ③ 8. ⑤

9. 32세 남성이 만성기(Chronic phase)의 만성골수세포백혈병(CML)으로 진단받아서 치료를 시작하였다. 환자가 하루 2회 복용하는 용법 때문에 저녁 약 복용을 잊어 복약순응도가 떨어지는 문제가 있었다고 할 때, 다음 중 환자가 복용하고 있었을 약물로 추정되는 것은?

① 이마티닙 (Imatinib)
② 다사티닙 (Dasatinib)
③ 보수티닙 (Bosutinib)
④ 닐로티닙 (Nilotinib)
⑤ 포나티닙 (Ponatinib)

10. 32세 남성이 만성기(Chronic phase)의 만성골수세포백혈병(CML)으로 진단받아서 치료를 받고 있다. 여러 종류의 티로신 키나아제 저해제 (TKI) 치료제를 시도하였으나 치료에 실패했고, 검사 결과가 다음과 같을 때 다음 중 환자에게 권할 수 있는 약물로 가장 적절한 것은?

[검사 결과]
T315I 변이 (+)

① 이마티닙 (Imatinib)
② 다사티닙 (Dasatinib)
③ 보수티닙 (Bosutinib)
④ 닐로티닙 (Nilotinib)
⑤ 포나티닙 (Ponatinib)

11. 32세 남성이 만성기(Chronic phase)의 만성골수세포백혈병(CML)으로 진단받아서 치료를 받고 있다. 검사 결과가 다음과 같을 때 다음 중 환자에게 내성이 있어 사용해서는 안 되는 약제로 가장 적절한 것은?

[검사 결과]
Y253H 변이 (+)
F359V/C/I 변이 (+)
E255K/V 변이 (+)

① 이마티닙 (Imatinib)
② 다사티닙 (Dasatinib)
③ 보수티닙 (Bosutinib)
④ 닐로티닙 (Nilotinib)
⑤ 포나티닙 (Ponatinib)

12. 32세 남성이 만성기(Chronic phase)의 만성골수세포백혈병(CML)으로 진단받아서 치료를 받고 있다. 검사 결과가 다음과 같을 때 다음 중 환자에게 내성이 있어 사용해서는 안 되는 약제로 가장 적절한 것은? (2가지)

[검사 결과]
F317L/V/I/C 변이 (+)
V299L 변이 (+)

① 이마티닙 (Imatinib)
② 다사티닙 (Dasatinib)
③ 보수티닙 (Bosutinib)
④ 닐로티닙 (Nilotinib)
⑤ 포나티닙 (Ponatinib)

정답: 9. ④ 10. ⑤ 11. ④ 12. ②,③

13. 만성골수세포백혈병(CML)으로 이마티닙 (Imatinib) 투여 계획 중인 환자에서 다음 중 필요한 모니터링으로 적절하지 않은 것은?

① 전혈구수 (CBC)
② 간기능 검사
③ 혈당 검사
④ 전해질 검사
⑤ 부종 관련 징후

14. 만성골수세포백혈병(CML)으로 진단받아 티로신 키나아제 저해제 (TKI)로 치료하고 있는 환자에게 특이적으로 췌장염 부작용 우려로 췌장효소 수치 모니터링이 필요한 약제로 가장 적절한 것은?

① 이마티닙 (Imatinib)
② 다사티닙 (Dasatinib)
③ 보수티닙 (Bosutinib)
④ 닐로티닙 (Nilotinib)
⑤ 포나티닙 (Ponatinib)

정답: 13. ③ 14. ⑤

1. 50세 남성이 전이성 비소세포폐암 진단을 받아 타이로신 키나아제 (TKI) 치료를 계획중이다. 검사 결과가 다음과 같을 때, 다음 중 환자에게 용량 조절 없이 사용할 수 있는 가장 적절한 약물은?

[병력] 고혈압
[투여약물] 베라파밀 (Verapamil)
[검사 결과]
표피성장인자수용체(EGFR) 돌연변이: (+)
역형성림프종인산화효소(ALK) 유전자 재배열: (-)

① 아파티닙 (Afatinib)
② 엘로티닙 (Erlotinib)
③ 제피티닙 (Gefitinib)
④ 알렉티닙 (Alectinib)
⑤ 세리티닙 (Ceritinib)

2. 50세 남성이 전이성 비소세포폐암 진단을 받아 타이로신 키나아제 (TKI) 치료를 계획중이다. 검사 결과가 다음과 같을 때, 다음 중 식사와 관계없이 복용할 수 있는 가장 적절한 약물은?

[검사 결과]
표피성장인자수용체(EGFR) 돌연변이: (+)
역형성림프종인산화효소(ALK) 유전자 재배열: (-)

① 아파티닙 (Afatinib)
② 엘로티닙 (Erlotinib)
③ 제피티닙 (Gefitinib)
④ 알렉티닙 (Alectinib)
⑤ 세리티닙 (Ceritinib)

3. 50세 남성이 전이성 비소세포폐암 진단을 받아 타이로신 키나아제 (TKI) 치료를 계획중이다. 이전에 EGFR-TKI로 치료 받은 적이 있고, 투여 전 피부반응을 예방하기 위한 조치가 필요하다고 한다. 다음 중 환자에게 사용하려는 약물로 가장 적절한 것은?

[검사 결과]
표피성장인자수용체(EGFR) T790M 변이: (+)
역형성림프종인산화효소(ALK) 유전자 재배열: (-)

① 아파티닙 (Afatinib)
② 엘로티닙 (Erlotinib)
③ 제피티닙 (Gefitinib)
④ 오시머티닙 (Osimertinib)
⑤ 세리티닙 (Ceritinib)

4. 50세 남성이 전이성 비소세포폐암 진단을 받아 타이로신 키나아제 (TKI) 치료를 계획중이다. 약품설명서에 QT 간격을 연장할 수 있는 약물과 병용을 피해야하는 주의사항이 있다고 할 때, 다음 중 환자에게 치료로 고려하고 있는 약물로 가장 적절한 것은?

[검사 결과]
표피성장인자수용체(EGFR) 돌연변이: (-)
역형성림프종인산화효소(ALK) 유전자 재배열: (+)

① 아파티닙 (Afatinib)
② 엘로티닙 (Erlotinib)
③ 크리조티닙 (Crizotinib)
④ 알렉티닙 (Alectinib)
⑤ 세리티닙 (Ceritinib)

정답: 1. ① 2. ③ 3. ④ 4. ③

5. 50세 남성이 전이성 비소세포폐암 진단을 받아 타이로신 키나아제 (TKI) 치료를 계획중이다. 식사와 함께 복용해야 하며, 자몽주스와 함께 먹으면 안되며, 피부/눈의 황변이나 불규칙한 심장박동을 일으킬 수 있는 주의사항이 있다고 할 때, 다음 중 환자에게 치료로 고려하고 있는 약물로 가장 적절한 것은?

[검사 결과]
표피성장인자수용체(EGFR) 돌연변이: (-)
역형성림프종인산화효소(ALK) 유전자 재배열: (+)

① 아파티닙 (Afatinib)
② 엘로티닙 (Erlotinib)
③ 크리조티닙 (Crizotinib)
④ 알렉티닙 (Alectinib)
⑤ 세리티닙 (Ceritinib)

6. 50세 남성이 전이성 비소세포폐암 진단을 받아 타이로신 키나아제 (TKI) 치료를 계획중이다. 식사와 함께 복용해야 하며, 광과민성으로 인해 약물 투여 중지 후 적어도 7일동안 장시간 햇빛 노출을 피해야하는 주의사항이 있다고 할 때, 다음 중 환자에게 치료로 고려하고 있는 약물로 가장 적절한 것은?

[검사 결과]
표피성장인자수용체(EGFR) 돌연변이: (-)
역형성림프종인산화효소(ALK) 유전자 재배열: (+)

① 아파티닙 (Afatinib)
② 엘로티닙 (Erlotinib)
③ 크리조티닙 (Crizotinib)
④ 알렉티닙 (Alectinib)
⑤ 세리티닙 (Ceritinib)

7. 50세 남성이 전이성 비소세포폐암 진단을 받아 타이로신 키나아제 (TKI) 치료를 계획중이다. 치료 첫 1주일 동안에 새로 생긴 호흡기 증상(기침, 호흡곤란 등)이 나타나면 즉시 의료진에게 알려야하는 주의사항이 있다고 할 때, 다음 중 환자에게 치료로 고려하고 있는 약물로 가장 적절한 것은?

[검사 결과]
표피성장인자수용체(EGFR) 돌연변이: (-)
역형성림프종인산화효소(ALK) 유전자 재배열: (+)

① 아파티닙 (Afatinib)
② 브리가티닙 (Brigatinib)
③ 크리조티닙 (Crizotinib)
④ 알렉티닙 (Alectinib)
⑤ 세리티닙 (Ceritinib)

8. 50세 남성이 전이성 비소세포폐암 진단을 받아 타이로신 키나아제 (TKI) 치료를 계획중이다. 공복에 투여해야 하며, 발열, 안통, 비정상적인 출혈 등이 나타나면 즉시 의료진에게 알려야하는 주의사항이 있다고 할 때, 다음 중 환자에게 치료로 고려하고 있는 약물로 가장 적절한 것은?

[검사 결과]
표피성장인자수용체(EGFR) 돌연변이: (-)
역형성림프종인산화효소(ALK) 유전자 재배열: (-)
BRAF V600E 변이: (+)

① 다브라페닙 (Dabrafenib)
② 브리가티닙 (Brigatinib)
③ 크리조티닙 (Crizotinib)
④ 알렉티닙 (Alectinib)
⑤ 세리티닙 (Ceritinib)

정답: 5. ⑤ 6. ④ 7. ② 8. ①

9. 50세 남성이 전이성 비소세포폐암 (비편평상피세포암) 진단을 받아 수술 전 항암약물요법 치료를 계획중이다. 이전에 항암약물요법을 받은 이력이 없고, 이외 특이한 병력이 없을 때, 다음 중 우선적으로 추천하는 약물 요법으로 가장 적절한 것은?

① 시스플라틴 (Cisplatin) + 페메트렉시드 (Pemetrexed)
② 시스플라틴 (Cisplatin) + 젬시타빈 (Gemcitabine)
③ 시스플라틴 (Cisplatin) + 도세탁셀 (Docetaxel)
④ 오시머티닙 (Osimertinib)
⑤ 아테졸리주맙 (Atezolizumab)

10. 50세 남성이 전이성 비소세포폐암 (편평상피세포암) 진단을 받아 수술 전 항암약물요법 치료를 계획중이다. 이전에 항암약물요법을 받은 이력이 없고, 이외 특이한 병력이 없을 때, 다음 중 우선적으로 추천하는 약물 요법으로 가장 적절한 것은?

① 시스플라틴 (Cisplatin) + 페메트렉시드 (Pemetrexed)
② 시스플라틴 (Cisplatin) + 젬시타빈 (Gemcitabine)
③ 시스플라틴 (Cisplatin) + 파클리탁셀 (Paclitaxel)
④ 오시머티닙 (Osimertinib)
⑤ 아테졸리주맙 (Atezolizumab)

11. 50세 남성이 제한병기의 소세포폐암 진단을 받아 방사선요법과 함께 항암약물요법을 동시에 병행하려고 한다. 다음 중 우선적으로 추천하는 약물 요법으로 가장 적절한 것은?

① 시스플라틴 (Cisplatin) + 페메트렉시드 (Pemetrexed)
② 시스플라틴 (Cisplatin) + 젬시타빈 (Gemcitabine)
③ 시스플라틴 (Cisplatin) + 도세탁셀 (Docetaxel)
④ 시스플라틴 (Cisplatin) + 에토포시드 (Etoposide)
⑤ 카보플라틴 (Carboplatin) + 에토포시드 (Etoposide)

12. 50세 남성이 확장병기의 소세포폐암 진단을 받아 항암약물요법을 시행하려고 한다. 이외 특별한 금기사항 등이 없을 때, 다음 중 약물 요법으로 가장 적절한 것은?

① 시스플라틴 (Cisplatin) + 페메트렉시드 (Pemetrexed)
② 시스플라틴 (Cisplatin) + 젬시타빈 (Gemcitabine)
③ 시스플라틴 (Cisplatin) + 도세탁셀 (Docetaxel)
④ 시스플라틴 (Cisplatin) + 에토포시드 (Etoposide)
⑤ 카보플라틴 (Carboplatin) + 에토포시드 (Etoposide) + 아테졸리주맙 (Atezolizumab)

정답: 9. ① 10. ② 11. ④ 12. ⑤

1. 65세 남성이 전이성 대장암(4기)으로 진단받았다. 다음 중 수술 후 보조항암화학요법으로 적절한 것은?

① Doxorubicin + Cyclophosphamide
② Docetaxel + Cyclophosphamide
③ 5-FU + Leucovorin + Oxaliplatin
④ Cisplatin + Pemetrexed
⑤ Cisplatin + Gemcitabine

2. 전이성 대장암(4기)으로 수술 후 보조항암화학요법을 시행하는 환자의 총 투여기간(수술 전후)으로 적절한 것은?

① 1개월
② 3개월
③ 6개월
④ 1년
⑤ 3년

3. 전이성 대장암(4기)로 항암화학요법으로 5-플루오로우라실 (5-Fluorouracil)을 IV bolus로 투여받는 환자에게 특이적으로 모니터링이 필요한 용량-제한 독성 (Dose-Limited Toxicity, DLT)으로 가장 적절한 것은?

① 백혈구 감소증
② 수족증후군 (Hand-Foot Syndrome)
③ 말초신경병증 (신경독성)
④ 설사
⑤ 단백뇨

4. 전이성 대장암(4기)로 항암화학요법으로 5-플루오로우라실 (5-Fluorouracil)을 IV Infusion (정맥 지속주입)로 투여받는 환자에게 특이적으로 모니터링이 필요한 용량-제한 독성 (Dose-Limited Toxicity, DLT)으로 가장 적절한 것은?

① 백혈구 감소증
② 수족증후군 (Hand-Foot Syndrome)
③ 동맥혈전증
④ 고혈압
⑤ 단백뇨

정답: 1. ③ 2. ③ 3. ① 4. ②

5. 전이성 대장암(4기)로 항암화학요법으로 카페시타빈 (Capecitabine)을 투여받는 환자에게 특이적으로 모니터링이 필요한 용량-제한 독성 (Dose-Limited Toxicity, DLT)으로 가장 적절한 것은?

① 백혈구 감소증
② 수족증후군 (Hand-Foot Syndrome)
③ 동맥혈전증
④ 고혈압
⑤ 단백뇨

6. 전이성 대장암(4기)로 항암화학요법으로 옥살리플라틴 (Oxaliplatin)을 투여받는 환자에게 특이적으로 모니터링이 필요한 용량-제한 독성 (Dose-Limited Toxicity, DLT)으로 가장 적절한 것은?

① 백혈구 감소증
② 말초신경병증 (신경독성)
③ 동맥혈전증
④ 고혈압
⑤ 단백뇨

7. 전이성 대장암(4기)로 옥살리플라틴 (Oxaliplatin)이 포함된 항암화학요법을 투여받는 환자에게서 손, 발 저림이 심하고 따끔거리는 말초신경병증 증상이 발생하였다. 환자가 견디기 힘들어하여 약물 변경을 요청했을 때, 다음 중 변경할 수 있는 약물으로 가장 적절한 것은?

① 이리노테칸 (Irinotecan)
② 시스플라틴 (Cisplatin)
③ 카보플라틴 (Carboplatin)
④ 빈크리스틴 (Vincristine)
⑤ 카페시타빈 (Capecitabine)

8. 전이성 대장암(4기)로 이리노테칸 (Irinotecan)이 포함된 항암화학요법을 투여받는 환자에게서 투여한지 2시간이 지난 후부터 심한 설사가 발생하였다. 다음 중 환자의 설사 증상을 완화하기 위한 약물로 가장 적절한 것은?

① 아트로핀 (Atropine)
② 로페라마이드 (Loperamide)
③ 비스무스 (Bismuth)
④ 아미트립틸린 (Amitriptyline)
⑤ 라모세트론 (Ramosetron)

정답: 5. ② 6. ② 7. ① 8. ①

9. 전이성 대장암(4기)로 이리노테칸(Irinotecan)이 포함된 항암화학요법을 투여받는 환자에게서 투여한지 24시간이 지난 후부터 심한 설사가 발생하였다. 다음 중 환자의 설사 증상을 완화하기 위한 약물로 가장 적절한 것은?

① 아트로핀 (Atropine)
② 로페라마이드 (Loperamide)
③ 비스무스 (Bismuth)
④ 아미트립틸린 (Amitriptyline)
⑤ 라모세트론 (Ramosetron)

10. 65세 남성이 전이성 대장암(4기)으로 진단받았다. 특이 병력이 없고 검사 결과가 다음과 같을 때, 다음 중 환자에게 추가할 수 있는 표적 약물요법으로 가장 적절한 것은?

[검사 결과]
K-RAS 변이: (+)
BRAF 변이: (+)
EGFR 변이: (+)

① 베바시주맙 (Bevacizumab)
② 세툭시맙 (Cetuximab)
③ 파니투무맙 (Panitumumab)
④ 펨브롤리주맙 (Pembrolizumab)
⑤ 레고라페닙 (Regorafenib)

11. 65세 남성이 전이성 대장암(4기)으로 진단받았다. 검사 결과가 다음과 같을 때, 다음 중 환자에게 추가할 수 있는 표적 약물요법 옵션으로 가장 적절한 것은? (2가지, 병용이 아닌 단독 사용 옵션)

[병력] 조절되지 않는 고혈압
[검사 결과]
K-RAS 변이: (-)
BRAF 변이: (-)
EGFR 변이: (+)

① 베바시주맙 (Bevacizumab)
② 세툭시맙 (Cetuximab)
③ 파니투무맙 (Panitumumab)
④ 펨브롤리주맙 (Pembrolizumab)
⑤ 레고라페닙 (Regorafenib)

12. 65세 남성이 전이성 대장암(4기)으로 진단받았다. 검사 결과가 다음과 같을 때, 다음 중 환자에게 사용할 수 있는 표적 약물요법 옵션으로 가장 적절한 것은?

[병력] 2주 전 대장 절제 수술 이력
[검사 결과]
K-RAS 변이: (+)
BRAF 변이: (+)
EGFR 변이: (+)
dMMR/MSI-H: (+)

① 베바시주맙 (Bevacizumab)
② 세툭시맙 (Cetuximab)
③ 파니투무맙 (Panitumumab)
④ 펨브롤리주맙 (Pembrolizumab)
⑤ 레고라페닙 (Regorafenib)

정답: 9. ② 10. ① 11. ②,③ 12. ④

13. 재발성 전이성 대장암으로 인해 레고라페닙 (Regorafenib)을 투여받는 환자에서 약물 이상반응 모니터링이 필요한 항목으로 가장 적절하지 않은 것은?

① 신독성
② 간독성
③ 고혈압
④ 단백뇨
⑤ 피부발진

정답: 13. ①

48. 유방암

1. 65세 여성이 초기 유방암(0기)으로 진단받았다. 유방 절제수술 후 다음 중 환자에게 선호되는 약물요법으로 가장 적절한 것은?

[검사 결과]
호르몬 수용체(HR): (+)
사람표피성장인자 수용체2(HER2): (-)

① 타목시펜 (Tamoxifen)
② 트라스투주맙 (Trastuzumab)
③ 퍼투주맙 (Pertuzumab)
④ 네라티닙 (Neratinib)
⑤ 라파티닙 (Lapatinib)

2. 65세 여성이 초기 유방암(0기)으로 진단받았다. 유방 절제수술 후 다음 중 환자에게 선호되는 약물요법으로 가장 적절한 것은?

[병력] 정맥혈전색전증
[검사 결과]
호르몬 수용체(HR): (+)
사람표피성장인자 수용체2(HER2): (-)

① 타목시펜 (Tamoxifen)
② 토레미펜 (Toremifene)
③ 풀베스트란트 (Fulvestrant)
④ 레트로졸 (Letrozole)
⑤ 트라스투주맙 (Trastuzumab)

3. 65세 여성이 초기 유방암(0기)으로 진단받았다. 병력을 고려했을 때 유방 절제수술 후 다음 중 환자에게 선호되는 약물요법으로 가장 적절한 것은?

[병력] 골다공증
[검사 결과]
호르몬 수용체(HR): (+)
사람표피성장인자 수용체2(HER2): (-)

① 아나스트로졸 (Anastrozole)
② 레트로졸 (Letrozole)
③ 엑스메스탄 (Exemestane)
④ 풀베스트란트 (Fulvestrant)
⑤ 트라스투주맙 (Trastuzumab)

4. 65세 여성이 초기 유방암(1기)으로 진단받았다. 유방 절제수술 후 다음 중 파클리탁셀 (Paclitaxel)과 더불어 환자에게 선호되는 약물요법으로 가장 적절한 것은?

[검사 결과]
호르몬 수용체(HR): (-)
사람표피성장인자 수용체2(HER2): (+)

① 타목시펜 (Tamoxifen)
② 트라스투주맙 (Trastuzumab)
③ 퍼투주맙 (Pertuzumab)
④ 네라티닙 (Neratinib)
⑤ 라파티닙 (Lapatinib)

정답: 1. ① 2. ④ 3. ④ 4. ②

5. 65세 여성이 초기 유방암(1기)으로 진단받았다. 유방 절제수술 후 보조항암요법을 고려중일 때, 다음 중 환자에게 선호되는 약물요법으로 가장 적절한 것은?

[검사 결과]
호르몬 수용체(HR): (-)
사람표피성장인자 수용체2(HER2): (-)

① Doxorubicin + Cyclophosphamide
② 5-Fluorouracil + Leucovorin + Oxaliplatin
③ 5-Fluorouracil + Leucovorin + Irinotecan
④ Cisplatin + Pemetrexed
⑤ Cisplatin + Gemcitabine

6. 65세 여성이 국소진행 유방암(3기)으로 진단받았다. 검사 결과를 고려했을 때, 유방 절제수술 후 환자에게 선호되는 표적 약물요법으로 가장 적절한 것은?

[검사 결과]
호르몬 수용체(HR): (-)
사람표피성장인자 수용체2(HER2): (-)
*BRCA1/2*변이: (+)

① 올라파립 (Olaparib)
② 라로트렉티닙 (Larotrectinib)
③ 알페리십 (Alpelisib)
④ 팔보시클립 (Palbociclib)
⑤ 에버로리무스 (Everolimus) + 엑스메스탄 (Exemestane)

7. 65세 여성이 국소진행 유방암(3기)으로 진단받았다. 유방 절제수술 후 치료를 계획 중일 때. 다음 중 환자에게 선호되는 표적 약물요법으로 가장 적절한 것은?

[검사 결과]
호르몬 수용체(HR): (-)
사람표피성장인자 수용체2(HER2): (-)
NTRK fusion: (+)

① 올라파립 (Olaparib)
② 라로트렉티닙 (Larotrectinib)
③ 알페리십 (Alpelisib)
④ 팔보시클립 (Palbociclib)
⑤ 에버로리무스 (Everolimus) + 엑스메스탄 (Exemestane)

8. 65세 여성이 전이성 유방암으로 진단받았다. 검사 결과를 고려했을 때, 풀베스트란트 (Fulvestrant)와 더불어 유방 절제수술 후 환자에게 선호되는 표적 약물요법으로 가장 적절한 것은?

[검사 결과]
호르몬 수용체(HR): (+)
사람표피성장인자 수용체2(HER2): (-)
PIK3CA activating mutation: (+)

① 올라파립 (Olaparib)
② 라로트렉티닙 (Larotrectinib)
③ 알페리십 (Alpelisib)
④ 팔보시클립 (Palbociclib)
⑤ 에버로리무스 (Everolimus) + 엑스메스탄 (Exemestane)

정답: 5. ① 6. ① 7. ② 8. ③

9. 65세 여성이 전이성 유방암으로 진단받았다. 유방 절제수술 후 CDK4/6을 표적으로 하는 치료를 계획 중일 때 (내분비요법과 병용), 다음 중 환자에게 선호되는 표적 약물요법으로 가장 적절한 것은?

[검사 결과]
호르몬 수용체(HR): (+)
사람표피성장인자 수용체2(HER2): (-)

① 올라파립 (Olaparib)
② 라로트렉티닙 (Larotrectinib)
③ 알페리십 (Alpelisib)
④ 팔보시클립 (Palbociclib)
⑤ 에버로리무스 (Everolimus) + 엑스메스탄 (Exemestane)

10. 65세 여성이 국소진행 유방암(3기)으로 진단받았다. 유방 절제수술 후 mTOR를 표적으로 하는 치료를 계획 중일 때. 다음 중 환자에게 선호되는 표적 약물요법으로 가장 적절한 것은?

[검사 결과]
호르몬 수용체(HR): (+)
사람표피성장인자 수용체2(HER2): (-)

① 올라파립 (Olaparib)
② 라로트렉티닙 (Larotrectinib)
③ 알페리십 (Alpelisib)
④ 팔보시클립 (Palbociclib)
⑤ 에버로리무스 (Everolimus) + 엑스메스탄 (Exemestane)

11. 65세 여성이 전이 유방암(4기)으로 진단받았다. 이외 특이 병력이 없고 검사 결과를 고려했을 때, 다음 중 트라스트주맙(Trastuzumab)과 더불어 사용하는 1차 복합 약물요법으로 가장 적절한 것은?

[검사 결과]
호르몬 수용체(HR): (-)
사람표피성장인자 수용체2(HER2): (+)

① 퍼투주맙 (Pertuzumab) + 도세탁셀 (Docetaxel)
② 파클리탁셀 (Paclitaxel)
③ 도세탁셀 (Docetaxel)
④ 라파티닙 (Lapatinib) + 카페시타빈 (Capecitabine)
⑤ 카페시타빈 (Capecitabine)

12. 65세 여성이 전이 유방암(4기)으로 진단받았다. 유방 절제수술 후 재발하였을 때 다음 중 파클리탁셀 (Paclitaxel)과 더불어 환자에게 선호되는 약물요법으로 가장 적절한 것은?

[검사 결과]
호르몬 수용체(HR): (-)
사람표피성장인자 수용체2(HER2): (-)
PD-L1 (MSI-H/dMMR): (+)

① 올라파립 (Olaparib)
② 라로트렉티닙 (Larotrectinib)
③ 알페리십 (Alpelisib)
④ 팔보시클립 (Palbociclib)
⑤ 펨브롤리주맙 (Pembrolizumab)

정답: 9. ④ 10. ⑤ 11. ① 12. ⑤

[1-2]

1. 32세 남성이 만성골수성백혈병 (CML)로 진단받아 항암요법으로 치료중이다. 환자는 회사 생활로 인해 되도록 입원이 아닌 외래 치료를 원한다고 하였다. 일상 생활하면서 미열이 느껴져 내원하였다. 금일 검사 결과, 절대중성구수 (ANC)가 400/mm³ 이고, 체온이 38.3℃로 1시간 이상 유지되어 중성구감소성 발열(저위험군)로 진단되었을 때, 다음 중 항생제(요법)으로 가장 적절한 것은?

① Amoxicillin/Clavulanate + 시프로플록사신 (Ciprofloxacin)
② 피페라실린/타조박탐 (Piperacillin/Tazobactam)
③ 세페핌 (Cefepime)
④ 메로페넴 (Meropenem)
⑤ 세프타지딤 (Ceftazidime)

2. 1번 환자가 5일간 항생제 치료 후 내원하였다. 금일 검사 결과, 절대중성구수 (ANC)가 400/mm³ 이고, 체온이 38.3℃로 측정되었고 원인균은 동정되지 않았다. 크게 질환 상태에 변화가 없을 때, 다음 중 환자에게 필요한 조치로 가장 적절한 것은?

① 현재 요법 유지
② 아미카신 (Amikacin) 추가
③ 피페라실린/타조박탐 (Piperacillin/Tazobactam)로 변경
④ 세프타지딤 (Ceftazidime)으로 변경
⑤ 메로페넴 (Meropenem)으로 변경

3. 32세 남성이 만성골수성백혈병 (CML)로 진단받아 항암요법으로 치료중이다. 일상 생활하면서 미열이 느껴져 내원하였다. 금일 검사 결과, 절대중성구수 (ANC)가 400/mm³ 이고, 체온이 38.3℃로 1시간 이상 유지되어 중성구감소성 발열(저위험군)로 진단되었을 때, 다음 중 환자에게 적절한 주사제 항생제(요법)이 아닌 것은?

① 세페핌 (Cefepime) + 시프로플록사신 (Ciprofloxacin)
② 피페라실린/타조박탐 (Piperacillin/Tazobactam)
③ 세페핌 (Cefepime)
④ 메로페넴 (Meropenem)
⑤ 세프타지딤 (Ceftazidime)

4. 50세 남성이 만성림프구성성백혈병 (CLL)로 진단받아 Alemtuzumab (알렘투주맙)으로 입원 치료중이다. 몇 시간 전부터 시작된 기침, 가래, 발열을 주소로 검사한 결과 중성구감소성 발열 및 폐렴으로 진단되었을 때, 다음 중 항생제(요법)으로 가장 적절한 것은?

[병력] 만성콩팥병
[활력징후 및 검사 결과]
체온 38.3℃ 혈압 120/80 mmHg 맥박 80회/분 호흡수 20회/분 BUN 5 mg/dL WBC 11,000/mm³ CrCl = 29 ml/min
절대중성구수 (ANC) 400/mm³
객담 배양 검사 및 그람 염색 검사 결과 그람양성균 동정

① Piperacillin/Tazobactam
② Cefepime + Ciprofloxacin
③ Ceftazidime + Amikacin
④ Amoxicillin + Ciprofloxacin + Vancomycin
⑤ Meropenem + Ciprofloxacin + Vancomycin

정답: 1. ① 2. ① 3. ① 4. ⑤

49. 암질환의 보조치료

5. 65세 유방암으로 진단받은 환자가 유방 절제수술 후 보조항암요법으로 Doxorubicin, Cyclophosphamide 병합요법을 계획중이다. 다음 중 환자의 항암제 유발 항구토 요법으로 가장 적절한 것은?

[검사 결과]
호르몬 수용체(HR): (-)
사람표피성장인자 수용체2(HER2): (-)

① 프로클로페라진 (Prochlorperazine)
② 메토클로프라미드 (Metoclopramide)
③ 덱사메타손 (Dexamethasone)
④ Dexamethasone + Palonosetron
⑤ Dexamethasone + Palonosetron + Aprepitant

6. 50세 남성이 비편평상피세포 폐암으로 진단받아 시스플라틴 (Cisplatin) + 페메트렉시드 (Pemetrexed) 요법으로 항암치료를 시작하였다. 다음 중 환자의 항암제 유발 항구토 요법으로 적절하지 않은 것은?

① Dexamethasone + Palonosetron
② Dexamethasone + Palonosetron + Aprepitant
③ Dexamethasone + Palonosetron + Olanzapine
④ Dexamethasone + Palonosetron + Aprepitant + Olanzapine
⑤ Dexamethasone + Palonosetron + Netupitant

[7-8]
7. 50세 남성이 호지킨병으로 진단받아 다카바진 (Dacarbazine) 항암치료를 시작하였다. 다음 중 환자의 항암제 유발 항구토 요법으로 가장 적절한 것은?

① 프로클로페라진 (Prochlorperazine)
② 메토클로프라미드 (Metoclopramide)
③ 덱사메타손 (Dexamethasone)
④ Dexamethasone + Palonosetron
⑤ Dexamethasone + Palonosetron + Aprepitant

8. 7번 환자가 이전 항암치료 중 발생한 구역, 구토 경험으로 인해 항암치료 전 추가적으로 항구토제 처방을 원한다고 한다. 환자의 예기성 구역구토 예방을 위한 약물요법으로 가장 적절한 것은?

① 알프라졸람 (Alprazolam)
② 올란자핀 (Olanzapine)
③ 할로페리돌 (Haloperidol)
④ 메토클로프라미드 (Metoclopramide)
⑤ 프로클로페라진 (Prochloperazine)

정답: 5. ⑤ 6. ① 7. ⑤ 8. ①

9. 대장암으로 진단받은 환자가 FOLFIRI 요법 (5-FU (5-Fluorouracil, 5-플루오로우라실), 류코보린 (Leucovorin), 이리노테칸 (Irinotecan))으로 치료중이다. 다음 중 항암화학요법 종료 24시간 후 중성구감소성 발열 예방을 위해 사용할 수 있는 약제로 가장 적절한 것은?

① 페그필그라스팀 (Pegfilgrastim)
② 라스부리카제 (Rasburicase)
③ 덱사메타손 (Dexamethasone)
④ 졸레드론산 (Zoledronic acid)
⑤ 암포테리신 B (Amphotericin B)

10. 50세 남성이 항암치료를 받고 있다. 5번째 항암치료를 마친 후 팔과 다리 부위의 뼈통증이 심하게 느껴지는 것을 주소로 내원하였다. 다음 중 증상의 원인이 되는 약제로 가장 적절한 것은?

① 페그필그라스팀 (Pegfilgrastim)
② 라스부리카제 (Rasburicase)
③ 덱사메타손 (Dexamethasone)
④ 졸레드론산 (Zoledronic acid)
⑤ 암포테리신 B (Amphotericin B)

11. 폐암으로 진단받아 항암치료중인 남성이 통증을 호소하여 진통제를 처방하려고 한다. 기저 질환을 고려했을 때, 다음 중 환자에게 가장 적절한 약물은?

[병력] 만성신장병, 천식

① 술린닥 (Sulindac)
② 메페나믹산 (Mefenamic acid)
③ 인도메타신 (Indomethacin)
④ 아스피린 (Aspirin)
⑤ 셀레콕시브 (Celecoxib)

12. 대장암으로 진단받아 항암치료중인 남성이 통증을 호소하여 진통제를 처방하려고 한다. 기저 질환을 고려했을 때, 다음 중 피해야하는 약물로 가장 적절한 것은?

[병력] 설사형 과민대장증후군 (IBS-D)

① 술린닥 (Sulindac)
② 메페나믹산 (Mefenamic acid)
③ 인도메타신 (Indomethacin)
④ 아스피린 (Aspirin)
⑤ 셀레콕시브 (Celecoxib)

정답: 9. ① 10. ① 11. ① 12. ②

13. 만성골수세포백혈병(CML)으로 진단받아 항암치료중인 남성이 통증을 호소하여 진통제를 처방하려고 한다. 기저 질환을 고려했을 때, 다음 중 피해야하는 약물로 가장 적절한 것은?

[병력] 편두통

① 술린닥 (Sulindac)
② 메페나믹산 (Mefenamic acid)
③ 인도메타신 (Indomethacin)
④ 아스피린 (Aspirin)
⑤ 셀레콕시브 (Celecoxib)

14. 유방암으로 진단받아 항암치료중인 여성이 통증을 호소하여 진통제를 처방하려고 한다. 기저 질환을 고려했을 때, 다음 중 피해야하는 약물로 가장 적절한 것은?

[병력] 천식

① 술린닥 (Sulindac)
② 메페나믹산 (Mefenamic acid)
③ 인도메타신 (Indomethacin)
④ 아스피린 (Aspirin)
⑤ 셀레콕시브 (Celecoxib)

정답: 13. ③ 14. ④

09 산부인과 질환

09 산부인과질환 50. 피임

1. 35세 여성 환자가 피임 목적으로 피임제를 복용중이다. 경구피임제 처음 복용 시작 후 월경주기 초기(1~9일)에 출혈이 발생하는 증상으로 약국에 왔다. 다음 중 환자에게 권해줄 수 있는 적절한 조치는?

① 에스트로겐 함유량이 적은 피임제로 변경
② 에스트로겐 함유량이 많은 피임제로 변경
③ 프로게스테론 함유량이 적은 피임제로 변경
④ 프로게스테론 함유량이 많은 피임제로 변경
⑤ 경구 피임제 중단 권고

2. 35세 여성 환자가 피임 목적으로 피임제를 복용중이다. 경구피임제 복용 시작 후 무월경이 발생하여 약국에 왔다. 임신테스트 결과 음성으로 나왔을 때, 다음 중 환자에게 권해줄 수 있는 적절한 조치는?

① 에스트로겐 함유량이 적은 피임제로 변경
② 에스트로겐 함유량이 많은 피임제로 변경
③ 프로게스테론 함유량이 적은 피임제로 변경
④ 프로게스테론 함유량이 많은 피임제로 변경
⑤ 경구 피임제 중단 권고

3. 35세 여성 환자가 피임 목적으로 피임제를 복용중이다. 경구피임제 복용 시작 후 혈관운동성 증상, 신경과민, 성욕감소가 발생하여 약국에 왔다. 임신테스트 결과 음성으로 나왔을 때, 다음 중 환자에게 권해줄 수 있는 적절한 조치는?

① 에스트로겐 함유량이 적은 피임제로 변경
② 에스트로겐 함유량이 많은 피임제로 변경
③ 프로게스테론 함유량이 적은 피임제로 변경
④ 프로게스테론 함유량이 많은 피임제로 변경
⑤ 경구 피임제 중단 권고

4. 35세 여성 환자가 피임 목적으로 피임제를 복용중이다. 경구피임제 복용 시작 후 오심, 가슴 압통, 두통이 발생하여 약국에 왔다. 임신테스트 결과 음성으로 나왔을 때, 다음 중 환자에게 권해줄 수 있는 적절한 조치는?

① 에스트로겐 함유량이 적은 피임제로 변경
② 에스트로겐 함유량이 많은 피임제로 변경
③ 프로게스테론 함유량이 적은 피임제로 변경
④ 프로게스테론 함유량이 많은 피임제로 변경
⑤ 경구 피임제 중단 권고

정답: 1. ② 2. ② 3. ② 4. ①

5. 35세 여성 환자가 피임 목적으로 피임제를 복용중이다. 경구피임제 처음 복용 시작 후 월경주기 후기(10~21일)에 출혈이 발생하는 증상으로 약국에 왔다. 다음 중 환자에게 권해줄 수 있는 적절한 조치는?

① 에스트로겐 함유량이 적은 피임제로 변경
② 에스트로겐 함유량이 많은 피임제로 변경
③ 프로게스테론 함유량이 적은 피임제로 변경
④ 프로게스테론 함유량이 많은 피임제로 변경
⑤ 경구 피임제 중단 권고

6. 35세 여성 환자가 월경통이 심하고 월경과다 증상이 심하여 경구피임제를 변경하고 싶다고 한다. 다음 중 환자에게 권해줄 수 있는 적절한 조치는? (2가지)

① 에스트로겐 함유량이 적은 피임제로 변경
② 에스트로겐 함유량이 많은 피임제로 변경
③ 프로게스테론 함유량이 적은 피임제로 변경
④ 프로게스테론 함유량이 많은 피임제로 변경
⑤ 경구 피임제 중단 권고

7. 35세 여성 환자가 피임 목적으로 피임제를 복용중이다. 경구피임제 처음 복용 시작 후 복부팽창 및 변비가 발생하는 증상으로 약국에 왔다. 다음 중 환자에게 권해줄 수 있는 적절한 조치는?

① 에스트로겐 함유량이 적은 피임제로 변경
② 에스트로겐 함유량이 많은 피임제로 변경
③ 프로게스테론 함유량이 적은 피임제로 변경
④ 프로게스테론 함유량이 많은 피임제로 변경
⑤ 경구 피임제 중단 권고

8. 35세 여성 환자가 피임 목적으로 피임제를 복용중이다. 경구피임제 처음 복용 시작 후 우울감과 피로가 발생하는 증상으로 약국에 왔다. 다음 중 환자에게 권해줄 수 있는 적절한 조치는?

① 에스트로겐 함유량이 적은 피임제로 변경
② 에스트로겐 함유량이 많은 피임제로 변경
③ 프로게스테론 함유량이 적은 피임제로 변경
④ 프로게스테론 함유량이 많은 피임제로 변경
⑤ 경구 피임제 중단 권고

정답: 5. ④ 6. ①,④ 7. ③ 8. ③

9. 35세 여성 환자가 피임 목적으로 피임제를 복용하고 싶다며 약국에 왔다. 흡연자이며, 하루 15개피 미만으로 피우고 있어 경구피임제를 권고하지 않는다고 하였지만 경구피임제 복용을 지속적으로 원하였다. 다음 중 환자에게 권해줄 수 있는 가장 적절한 조치는?

① 에스트로겐 함유량이 많은 피임제로 권고
② 프로게스테론 함유량이 적은 피임제로 권고
③ 프로게스테론 함유량이 많은 피임제로 권고
④ 에스트로겐 단독 제제 권고
⑤ 프로게스틴 단독 제제 권고

10. 35세 여성 환자가 피임 목적으로 피임제를 복용하고 싶다며 약국에 왔다. 조절되지 않는 고혈압으로 혈압약을 복용중이며, 경구피임제 복용을 지속적으로 원하였다. 금기사항은 없었을 때, 다음 중 환자에게 권해줄 수 있는 가장 적절한 조치는?

① 에스트로겐 함유량이 많은 피임제로 권고
② 프로게스테론 함유량이 적은 피임제로 권고
③ 프로게스테론 함유량이 많은 피임제로 권고
④ 에스트로겐 단독 제제 권고
⑤ 프로게스틴 단독 제제 권고

11. 35세 여성 환자가 여드름 치료 목적으로 경구피임제를 복용하려고 한다. 다음 중 환자에게 가장 적절한 경구피임제는?

① Ethinyl estradiol 0.015 mg + Levonorgestrel 0.15 mg
② Ethinyl estradiol 0.02 mg + Levonorgestrel 0.15 mg
③ Ethinyl estradiol 0.02 mg + Levonorgestrel 0.15 mg
④ Ethinyl estradiol 0.03 mg + Levonorgestrel 0.15 mg
⑤ Ethinyl estradiol 0.02 mg + Drospirenone 3 mg

12. 35세 여성 환자가 피임 목적으로 피임제를 복용중이다. 경구피임제 처음 복용 시작 후 유방에 멍울이 만져지고 통증이 발생하는 증상으로 약국에 왔다. 다음 중 환자에게 권해줄 수 있는 적절한 조치는?

① 에스트로겐 함유량이 적은 피임제로 변경
② 에스트로겐 함유량이 많은 피임제로 변경
③ 프로게스테론 함유량이 적은 피임제로 변경
④ 프로게스테론 함유량이 많은 피임제로 변경
⑤ 경구 피임제 중단 권고

정답: 9. ⑤ 10. ⑤ 11. ⑤ 12. ⑤

13. 35세 여성 환자가 피임 목적으로 피임제를 복용중이다. 경구피임제 복용 시작 후 이전에 느끼지 못한 심한 복통 증상을 주소로 약국에 왔다. 다음 중 환자에게 권해줄 수 있는 적절한 조치는?

① 에스트로겐 함유량이 적은 피임제로 변경
② 에스트로겐 함유량이 많은 피임제로 변경
③ 프로게스테론 함유량이 적은 피임제로 변경
④ 프로게스테론 함유량이 많은 피임제로 변경
⑤ 경구 피임제 중단 권고

14. 35세 여성 환자가 피임 목적으로 피임제를 복용중이다. 경구피임제 복용 시작 후 이전에 느끼지 못한 심한 두통 증상을 주소로 약국에 왔다. 다음 중 환자에게 권해줄 수 있는 적절한 조치는?

① 에스트로겐 함유량이 적은 피임제로 변경
② 에스트로겐 함유량이 많은 피임제로 변경
③ 프로게스테론 함유량이 적은 피임제로 변경
④ 프로게스테론 함유량이 많은 피임제로 변경
⑤ 경구 피임제 중단 권고

15. 35세 여성 환자가 피임 목적으로 피임제를 복용중이다. 경구피임제 복용 시작 후 갑자기 눈이 침침해지는 등 이전에 느끼지 못한 시야 장애를 주소로 약국에 왔다. 다음 중 환자에게 권해줄 수 있는 적절한 조치는?

① 에스트로겐 함유량이 적은 피임제로 변경
② 에스트로겐 함유량이 많은 피임제로 변경
③ 프로게스테론 함유량이 적은 피임제로 변경
④ 프로게스테론 함유량이 많은 피임제로 변경
⑤ 경구 피임제 중단 권고

16. 35세 여성 환자가 피임 목적으로 피임제를 복용중이다. 경구피임제 복용 시작 이전에 느끼지 못한 한쪽 다리의 통증 및 열감을 주소로 약국에 왔다. 다음 중 환자에게 권해줄 수 있는 적절한 조치는?

① 에스트로겐 함유량이 적은 피임제로 변경
② 에스트로겐 함유량이 많은 피임제로 변경
③ 프로게스테론 함유량이 적은 피임제로 변경
④ 프로게스테론 함유량이 많은 피임제로 변경
⑤ 경구 피임제 중단 권고

정답: 13. ⑤ 14. ⑤ 15. ⑤ 16. ⑤

17. 35세 여성이 경구피임제 복용을 위해 약국에 방문하였다. 다음 중 이 약을 사용할 수 없는 금기사항으로 적절하지 않은 것은?

① 35세 이상 1일 15개피 이상 흡연
② 혈압 160/100 mmHg 이상
③ 뇌졸중 혹은 허혈성심잘질환 병력
④ 출산 후 21일 미만
⑤ 유방암 가족력

18. 32세 여성이 피임 상담을 위해 내원하였다. 골연화증의 병력이 있고, 출산한지 20일 경과한 상태였다. 1년 이내 가족계획이 있다고 했을 때, 환자에게 가장 적절한 피임법은?

① 복합호르몬 피임약 (CBC)
② 프로게스틴 단일 경구 피임약 (POC)
③ DMPA (Depo-Medroxyprogesterone Acetate)
④ 레보노게스트렐 자궁내장치 (LNG-IUD)
⑤ 구리 자궁내장치 (Cu-IUD)

19. 32세 여성이 피임 상담을 위해 내원하였다. 평소에 월경량이 많아 불편하다고 하였고, 골연화증의 병력이 있었다. 출산한지 3주 경과한 상태였다. 3년 이내 가족계획이 없어 장기간 피임을 원한다고 했을 때, 환자에게 가장 적절한 피임법은?

① 복합호르몬 피임약 (CBC)
② 프로게스틴 단일 경구 피임약 (POC)
③ DMPA (Depo-Medroxyprogesterone Acetate)
④ 레보노게스트렐 자궁내장치 (LNG-IUD)
⑤ 구리 자궁내장치 (Cu-IUD)

20. 32세 여성이 피임 상담을 위해 내원하였다. 평소에 월경량이 많아 불편하다고 하였고, 골연화증의 병력이 있었다. 이전에 자궁외임신 (ectopic pregnancy)로 난관절제술을 받은 이력이 있을 때, 환자에게 가장 적절한 피임법은?

① 경구 피임제
② 울리프리스탈 (Ulipristal acetate)
③ DMPA (Depo-Medroxyprogesterone Acetate)
④ 레보노게스트렐 자궁내장치 (LNG-IUD)
⑤ 구리 자궁내장치 (Cu-IUD)

정답: 17. ⑤ 18. ② 19. ④ 20. ①

21. 32세 여성이 응급피임약 복용 상담을 위해 내원하였다. 다음 중 레보노게스트렐(Levonorgestrel) 1.5 mg의 용법으로 적절한 것은?

① 관계 후 가능한 12시간 이내, 늦어도 48시간 이내 복용
② 관계 후 가능한 12시간 이내, 늦어도 72시간 이내 복용
③ 관계 후 가능한 24시간 이내, 늦어도 48시간 이내 복용
④ 관계 후 가능한 24시간 이내, 늦어도 72시간 이내 복용
⑤ 관계 후 가능한 12시간 이내, 늦어도 120시간 이내 복용

22. 32세 여성이 경구피임제 복용을 잊어버려 약국에 문의하였다. 약사가 생각나는 즉시 1정 복용하고, 정해진 시간에 다음 정제를 복용하고 7일 간 보조 피임법을 사용하라고 복약상담 하였다. 다음 중 환자의 상황으로 가장 적절한 것은?

① 복용 잊은 지 12시간 이내, 복용 1주차
② 복용 잊은 지 12시간 이내, 복용 2주차
③ 복용 잊은 지 12시간 경과, 복용 1주차
④ 복용 잊은 지 12시간 경과, 복용 2주차
⑤ 복용 잊은 지 12시간 경과, 복용 3주차

23. 32세 여성이 경구피임제 복용을 잊어버려 약국에 문의하였다. 약사가 생각나는 즉시 1정 복용하고, 정해진 시간에 다음 정제를 복용하는 방법으로 현재 포장 계속 복용 후 휴약 기간 없이 새 포장으로 복용하라고 복약상담 하였다. 다음 중 환자의 상황으로 가장 적절한 것은?

① 복용 잊은 지 12시간 이내, 복용 1주차
② 복용 잊은 지 12시간 이내, 복용 2주차
③ 복용 잊은 지 12시간 경과, 복용 1주차
④ 복용 잊은 지 12시간 경과, 복용 2주차
⑤ 복용 잊은 지 12시간 경과, 복용 3주차

정답: 21. ② 22. ③ 23. ⑤

09 산부인과질환 51. 폐경기 호르몬요법

1. 55세 여성이 최근 성교시 통증을 주소로 내원하였다. 냄새나는 질분비물 등은 없었으며, 이외 다른 특별한 증상은 없었고, 소변 및 기타 검사는 정상이었다. 다음 중 가장 적절한 조치는?

① 질 윤활제 적용
② 국소 에스트로겐 적용
③ 경구 에스트로겐+프로게스테론
④ 티볼론 (Tibolone)
⑤ 둘록세틴 (Duloxetine)

2. 55세 여성이 최근 소변을 자주보고 질 입구가 가려운 증상을 주소로 내원하였다. 냄새나는 질분비물 등은 없었으며, 6개월 전부터 성교통도 있었다. 이외 다른 특별한 증상은 없었고, 소변 및 기타 검사는 정상이었다. 다음 중 가장 적절한 조치는?

① 국소 에스트로겐 적용
② 경구 에스트로겐+프로게스테론
③ 티볼론 (Tibolone)
④ 둘록세틴 (Duloxetine)
⑤ 클로니딘 (Clonidine)

3. 55세 여성이 최근 안면 홍조 증상과 밤에 땀이 많이 나는 증상을 주소로 내원하였다. 뜨겁고 매운 음식, 술, 카페인 음료를 피하는 등 비약물요법을 시행했지만 증상이 충분히 조절되지 않았다. 1년 전부터 월경을 하지 않았고, 병력이 다음과 같을 때 다음 중 환자에게 필요한 조치로 가장 적절한 것은?

[병력] 유방암
[검사 결과] 골반 초음파검사(자궁 및 난소): 정상

① 질 윤활제 적용
② 국소 에스트로겐 적용
③ 둘록세틴 (Duloxetine)
④ 경구 에스트로겐+프로게스테론
⑤ 경구 에스트로겐

4. 55세 여성이 최근 안면 홍조 증상과 밤에 땀이 많이 나는 증상을 주소로 내원하였다. 뜨겁고 매운 음식, 술, 카페인 음료를 피하는 등 비약물요법을 시행했지만 증상이 충분히 조절되지 않았다. 1년 전부터 월경을 하지 않았고, 병력이 다음과 같을 때 다음 중 환자에게 필요한 조치로 가장 적절한 것은?
[병력] 자궁내막암
[검사 결과] 골반 초음파검사(자궁 및 난소): 정상

① 질 윤활제 적용
② 국소 에스트로겐 적용
③ 가바펜틴 (Gabapentin)
④ 경구 에스트로겐+프로게스테론
⑤ 경구 에스트로겐

정답: 1. ① 2. ① 3. ③ 4. ③

5. 55세 여성이 최근 안면 홍조 증상과 밤에 땀이 많이 나는 증상을 주소로 내원하였다. 뜨겁고 매운 음식, 술, 카페인 음료를 피하는 등 비약물요법을 시행했지만 증상이 충분히 조절되지 않았다. 1년 전부터 월경을 하지 않았고, 병력이 다음과 같을 때 다음 중 환자에게 필요한 조치로 가장 적절한 것은?

[병력] 급성관상동맥증후군 (ACS)
[검사 결과] 골반 초음파검사(자궁 및 난소): 정상

① 질 윤활제 적용
② 국소 에스트로겐 적용
③ 플루옥세틴 (Fluoxetine)
④ 경구 에스트로겐+프로게스테론
⑤ 경구 에스트로겐

6. 55세 여성이 최근 안면 홍조 증상과 밤에 땀이 많이 나는 증상을 주소로 내원하였다. 뜨겁고 매운 음식, 술, 카페인 음료를 피하는 등 비약물요법을 시행했지만 증상이 충분히 조절되지 않았다. 1년 전부터 월경을 하지 않았고, 병력이 다음과 같을 때 다음 중 환자에게 필요한 조치로 가장 적절한 것은?

[병력] 뇌졸중
[검사 결과] 골반 초음파검사(자궁 및 난소): 정상

① 질 윤활제 적용
② 국소 에스트로겐 적용
③ 파록세틴 (Paroxetine)
④ 경구 에스트로겐+프로게스테론
⑤ 경구 에스트로겐

7. 55세 여성이 최근 안면 홍조 증상과 밤에 땀이 많이 나는 증상을 주소로 내원하였다. 뜨겁고 매운 음식, 술, 카페인 음료를 피하는 등 비약물요법을 시행했지만 증상이 충분히 조절되지 않았다. 1년 전부터 월경을 하지 않았고, 병력이 다음과 같을 때 다음 중 환자에게 필요한 조치로 가장 적절한 것은?

[병력] 정맥혈전색전증
[검사 결과] 골반 초음파검사(자궁 및 난소): 정상

① 질 윤활제 적용
② 국소 에스트로겐 적용
③ 벤라팍신 (Venlafaxine)
④ 경구 에스트로겐+프로게스테론
⑤ 경구 에스트로겐

8. 55세 여성이 최근 안면 홍조 증상과 밤에 땀이 많이 나는 증상을 주소로 내원하였다. 뜨겁고 매운 음식, 술, 카페인 음료를 피하는 등 비약물요법을 시행했지만 증상이 충분히 조절되지 않았다. 1년 전부터 월경을 하지 않았고, 검사 결과가 다음과 같다. 다음 중 환자에게 필요한 조치로 가장 적절한 것은?

[검사 결과] 골반 초음파검사(자궁 및 난소): 정상

① 질 윤활제 적용
② 국소 에스트로겐 적용
③ 벤라팍신 (Venlafaxine)
④ 경구 에스트로겐+프로게스테론
⑤ 경구 에스트로겐

정답: 5. ③ 6. ③ 7. ③ 8. ④

9. 55세 여성이 최근 안면 홍조 증상과 밤에 땀이 많이 나는 증상을 주소로 내원하였다. 뜨겁고 매운 음식, 술, 카페인 음료를 피하는 등 비약물요법을 시행했지만 증상이 충분히 조절되지 않았다. 1년 전부터 월경을 하지 않았고, 검사 결과가 다음과 같다. 다음 중 환자에게 필요한 조치로 가장 적절한 것은?

[병력] 자궁적출술

① 질 윤활제 적용
② 국소 에스트로겐 적용
③ 벤라팍신 (Venlafaxine)
④ 경구 에스트로겐+프로게스테론
⑤ 경구 에스트로겐

10. 65세 여성이 안면 홍조 증상으로 호르몬 요법 치료를 5년간 받았다. 안면 홍조와 같은 혈관 운동 증상이 호전되어 약물을 6주 전 중단하였고, 오늘 내원 시에도 혈관 운동 증상은 없다고 하였다. 다음 중 환자에게 필요한 가장 적절한 조치는?

① 호르몬 요법 중단 유지
② 혈관 운동 증상 재발 억제를 위한 호르몬 요법 재개
③ 골다공증 위험 감소를 위한 저용량 호르몬 요법 재개
④ 둘록세틴 (Duloxetine)으로 변경
⑤ 클로니딘 (Clonidine)으로 변경

정답: 9. ⑤ 10. ①

10 소화기/신장 마이너 질환

[1-2]
1. 50세 남성이 알코올성 간질환으로 인한 간경변증으로 내원하였다. 위식도내시경에서 큰 위식도정맥류가 관찰되었다. 정맥류 출혈 예방을 위한 적절한 조치는?

① 아테놀롤 (Atenolol) 50mg 하루 1회
② 메토프롤롤 (Metoprolol) 25mg 하루 2회
③ 프로프라놀롤 (Propranolol) 20mg 하루 2회
④ 나도롤 (Nadolol) 80mg 하루 1회
⑤ 카르베디롤 (Carvedilol) 6.25mg 하루 2회

2. 1번 환자가 2개월 후 검사를 위해 내원하였다. 기타 특별한 이상반응 등은 없었고 검사 결과가 다음과 같을 때, 환자에게 필요한 가장 적절한 조치는?

[투여약물] 프로프라놀롤 (Propranolol) 20mg 하루 2회
[검사결과]
혈압 135/85 mmHg 심박수 80 mmHg

① 나도롤 (Nadolol) 20mg 하루 1회로 변경
② 카르베디롤 (Carvedilol) 3.125mg 하루 2회로 변경
③ 프로프라놀롤 (Propranolol) 30mg 하루 2회로 증량
④ 내시경 정맥류 결찰술 (EVL) 시행
⑤ 현재 치료 유지 후 2개월 후 재평가

[3-4]
3. 간경화증이 있는 65세 남성이 응급실에 내원하였다. 최근 지속적인 흑색 변을 보았고, 내원 직전 토혈이 있었다. 위식도내시경에서 식도정맥류 출혈이 발견되었을 때, 다음 중 환자의 식도정맥류 출혈을 막기 위해 사용할 수 있는 적절한 약물은?

① 털리프레신 (Terlipressin)
② 프로프라놀롤 (Propranolol)
③ 이소소비드 모노니트레이트 (Isosorbide mononitrate)
④ 알부민 (Albumin)
⑤ 톨밥탄 (Tolvaptan)

4. 3번 문제의 환자가 Child-Pugh class C로 분류되었을 때, 자발적 세균성 복막염의 일차 예방을 위해 사용할 수 있는 항생제 중 가장 적절한 것은?

① 노르플록사신 (Norfloxacin)
② 시프로플록사신 (Ciprofloxacin)
③ 설파메톡사졸/트리메토프림 (SMX/TMP)
④ 세포탁심 (Cefotaxime)
⑤ 세프트리악손 (Ceftriaxone)

정답: 1. ③ 2. ③ 3. ① 4. ⑤

52. 간경화증과 합병증

5. 간경화증이 있는 50세 여성이 응급실에 내원하였다. 최근 수면패턴의 변화, 지남력 상실, 기면 등의 증상이 나타났고, 기타 두경부 CT 검사 및 활력 징후 검사 결과는 정상이었다. 증상 완화를 위한 가장 적절한 치료는?

① 플루마제닐 (Flumazenil)
② 락툴로오스 (Lactulose)
③ 리팍시민 (Rifaximin)
④ 단백질 섭취 제한
⑤ 네오마이신 (Neomycin)

6. 간경화증이 있는 50세 여성이 응급실에 내원하였다. 기존에 간성뇌증 증상 조절을 위해 락툴로오스 (Lactulose)를 복용중이였다. 최근 수면패턴의 변화, 지남력 상실, 기면 등의 증상이 나타났고, 기타 두경부 CT 검사 및 활력 징후 검사 결과는 정상이었다. 증상 완화를 위한 가장 적절한 치료는?

[병력] 결핵
[알러지력] 리팜핀(Rifampin) (리파마이신 유도체) 알러지

① 플루마제닐 (Flumazenil)
② 리팍시민 (Rifaximin)
③ 단백질 섭취 제한
④ 네오마이신 (Neomycin)
⑤ 퓨로세미드 (Furosemide) 투여

7. 50세 여성이 응급실에 내원하였다. 최근 수면패턴의 변화, 지남력 상실, 기면 등의 증상이 나타났고, 기타 두경부 CT 검사 및 활력 징후 검사 결과는 정상이었다. 가족을 통해 병력을 청취한 결과 최근 불면증이 생겨 클로나제팜 (Clonazepam) 복용을 시작했다고 하였다. 다음 중 증상 완화를 위한 가장 적절한 치료는?

① 플루마제닐 (Flumazenil)
② 락툴로오스 (Lactulose)
③ 리팍시민 (Rifaximin)
④ 단백질 섭취 제한
⑤ 네오마이신 (Neomycin)

8. 간경화증이 있는 50세 여성이 응급실에 내원하였다. 기존에 간성뇌증 증상 조절을 위해 락툴로오스 (Lactulose)를 복용중이였다. 최근 설사를 자주 하였고 수면패턴의 변화, 지남력 상실, 기면 등의 증상이 나타났고, 기타 두경부 CT 검사 및 활력 징후 검사 결과는 정상이었다. 증상 완화를 위한 가장 적절한 치료는?

[병력] 만성콩팥병, 고혈압
[투여약물] 퓨로세미드 (Furosemide)
[검사 결과] Na+ 130 mEq/L
K+ 3.0 mEq/L

① 퓨로세미드 (Furosemide) 용량 증량
② 퓨로세미드 (Furosemide) 용량 감량/중단
③ 락툴로오스 (Lactulose) 용량 증량
④ 리팍시민 (Rifaxmin) 추가
⑤ 네오마이신 (Neomycin) 추가

정답: 5. ② 6. ④ 7. ① 8. ②

9. 50세 남성이 새롭게 발생된 복통과 호흡곤란, 복부팽만 주소로 내원하였다. 압통과 반발통은 없고, 3년 전 자가면역성 간염에 의한 간경화 진단을 받았다. 새롭게 발생한 복수를 치료하기 위해 가장 적절한 것은?

① Spironolactone 400mg/일 + Furosemide 160mg/일 경구
② Spironolactone 200mg/일 경구
③ Furosemide 40mg/일 경구
④ Spironolactone 100mg/일 + Furosemide 40mg/일 경구
⑤ Spironolactone 40mg/일 + Furosemide 100mg/일 경구

10. 만성적 음주, C형 간염 이력이 있는 50세 남성이 경미한 지남력 상실로 내원하였다. 검사 결과 복수가 증가된 간경변증으로 진단되었다. 다음과 같을 때, 이 환자에게 사용할 수 있는 적절한 이뇨제는?

[검사 결과] K 2.7 mEq/L

① 메토라존 (Metolazone)
② 퓨로세미드 (Furosemide)
③ 하이드로클로로티아지드 (HCTZ)
④ 스피로노락톤 (Spironolactone)
⑤ 인다파미드 (Indapamide)

11. 50세 남성이 2일 전부터 숨이 차고 배가 불러서 내원하였다. 5년 전 알코올성 간질환으로 인한 간경화증으로 진단받았으며, 검사 결과가 다음과 같을 때 다음 중 적절한 치료가 아닌 것은?

[검사 결과]
AST 40 IU/L, ALT 40 IU/L
Na 119 mEq/L

① 이뇨제 증량
② 이뇨제 중단
③ 단기간 고장성 나트륨 (Hypertonic Saline) 정맥주입
④ 알부민 투여
⑤ 수분 섭취 제한

12. 50세 남성이 열, 복통을 주소로 응급실로 내원하였다. 5년 전 알코올성 간질환으로 인한 간경화증으로 진단받았으며, 이전에 자발성 세균성 복막염의 병력이 있었다. 검사 결과가 다음과 같을 때, 치료 후 재발 예방을 위해 사용할 수 있는 약물은?

[검사 결과]
복수: 백혈구 1,100/mm^3 (호중구 25%)

① 노르플록사신 (Norfloxacin)
② 목시플록사신 (Moxifloxacin)
③ 오플록사신 (Ofloxacin)
④ 아목시실린/클라불란산 (AMX/CLV)
⑤ 세포탁심 (Cefotaxime)

정답: 9. ④ 10. ④ 11. ① 12. ①

[13-14]
13. 50세 남성이 열, 복통, 구토를 주소로 응급실로 내원하였다. 5년 전 알코올성 간질환으로 인한 간경화증으로 진단받았으며, 복수천자 시행 결과 다형핵호중구(PMN)이 250/mm^3 이상으로 자발성 세균성 복막염으로 진단되었다.
다음 중 가장 적절한 경험적 항생제(요법)는? (제형 고려, 국내)

① 노르플록사신 (Norfloxacin)
② 목시플록사신 (Moxifloxacin)
③ 오플록사신 (Ofloxacin)
④ 아목시실린/클라불란산 (AMX/CLV)
⑤ 세포탁심 (Cefotaxime)

14. 13번 문제 환자의 검사 결과가 다음과 같다. 추가적으로 사용했을 때 신손상을 예방하고 사망률을 감소시킬 수 있는 약물은?

[검사 결과]
혈청 크레아티닌 1.1 mg/dL
총 빌리루빈 4.1 mg/dL

① 알부민 (Albumin)
② alpha-1 acid glycoprotein
③ 베타차단제 (Beta blocker)
④ 양성자 펌프 억제제 (PPI)
⑤ 스피로노락톤 (Spironolactone)

15. 65세 간경화 병력이 있는 남성이 심한 복수로 인해 대량 (10L 가량)의 복수천자를 시행 받았다. 다음 중 간신증후군 (Hepatorenal Syndrome) 예방을 위해 함께 투여해야 하는 약물로 가장 적절한 것은?

① 0.9% 생리식염수
② 퓨로세미드 (Furosemide)
③ 프로프라놀롤 (Propranolol)
④ 알부민 (Albumin)
⑤ alpha-1 acid glycoprotein

정답: 13. ⑤ 14. ① 15. ④

1. 50세 남성이 최근 쉽게 피로감을 느끼고, 식욕 저하로 내원하였다. 만성 B형 간염 진단을 받아 3년 전부터 관찰중이다. 검사 결과가 다음과 같을 때 적절한 치료 약물은?

[병력] 골다공증
[검사 결과]
ALT 110 IU/L AST 110 IU/L T.bil 2.0 mg/dL
HBV DNA 20,000 IU/mL HbeAg(+)
[투여 약물] 칼슘, 비타민D, 알렌드론산 (Alendronate)

① 엔테카비어 (Entecavir)
② 테노포비어 (Tenofovir)
③ 아데포비어 (Adefovir)
④ 텔비부딘 (Telbivudine)
⑤ 클레부딘 (Clevudine)

2. 50세 여성의 투여약물과 검사 결과가 다음과 같을 때 적절한 조치는?

[병력] 만성 B형 간염
[투여약물] 라미부딘 (Lamivudine) 100mg 1일 1회
[검사 결과]
HBsAg (+), anti-HBc (+), anti-HBs (-)
HBV DNA 300,000 IU/mL
AST 110 IU/L ALT 100 IU/L

① 테노포비어 (Tenofovir) 300mg/일로 변경
② 엔테카비어 (Entecavir) 0.5mg/일로 변경
③ 텔비부딘 (Telbivudine) 600mg/일로 변경
④ 아데포비어 (Adefovir) 10mg/일로 변경
⑤ 라미부딘 (Lamivudine) 150mg 1일 1회로 증량

3. 50세 남성이 최근 쉽게 피로감을 느끼고, 식욕 저하로 내원하였다. 만성 B형 간염 진단을 받아 3년 전부터 관찰중이다. 현재 복용중인 약제는 없으며, 검사 결과가 다음과 같을 때 적절한 치료 약물은?

[검사 결과]
ALT 110 IU/L AST 110 IU/L T.bil 2.0 mg/dL
HBV DNA 20,000 IU/mL HbeAg(+)

① 아데포비어 (Adefovir)
② 라미부딘 (Lamivudine)
③ 테노포비어 (Tenofovir)
④ 텔비부딘 (Telbivudine)
⑤ 클레부딘 (Clevudine)

4. 32세 임산부 여성이 최근 쉽게 피로감을 느끼고, 식욕 저하로 내원하였다. 만성 B형 간염 진단을 받아 3년 전부터 관찰중이다. 현재 복용중인 약제는 없으며, 검사 결과가 다음과 같을 때 첫 번째로 사용할 수 있는 적절한 치료 약물은?

[검사 결과]
ALT 110 IU/L AST 110 IU/L T.bil 2.0 mg/dL
HBV DNA 20,000 IU/mL HbeAg(+)

① 엔테카비어 (Entecavir)
② 테노포비어 (Tenofovir)
③ 아데포비어 (Adefovir)
④ 텔비부딘 (Telbivudine)
⑤ 클레부딘 (Clevudine)

정답: 1. ① 2. ① 3. ③ 4. ②

5. 32세 남성이 만성 B형 간염으로 라미부딘(Lamivudine)을 복용중이다. 이틀 전부터 등, 가슴 부위의 방사통을 동반한 심한 복통을 주소로 내원하였다. 오심, 구토 및 미열을 동반하였으며 복통은 누우면 심해지고 상체를 구부리거나 무릎을 굽히면 경감되었다. 환자에게 모니터링이 필요한 검사항목은?

① 크레아틴 키나아제 (Creatine Kinase)
② 아밀라아제 (Amylase)
③ 골밀도 수치
④ 젖산 수치
⑤ 요단백

6. 32세 남성이 오심, 구토, 전신무력감, 복부팽만, 호흡이 빨라지는 증상을 주소로 내원하였다. 병력과 검사 결과가 다음과 같을 때 현재 이 환자에서 추가적으로 필요한 검사 항목으로 가장 적절한 것은?

[병력] 만성 B형 간염
[투여약물] 테노포비어
(Tenofovir disoproxil)
[검사 결과]
혈액: pH 7.25 HCO3- 15 mEq/L

① 크레아틴 키나아제 (Creatine Kinase)
② 아밀라아제 (Amylase)
③ 골밀도 수치
④ 젖산 수치
⑤ 요단백

7. 50세 남성이 갑자기 발생한 근육통으로 내원하였다. 기타 감염이나 전해질 수치, 갑상선 기능 검사 등은 정상이었을 때, 추가적으로 필요한 검사 항목으로 적절한 것은?

[병력] 이상지질혈증, 만성 B형 간염
[검사 결과]
ALT 110 IU/L AST 110 IU/L T.bil 2.0 mg/dL
HBV DNA 20,000 IU/mL HbeAg(+)
[투여 약물] 심바스타틴 (Simvastatin)
텔비부딘 (Telbivudine)

① 전혈구 검사
② 신기능 검사
③ 갑상선 기능 검사
④ 크레아틴키나아제 (CK) 검사
⑤ 중성지방 검사

8. B형 간염 감염원에 노출된 사람의 검사 결과가 다음과 같을 때, 다음 중 가장 적절한 조치는?

[검사 결과]
Anti-HBs (+)
HBsAg (+)
백신접종력: 미상

① 조치 필요 없음
② 엔테카비어 (Entecavir) 투여
③ HBIG (면역글로불린) 투여
④ 백신 접종 3회
⑤ HBIG (면역글로불린) 투여 + 백신접종

정답: 5. ② 6. ④ 7. ④ 8. ①

9. B형 간염 감염원에 노출된 사람의 검사결과가 다음과 같을 때, 다음 중 가장 적절한 조치는?

[검사 결과]
Anti-HBs (-)
HBsAg (-)
백신접종력: (+)

① 조치 필요 없음
② 엔테카비어 (Entecavir) 투여
③ HBIG (면역글로불린) 투여
④ 백신 접종 3회
⑤ HBIG (면역글로불린) 투여 + 백신접종

10. B형 간염 감염원에 노출된 사람의 검사결과가 다음과 같을 때, 다음 중 가장 적절한 조치는?

[검사 결과]
Anti-HBs (-)
HBsAg 미상
백신접종력: (-)

① 조치 필요 없음
② 엔테카비어 (Entecavir) 투여
③ HBIG (면역글로불린) 투여
④ 백신 접종 3회
⑤ HBIG (면역글로불린) 투여 + 백신접종

11. B형 간염 감염원에 노출된 사람의 검사결과가 다음과 같을 때, 다음 중 가장 적절한 조치는?

[검사 결과]
Anti-HBs (-)
HBsAg (+)
백신접종력: (+)

① 조치 필요 없음
② 엔테카비어 (Entecavir) 투여
③ HBIG (면역글로불린) 투여
④ 백신 접종 3회
⑤ HBIG (면역글로불린) 투여 + 백신 접종 3회

12. 다음 중 B형 바이러스간염 치료를 위해 복용하는 약물 중 공복에 복용해야 하는 약물로 적절한 것은?

① 엔테카비어 (Entecavir)
② 테노포비어 (Tenofovir)
③ 아데포비어 (Adefovir)
④ 텔비부딘 (Telbivudine)
⑤ 클레부딘 (Clevudine)

정답: 9. ① 10. ④ 11. ⑤ 12. ①

13. C형 바이러스간염 환자의 치료 효과 평가를 계획중이다. 약물치료 시작 후 HCV 정량검사를 통한 효과 평가 시점으로 가장 적절한 것은?

① 4주
② 8주
③ 12주
④ 24주
⑤ 36주

14. C형 간염 환자의 지속적 바이러스 반응(SVR)을 확인하기 위한 HCV RNA 검사를 하려 한다. 바이러스의 완전한 제거 평가를 위하여 약물치료를 마친 후 최소 몇 주 이상 경과한 시점에서 평가해야 하는가?

① 4주
② 8주
③ 12주
④ 24주
⑤ 36주

15. 50세 남성이 최근 쉽게 피로감을 느끼고, 식욕이 떨어지는 증상으로 내원하였다. 검사 결과, 만성 C형 간염으로 진단되었다. 바이러스 유전자형 검사 결과가 나오기 전 약물치료를 시작하고자 할 때, 다음 중 유전자형과 관계없이 모든 유전자형에 사용할 수 있는 약물 요법으로 가장 적절한 것은? (2가지)

① 글레카프레비어 (Glecaprvir) + 피브렌타스비어 (Pibrentasvir)
② 소포스부비어 (Sofosbuvir) + 벨파타스비어 (Velpatasvir)
③ 엘바스비어 (Elbasvir) + 그라조프레비어 (Grazoprevir)
④ 소포스부비어 (Sofosbuvir) + 리바비린 (Ribavirin)
⑤ 레디파스비어 (Ledipasvir) + 소포스부비어 (Sofosbuvir)

16. 50세 남성이 최근 쉽게 피로감을 느끼고, 식욕이 떨어지는 증상으로 내원하였다. 검사 결과, 비대상성 간경화증 및 C형 간염으로 진단되었다. 다음 중 환자에게 사용할 수 있는 약물요법으로 가장 적절한 것은?

① 글레카프레비어 (Glecaprvir) + 피브렌타스비어 (Pibrentasvir)
② 소포스부비어 (Sofosbuvir) + 레디파스비어 (Ledipasvir)
③ 그라조프레비어 (Grazoprevir) + 엘바스비어 (Elbasvir)
④ 소포스부비어 (Sofosbuvir)
⑤ 복시라프레비어 (Voxilaprevir) + 벨파타스비어 (Velpatasvir) + 소포스부비어 (Sofosbuvir)

정답: 13. ① 14. ③ 15. ①,② 16. ②

17. 50세 남성이 최근 쉽게 피로감을 느끼고, 식욕이 떨어지는 증상으로 내원하였다. 검사 결과, 비대상성 간경화증 및 C형 간염으로 진단되었다. 다음 중 환자에게 사용할 수 있는 약물요법으로 가장 적절한 것은?

① 글레카프레비어 (Glecaprvir) + 피브렌타스비어 (Pibrentasvir)
② 복시라프레비어 (Voxilaprevir) + 벨파타스비어 (Velpatasvir) + 소포스부비어 (Sofosbuvir)
③ 그라조프레비어 (Grazoprevir) + 엘바스비어 (Elbasvir)
④ 소포스부비어 (Sofosbuvir)
⑤ 소포스부비어 (Sofosbuvir) + 벨파타스비어 (Velpatasvir)

18. 다음 중 만성 C형 간염 치료 도중과 치료 후 6개월까지 임신이 가능한 여성과 그 배우자에게 피임을 하도록 복약상담이 반드시 필요한 경우는?

① 레디파스비어 (Ledipasvir) + 소포스부비어 (Sofosbuvir)
② 엘바스비어 (Elbasvir) + 그라조프레비어 (Grazoprevir)
③ 글레카프레비어 (Glecaprvir) + 피브렌타스비어 (Pibrentasvir)
④ 소포스부비어 (Sofosbuvir) + 리바비린 (Ribavirin)
⑤ 소포스부비어 (Sofosbovir) + 벨파타스비어 (Velpatasvir)

19. 다음 중 만성 C형 간염 치료를 위해 식사와 함께 투여해야하는 약물은? (2가지)

① 글레카프레비어 (Glecaprvir) + 피브렌타스비어 (Pibrentasvir)
② 소포스부비어 (Sofosbuvir) + 레디파스비어 (Ledipasvir)
③ 그라조프레비어 (Grazoprevir) + 엘바스비어 (Elbasvir)
④ 소포스부비어 (Sofosbuvir)
⑤ 복시라프레비어 (Voxilaprevir) + 벨파타스비어 (Velpatasvir) + 소포스부비어 (Sofosbuvir)

20. 50세 남성이 최근 쉽게 피로감을 느끼고, 식욕이 떨어지는 증상으로 내원하였다. 검사 결과, 만성 C형 간염으로 진단되었다. 바이러스 유전자형 검사 결과 2형으로 나왔을 때, 다음 중 환자에게 사용할 수 있는 약물이 아닌 것은? (2가지)

① 글레카프레비어 (Glecaprvir) + 피브렌타스비어 (Pibrentasvir)
② 소포스부비어 (Sofosbuvir) + 벨파타스비어 (Velpatasvir)
③ 소포스부비어 (Sofosbuvir) + 리바비린 (Ribavirin)
④ 엘바스비어 (Elbasvir) + 그라조프레비어 (Grazoprevir)
⑤ 레디파스비어 (Ledipasvir) + 소포스부비어 (Sofosbuvir)

정답: 17. ⑤ 18. ④ 19. ①,⑤ 20. ④,⑤

21. 50세 남성이 최근 쉽게 피로감을 느끼고, 식욕이 떨어지는 증상으로 내원하였다. 검사 결과, 만성 C형 간염으로 진단되었다. 이전에 치료한 이력이 없고, 바이러스 유전자형 검사 결과 3형으로 나왔을 때, 다음 중 환자에게 사용할 수 있는 약물로 적절한 것은? (2가지)

① 글레카프레비어 (Glecaprvir) + 피브렌타스비어 (Pibrentasvir)
② 소포스부비어 (Sofosbuvir) + 벨파타스비어 (Velpatasvir)
③ 엘바스비어 (Elbasvir) + 그라조프레비어 (Grazoprevir)
④ 소포스부비어 (Sofosbuvir) + 리바비린 (Ribavirin)
⑤ 레디파스비어 (Ledipasvir) + 소포스부비어 (Sofosbuvir)

정답: 21. ①,②

10 신장 마이너 54. 산염기장애

1. 고혈압, 당뇨병, 고지혈증 병력을 가진 65세 남성이 운동 시 호흡곤란 증상이 심해지는 증상을 주소로 내원하였다. 2주 전 심부전 진단을 받아 기존 복용하던 Furosemide 용량을 증량하였다. 오늘 측정한 검사 결과가 다음과 같을 때, 이 환자에게서 보일 수 있는 산-염기 이상은?

[검사 결과]

K 3.4 mEq/L (혈중) Cl- 9 mEq/L (뇨중)

① pH 7.35 PCO2 45 mmHg
HCO3- 22 mEq/L

② pH 7.45 PCO2 35 mmhg
HCO3- 26 mEq/L

③ pH 7.3 PCO2 30 mmHg
HCO3- 16 mEq/L

④ pH 7.5 PCO2 48 mmHg
HCO3- 34 mEq/L

⑤ pH 7.5 PCO2 28 mmHg
HCO3- 28mEq/L

2. 32세 여성이 2주 전부터 시작된 근경련과 지속적인 피로감을 주소로 내원하였다. 변비 증상도 함께 있었으며 Bartter's 증후군으로 진단되었다. 검사 결과가 다음과 같을 때, 환자의 대사성 알칼리증 치료를 위해 필요한 가장 적절한 약물은?

[검사 결과]

혈압 90/60 mmHg
혈액: K 2.8 mEq/L HCO3- 25 mEq/L
혈장레닌활성 10 ng/mL/시간 (참고치, 0.68~1.36)
소변: K 16 mEq/L

① 퓨로세미드 (Furosemide)
② 하이드로클로로티아지드 (HCTZ)
③ 스피로노락톤 (Spironolactone)
④ 0.9% 생리식염수
⑤ 아세타졸아미드 (Acetazolamide)

정답: 1. ④ 2. ③

55. 급성콩팥손상

1. 32세 남성이 이틀 전부터 소변이 거의 나오지 않는 증상을 주소로 내원하였다. 1주일 전 수술을 받은 이력이 있으며, 말초 부종은 보이지 않았다. 검사 결과가 다음과 같았고 기타 활력징후는 이상이 없었다. 가장 적절한 치료방법은?

[투여약물] 나프록센 (Naproxen), 발사르탄 (Valsartan)
[검사 결과]
소변: Na+ 10mEq/L Cr 100mg/dL 적혈구 (-) 백혈구 (-)
혈액: Na+ 135mEq/L Cr 1.35mg/dL
FENa=0.1% (계산 결과)

① 0.9% 생리식염수
② 노르에피네프린 (Norepinephrine)
③ 퓨로세미드 (Furosemide)
④ 혈액투석
⑤ 아세틸시스테인 (Acetylcysteine)

정답: 1. ①

1. 심부전, 당뇨 병력이 있는 50세 남성 환자가 구토, 소변량 감소를 주소로 내원하였다. 5일 전 혈관조영제를 이용한 컴퓨터단층촬영을 시행하였으며 복용중인 약물와 검사 결과가 다음과 같을 때, 다음 중 혈청크레아티닌 상승의 요인으로 가장 적절한 것은?

[투여약물]
Furosemide, Carvedilol, Valsartan, Glimepiride
[검사 결과]
SCr 1.2 mg/dL (5일 전)
SCr 2.5 mg/dL (당일)

① 퓨로세미드 (Furosemide)
② 카르베딜롤 (Carvedilol)
③ 발사르탄 (Valsartan)
④ 글리메피리드 (Glimepide)
⑤ 혈관조영제

2. 위 환자의 신장기능 손상을 막기 위한 가장 적절한 예방 처치는?

① 0.9% 생리식염수
② N-아세틸시스테인
③ 탄산수소나트륨
④ 아미포스틴 (Amifostine)
⑤ 프레드니솔론 (Prednisolone)

[3-4]
3. 65세 남성이 3일간 지속된 관절통, 소변이 줄어든 증상을 주소로 내원하였다. 그는 10일 전부터 부비동염으로 Amoxicillin/clavulanate를 복용하였으며, 이틀 전부터 상반신에 피부발진이 생겼다고 하였고, 요검사에서 호산구가 발견되었다. 다음 중 환자에게 우선적으로 시행해야 할 가장 적절한 조치는?

① 디펜히드라민 (Diphenhydramine) 투여
② Amoxicillin/clavulanate 중단
③ 스테로이드 정맥 주사
④ 마이코페놀레이트 (Mycophenolate) 정맥주사
⑤ 0.9% 생리식염수 투여

4. 3번 환자가 약물 투여를 중단해도 신장기능이 개선되지 않을 때, 투여를 고려할 수 있는 약물로 적절한 것은?

① 0.9% 생리식염수
② N-아세틸시스테인
③ 탄산수소나트륨
④ 아미포스틴 (Amifostine)
⑤ 프레드니솔론 (Prednisolone)

정답: 1. ⑤ 2. ① 3. ② 4. ⑤

57. 신장이식

[1-2]

1. 50세 신장이식한 남성이 내원하였다. 오늘 내원 검사 결과 혈압 155/95 mmHg로 조절되지 않아 니페디핀(Nifedipine)을 추가하기로 했을 때, 다음 중 발생할 수 있는 부작용은?

[투여약물]
사이클로스포린 (Cyclosporine)
미코페놀레이트 모페틸 (Mycophenolate mofetil)
프레드니솔론 (Prednisolone)
카르베디롤 (Carvedilol)
퓨로세미드 (Furosemide)
알로푸리놀 (Allopurinol)

① Carvedilol에 의한 맥박수 감소 악화
② Cyclosporine에 의한 치육비대 악화
③ Mycophenolate mofetil에 의한 범혈구감소증 악화
④ Furosemide에 의한 저칼륨혈증 악화
⑤ Prednisolone에 의한 대사 부작용 악화

2. 위 환자의 검사 결과 LDL-C 210 mg/dL, SCr 0.8 이 나왔을 때, 지질 강하를 위해 추가할 수 있는 가장 적절한 약물은?

① 아토르바스타틴 (Atorvastatin) 40mg
② 프라바스타틴 (Pravastatin) 40mg
③ 로수바스타틴 (Rosuvastatin) 20mg
④ 심바스타틴 (Simvastatin) 40mg
⑤ 로바스타틴 (Lovastatin) 40mg

3. 50세 신장이식을 시행받은 환자가 내원하였다. 금일 검사 결과 타크로리무스(Tacrolimus) 혈중 농도가 갑자기 상승해 있었다. 최근 새롭게 약물 치료를 시작했다고 했을 때, 다음 중 타크로리무스(Tacrolimus) 혈중 농도를 높이는 데 영향을 주었을 가능성이 있는 약물로 적절하지 않은 것은?

① 베라파밀 (Verapamil)
② 케토코나졸 (Ketoconazole)
③ 에리스로마이신 (Erythromycin)
④ 리토나비어 (Ritonavir)
⑤ 이소니아지드 (Isoniazid)

4. 50세 신장이식을 시행받은 환자가 내원하였다. 금일 검사 결과 타크로리무스(Tacrolimus) 혈중 농도가 갑자기 감소해 있었다. 최근 새롭게 약물 치료를 시작했다고 했을 때, 다음 중 타크로리무스(Tacrolimus) 혈중 농도를 낮추는 데 영향을 주었을 가능성이 있는 약물로 적절하지 않은 것은?

① 리파부틴 (Rifabutin)
② 페노바비탈 (Phenobarbital)
③ 페니토인 (Phenytoin)
④ 카바마제핀 (Carbamazepine)
⑤ 프레드니솔론 (Prednisolone)

정답: 1. ② 2. ③ 3. ⑤ 4. ⑤

11 피부/안과/영양/기타 질환

11 피부질환 58. 아토피 피부염

1. 다음 중 외용 스테로이드제의 역가가 가장 높은 기제(vehcile)은?

① 연고
② 크림
③ 로션
④ 겔
⑤ 에어로졸

2. 32세 남성이 심한 얼굴 가려움증을 주소로 내원하였다. 진물이나 감염의 흔적은 없었고 이전에 아토피피부염으로 진단받은 적이 있다고 할 때, 다음 중 환자의 가려움증 완화를 위해 사용할 수 있는 약물로 가장 적절한 것은?

① 히드로코르티손 (Hydrocortisone) 1% 로션
② 클로베타솔 (Clobetasol) 0.05% 연고
③ 베타메타손 (Betamethasone) 0.05% 연고
④ 피메크로리무스 (Pimecrolimus) 1% 크림
⑤ 사이클로스포린 (Cyclosporine) 정제

3. 32세 남성이 진물을 동반한 심한 얼굴 가려움증을 주소로 내원하였다. 감염의 흔적은 없었고 이전에 아토피피부염으로 진단받은 적이 있다고 할 때, 다음 중 환자의 가려움증 완화를 위해 사용할 수 있는 약물로 가장 적절한 것은?

① 히드로코르티손 (Hydrocortisone) 1% 로션
② 히드로코르티손 (Hydrocortisone) 1% 연고
③ 베타메타손 (Betamethasone) 0.05% 연고
④ 피메크로리무스 (Pimecrolimus) 1% 크림
⑤ 사이클로스포린 (Cyclosporine) 정제

4. 32세 남성이 팔부위 (접힘 부위 제외)의 태선화와 심한 가려움증을 주소로 내원하였다. 감염의 흔적은 없었고 이전에 아토피피부염으로 진단받은 적이 있다고 할 때, 다음 중 환자의 태선화된 환부의 단기치료를 위해 사용할 수 있는 약물로 가장 적절한 것은?

① 히드로코르티손 (Hydrocortisone) 1% 로션
② 히드로코르티손 (Hydrocortisone) 1% 연고
③ 클로베타솔 (Clobetasol) 0.05% 연고
④ 피메크로리무스 (Pimecrolimus) 1% 크림
⑤ 사이클로스포린 (Cyclosporine) 정제

정답: 1. ① 2. ① 3. ① 4. ③

58. 아토피피부염

5. 32세 남성이 심한 얼굴 가려움증과 발진을 주소로 내원하였다. 진물이나 감염의 흔적은 없었고 아토피피부염으로 외용 스테로이드를 사용하고 있었지만 바를 때만 잠시 증상이 완화되고, 일주일 후 발진이 재발하곤 하였다. 다음 중 환자에게 사용할 수 있는 약물로 가장 적절한 것은?

① 데소나이드 (Desonide) 0.05% 크림
② 피메크로리무스 (Pimecrolimus) 1% 크림
③ 사이클로스포린 (Cyclosporine) 정제
④ 아자치오프린 (Azathioprine) 정제
⑤ 프레드니솔론 (Prednisolone) 정제

6. 32세 남성이 팔과 다리의 펴는 부위의 발진과 심한 가려움을 주소로 내원하였다. 진물이나 감염의 흔적은 없었고 중증 아토피피부염으로 외용 스테로이드 및 외용 면역억제제를 사용하고 있었지만 바를 때만 잠시 증상이 완화되고, 일주일 후 재발하곤 하였다. 다음 중 환자에게 사용할 수 있는 생물학적 제제로 가장 적절한 것은?

① 아달리무맙 (Adalimumab)
② 우스테키누맙 (Ustekinumab)
③ 익세키주맙 (Ixekizumab)
④ 구셀쿠맙 (Guselkumab)
⑤ 두피루맙 (Dupilumab)

7. 32세 남성이 팔과 다리의 펴는 부위의 발진과 심한 가려움을 주소로 내원하였다. 진물이나 감염의 흔적은 없었고 중증 아토피피부염으로 외용 스테로이드 및 외용 면역억제제를 사용하고 있었지만 바를 때만 잠시 증상이 완화되고, 일주일 후 재발하곤 하였다. 다음 중 아토피피부염 치료에 허가되어 사용할 수 있는 Janus Kinase (JAK) 억제제로 가장 적절한 것은?

① 아브로시티닙 (Abrocitinib)
② 토파시티닙 (Tofacitinib)
③ 바리시티닙 (Baricitinib)
④ 페피시티닙 (Peficitinib)
⑤ 루소리티닙 (Ruxolitinib)

8. 32세 남성이 심한 팔, 다리의 가려움증을 주소로 내원하였다. 감염의 흔적은 없었고 이전에 아토피피부염으로 진단된 적이 있었다. 피부가 지성이고, 팔, 다리에 체모가 많다고 할 때, 다음 중 권장되지 않는 외용 스테로이드제의 기제(vehicle)로 가장 적절한 것은?

① 연고
② 크림
③ 로션
④ 겔
⑤ 에어로졸

정답: 5. ② 6. ⑤ 7. ① 8. ①

9. 32세 남성이 심한 팔, 다리의 가려움증을 주소로 내원하였다. 감염의 흔적은 없었고 이전에 아토피피부염으로 진단된 적이 있었다. 피부병변이 젖어 있어 피부를 건조 시킬 필요가 있다고 할 때, 다음 중 권장되는 외용 스테로이드제의 기제(vehicle)로 가장 적절한 것은? (2가지)

① 연고
② 크림
③ 로션
④ 겔
⑤ 용액

10. 32세 남성이 심한 팔, 다리의 가려움증을 주소로 내원하였다. 감염의 흔적은 없었고 이전에 아토피피부염으로 진단된 적이 있었다. 피부가 매우 건조하고 갈라져 있다고 할 때, 다음 중 권장되는 외용 스테로이드제의 기제(vehicle)로 가장 적절한 것은?

① 연고
② 크림
③ 로션
④ 겔
⑤ 용액

11. 다음 중 아토피 피부염에 대한 설명으로 적절하지 않은 것은?

① 외용 스테로이드 지속적으로 사용 시 속성 내성 현상이 발생할 수 있어 되도록 간헐적으로 사용한다.
② 보습제와 함께 사용 시 외용 스테로이드제를 먼저 도포한다.
③ 보습제 소량 바른 후 외용 Calcineurin 억제제를 도포한다.
④ 외용 면역억제제 사용 시 피부암 유발 위험성으로 자외선 차단크림을 꼼꼼히 발라줘야 한다.
⑤ 피부가 쓸리는 부위(간찰부)에는 연고형 기제가 적합하다.

정답: 9. ④,⑤ 10. ① 11. ⑤

1. 65세 남성이 최근 건선 증상의 악화로 인해 내원하였다. 오랜 기간 만성적으로 안정하게 잘 유지되고 있었고, 특이사항으로 6주 전에 추가적으로 복용을 시작한 약들이 있다고 하였다. 다음 중 건선 악화를 유발할 수 있는 약물로 가장 적절한 것은?

① 리튬 (Lithium)
② 비소프롤롤 (Bisoprolol)
③ 나프록센 (Naproxen)
④ 에날라프릴 (Enalapril)
⑤ 모두

2. 32세 남성이 팔꿈치 부위의 은백색의 인설을 주소로 내원하였다. 팔꿈치 이외에 무릎, 엉덩이, 머리에서도 병변이 동반되었고, 인설을 제거했을 때 점상출혈이 생겼다. 병변이 체표면적 4%로 경증 판상 건선으로 진단되었을 때, 다음 중 환자에게 가장 먼저 권고할 수 있는 약물로 가장 적절한 것은?

① 국소 클로베타솔 프로피오네이트 (Clobetasol propionate) 0.05%
② 국소 칼시포트리올 (Calcipotriol)
③ 국소 타크로리무스 (Tacrolimus)
④ 경구 메토트렉세이트 (Methotrexate)
⑤ 경구 아시트레틴 (Acitretin)

3. 32세 남성이 팔꿈치 부위의 은백색의 인설을 주소로 내원하였다. 팔꿈치 이외에 무릎, 엉덩이, 머리에서도 병변이 동반되었고, 인설을 제거했을 때 점상출혈이 생겼고 출혈부위에 세균감염이 의심되었다. 병변이 체표면적 4%로 경증 판상 건선으로 진단되었을 때, 다음 중 환자에게 가장 먼저 권고할 수 있는 약물로 가장 적절한 것은?

① 국소 클로베타솔 프로피오네이트 (Clobetasol propionate) 0.05%
② 국소 칼시포트리올 (Calcipotriol)
③ 국소 타크로리무스 (Tacrolimus)
④ 경구 메토트렉세이트 (Methotrexate)
⑤ 경구 아시트레틴 (Acitretin)

4. 32세 남성이 피부 사이 접촉 부위(간찰부위)의 은백색의 인설을 주소로 내원하였다. 인설을 제거했을 때 점상출혈이 생겼다. 병변이 체표면적 10%로 중등도 판상 건선으로 진단되었고, 이전에 국소 스테로이드와 국소 비타민 D 제제를 사용한 이력이 있었으나 반응이 충분치 않았다고 했을 때, 다음 중 환자에게 가장 먼저 권고할 수 있는 약물로 가장 적절한 것은?

① 국소 살리실산 (Salicylic acid)
② 국소 타크로리무스 (Tacrolimus)
③ 경구 메토트렉세이트 (Methotrexate)
④ 경구 사이클로스포린 (Cyclosporin)
⑤ 경구 아시트레틴 (Acitretin)

정답: 1. ⑤ 2. ① 3. ② 4. ②

5. 32세 여성이 팔꿈치 부위의 은백색의 인설을 주소로 내원하였다. 팔꿈치 이외에 무릎, 엉덩이, 머리에서도 병변이 동반되었고, 인설을 제거했을 때 점상출혈이 생겼다. 병변이 체표면적 25%로 중증의 불응성 건선으로 진단되었다, 병력을 고려했을 때, 다음 중 환자에게 권고할 수 있는 전신 약물치료로 가장 적절한 것은?

[병력] 고혈압, 고콜레스테롤혈증, 설사형 과민대장증후군 (IBS-D)
[투여 약물] 국소 클로베타솔 프로피오네이트 (Clobetasol propionate) 0.05%
국소 칼시포트리올 (Calcipotriol)

① 메토트렉세이트 (Methotrexate)
② 사이클로스포린 (Cyclosporin)
③ 아시트레틴 (Acitretin)
④ 아프리밀라스트 (Apremilast)
⑤ 토파시티닙 (Tofacitinib)

6. 32세 남성이 팔꿈치 부위의 은백색의 인설을 주소로 내원하였다. 팔꿈치 이외에 무릎, 엉덩이, 머리에서도 병변이 동반되었고, 인설을 제거했을 때 점상출혈이 생겼다. 병변이 체표면적 25%로 중증의 불응성 건선으로 진단되었다, 평소에 과음을 자주하고 병력을 고려했을 때, 다음 중 환자에게 권고할 수 있는 전신 약물치료로 가장 적절한 것은?
[병력] 설사형 과민대장증후군 (IBS-D)
[투여 약물] 국소 클로베타솔 프로피오네이트 (Clobetasol propionate) 0.05%
국소 칼시포트리올 (Calcipotriol)

① 메토트렉세이트 (Methotrexate)
② 사이클로스포린 (Cyclosporin)
③ 아시트레틴 (Acitretin)
④ 아프리밀라스트 (Apremilast)
⑤ 토파시티닙 (Tofacitinib)

7. 32세 남성이 팔꿈치 부위의 은백색의 인설을 주소로 내원하였다. 팔꿈치 이외에 무릎, 엉덩이, 머리에서도 병변이 동반되었고, 인설을 제거했을 때 점상출혈이 생겼다. 병변이 체표면적 25%로 중증의 불응성 건선으로 진단되었다, 병력을 고려했을 때, 다음 중 환자에게 권고할 수 있는 전신 약물치료로 가장 적절한 것은?

[병력] HIV, 설사형 과민대장증후군 (IBS-D)
[투여 약물] 국소 클로베타솔 프로피오네이트 (Clobetasol propionate) 0.05%
국소 칼시포트리올 (Calcipotriol)

① 메토트렉세이트 (Methotrexate)
② 사이클로스포린 (Cyclosporin)
③ 아시트레틴 (Acitretin)
④ 아프리밀라스트 (Apremilast)
⑤ 토파시티닙 (Tofacitinib)

8. 32세 남성이 조절되지 않는 관절 통증을 주소로 내원하였다. 건선 관절염으로 진단받아 메토트렉세이트(Methotrexate)를 복용 중이였을 때, 다음 중 환자에게 권고할 수 있는 전신 약물치료로 가장 적절한 것은?

① 레플루노마이드 (Leflunomide)
② 사이클로스포린 (Cyclosporin)
③ 아시트레틴 (Acitretin)
④ 아프리밀라스트 (Apremilast)
⑤ 토파시티닙 (Tofacitinib)

정답: 5. ① 6. ② 7. ③ 8. ⑤

9. 32세 남성이 팔꿈치 부위의 은백색의 인설을 주소로 내원하였다. 팔꿈치 이외에 무릎, 엉덩이, 머리에서도 병변이 동반되었고, 인설을 제거했을 때 점상출혈이 생겼다. 병변이 체표면적 25%로 중증의 불응성 건선으로 진단되었다. 다음 중 환자에게 정맥주사로 치료할 수 있는 생물학적제제로 가장 적절한 것은?

[과거력] 메토트렉세이트 (Methotrexate), 사이클로스포린 (Cyclosporin), 자외선치료로 3개월 이상 치료했으나 호전되지 않음
[투여 약물] 국소 클로베타솔 프로피오네이트 (Clobetasol propionate) 0.05%
국소 칼시포트리올 (Calcipotriol)

① 인플릭시맙 (Infliximab)
② 우스테키누맙 (Usetikinumab)
③ 익세키주맙 (Ixekizumab)
④ 브로달루맙 (Brodalumab)
⑤ 구셀쿠맙 (Guselkumab)

10. 32세 남성이 팔꿈치 부위의 은백색의 인설을 주소로 내원하였다. 팔꿈치 이외에 무릎, 엉덩이, 머리에서도 병변이 동반되었고, 인설을 제거했을 때 점상출혈이 생겼다. 병변이 체표면적 25%로 중증의 불응성 건선으로 진단되었다. 다음 중 환자에게 피하주사로 치료할 수 있는 생물학적제제로 가장 적절한 것은?

[병력] 염증장질환 (IBD), 우울증
[과거력] 메토트렉세이트 (Methotrexate), 사이클로스포린 (Cyclosporin), 자외선치료로 3개월 이상 치료했으나 호전되지 않음
[투여 약물] 국소 클로베타솔 프로피오네이트 (Clobetasol propionate) 0.05%
국소 칼시포트리올 (Calcipotriol)

① 인플릭시맙 (Infliximab)
② 우스테키누맙 (Usetikinumab)
③ 세쿠키누맙 (Secukinumab)
④ 익세키주맙 (Ixekizumab)
⑤ 브로달루맙 (Brodalumab)

정답: 9. ① 10. ②

11. 32세 남성이 팔꿈치 부위의 은백색의 인설을 주소로 내원하였다. 팔꿈치 이외에 무릎, 엉덩이, 머리에서도 병변이 동반되었고, 인설을 제거했을 때 점상출혈이 생겼다. 병변이 체표면적 25%로 중증의 불응성 건선으로 진단되었다. 환자가 인터넷에서 2개의 표적을 동시에 저해하는 치료제를 보고 와서 해당 치료제로 치료받고 싶다고 했을 때, 치료제로 가장 적절한 것은?

[과거력] 메토트렉세이트 (Methotrexate), 사이클로스포린 (Cyclosporin), 자외선치료로 3개월 이상 치료했으나 호전되지 않음
[투여 약물] 국소 클로베타솔 프로피오네이트 (Clobetasol propionate) 0.05%
국소 칼시포트리올 (Calcipotriol)

① 인플릭시맙 (Infliximab)
② 우스테키누맙 (Usetikinumab)
③ 세쿠키누맙 (Secukinumab)
④ 구셀쿠맙 (Guselkumab)
⑤ 리산키주맙 (Risankizumab)

12. 12세 남성이 팔꿈치 부위의 은백색의 인설을 주소로 내원하였다. 팔꿈치 이외에 무릎, 엉덩이, 머리에서도 병변이 동반되었고, 인설을 제거했을 때 점상출혈이 생겼다. 병변이 체표면적 25%로 중증의 불응성 건선으로 진단되었다. 다음 중 환자를 치료할 수 있는 생물학적제제 중 체중에 따라 용량 조절이 필요한 약제로 가장 적절한 것은?

[과거력] 메토트렉세이트 (Methotrexate), 사이클로스포린 (Cyclosporin), 자외선치료로 3개월 이상 치료했으나 호전되지 않음
[투여 약물] 국소 클로베타솔 프로피오네이트 (Clobetasol propionate) 0.05%
국소 칼시포트리올 (Calcipotriol)

① 우스테키누맙 (Usetikinumab)
② 세쿠키누맙 (Secukinumab)
③ 익세키주맙 (Ixekizumab)
④ 구셀쿠맙 (Guselkumab)
⑤ 리산키주맙 (Risankizumab))

13. 건선으로 생물학적제제로 치료를 시작한 환자의 통상적인 효과판정을 위한 기간으로 가장 적절한 것은?

① 4주
② 8주
③ 12주
④ 24주
⑤ 36주

정답: 11. ② 12. ① 13. ③

14. 건선으로 생물학적제제 치료를 고려중인 환자에게 일반적으로 치료 전 모니터링이 필요한 항목으로 가장 적절하지 않은 것은?

① 전혈구 검사 (CBC)
② 잠복성 TB
③ HBV, HCV 검사
④ HIV 검사
⑤ 신기능 검사

15. 건선으로 생물학적제제 치료를 고려중인 환자에게 염증장질환 (IBD) 병력 모니터링이 필요하지 않은 약제로 가장 적절한 것은? (2가지)

① 우스테키누맙 (Ustekinumab)
② 세쿠키누맙 (Secukinumab)
③ 익세키주맙 (Ixekizumab)
④ 브로달루맙 (Brodalumab)
⑤ 구셀키누맙 (Guselkinumab)

16. 건선으로 브로달루맙 (Brodalumab)으로 치료중인 환자에게서 다음 중 특이적으로 모니터링이 필요한 항목으로 가장 적절한 것은?

① 신기능 검사
② 간기능 검사
③ 갑상선 기능 검사
④ 폐기능 검사
⑤ 자살충동 평가 및 기분변화 스크리닝

17. 32세 임산부 여성이 팔꿈치 부위의 은백색의 인설을 주소로 내원하였다. 팔꿈치 이외에 무릎, 엉덩이, 머리에서도 병변이 동반되었고, 인설을 제거했을 때 점상 출혈이 생겼다. 병변이 체표면적 4%로 경증 판상 건선으로 진단되었을 때, 다음 중 환자에게 가장 먼저 권고할 수 있는 약물로 가장 적절한 것은?

① 국소 스테로이드 제제
② 국소 비타민 D 제제
③ 국소 면역억제제
④ 경구 메토트렉세이트 (Methotrexate)
⑤ 경구 아시트레틴 (Acitretin)

정답: 14. ⑤ 15. ①,⑤ 16. ⑤ 17. ①

11 피부질환 60. 여드름

1. 32세 남성이 최근 여드름이 심해지는 증상으로 인해 내원하였다. 특이사항으로 6주 전에 추가적으로 복용을 시작한 약들이 있다고 하였다. 다음 중 여드름 악화를 유발할 수 있는 약물로 가장 적절한 것은?

① 페니토인 (Phenytoin)
② 프레드니솔론 (Prednisolone)
③ 이소니아지드 (Isoniazid)
④ 리튬 (Lithium)
⑤ 모두

2. 8세 남아가 검진차 병원에 왔다. 검사 결과, 대부분 정상이였고, 특이사항으로 치아만 착색된 특징이 있었다. 특별히 착색을 유발할만한 음식을 따로 먹진 않았다고 하였고, 문진시 엄마가 예전 아이를 임신할 때 여드름 치료 목적으로 약물을 복용한 적이 있다고 하였다. 다음 중 임신 당시 복용했을 여드름 약물로 추정되는 것으로 가장 적절한 것은?

① 이소트레티노인 (Isotretinoin)
② 독시사이클린 (Doxycycline)
③ 아지스로마이신 (Azithromycin)
④ 클린다마이신 (Clindamycin)
⑤ 경구피임약

3. 여드름 치료 중 이소트레티노인(Isotretinoin)을 투여받는 환자에서 모니터링이 필요한 검사 항목이 아닌 것은?

① 혈청 크레아티닌 (SCr)
② 전혈구검사 (CBC)
③ 간기능 검사 (AST, ALT)
④ 공복 지질 검사 (Fast Lipid Profile)
⑤ 임신 여부 검사

4. 32세 임산부 여성이 피부과에 내원하였다. 얼굴에 염증이 있는 구진과 여드름집(면포), 고름물집(농포)가 있어 약물 사용을 고려중이다. 외용제만으로 조절되지 않아, 전신 치료제를 고려중이라고 할 때, 다음 중 환자에게 사용할 수 있는 약물로 가장 적절한 것은?

① 이소트레티노인 (Isotretinoin)
② 독시사이클린 (Doxycycline)
③ 아지스로마이신 (Azithromycin)
④ 클린다마이신 (Clindamycin)
⑤ 설파메톡사졸/트리메토프림 (SMX/TMP)

정답: 1. ⑤ 2. ② 3. ① 4. ③

5. 32세 남성이 피부과에 내원하였다. 얼굴에 10개 미만의 면포가 있었고, 구진, 농포는 없었다. 경증 여드름으로 진단되었을 때, 다음 중 환자에게 사용할 수 있는 비처방의약품으로 가장 적절한 것은?

① 국소 벤조일 퍼옥사이드 (Benzoyl peroxide)
② 국소 아다팔렌 (Adapalene)
③ 국소 클린다마이신 (Clindamycin)
④ 경구 미노사이클린 (Minocycline)
⑤ 경구 이소트레티노인 (Isotretinoin)

6. 32세 남성이 피부과에 내원하였다. 얼굴에 10개 미만의 면포가 있었고 구진, 농포는 없었다. 경증 여드름으로 진단되었을 때, 다음 중 환자에게 사용할 수 있는 약물로 가장 적절한 것은?

① 국소 아다팔렌 (Adapalene)
② 국소 클린다마이신 (Clindamycin)
③ 국소 에리스로마이신 (Erythromycin)
④ 경구 미노사이클린 (Minocycline)
⑤ 경구 이소트레티노인 (Isotretinoin)

7. 32세 남성이 피부과에 내원하였다. 얼굴에 20개의 면포가 있었고, 구진이 20개, 결절이 여러 개 있었다. 중등도 여드름으로 진단되었을 때, 다음 중 환자에게 우선적으로 추가할 수 있는 약물로 가장 적절한 것은? (2가지)

[투여 약물] 국소 벤조일 퍼옥사이드 (Benzoyl peroxide)

① 국소 살리실산 (Salicylate)
② 국소 트레티노인 (Tretinoin)
③ 국소 클린다마이신 (Clindamycin)
④ 경구 미노사이클린 (Minocycline)
⑤ 경구 이소트레티노인 (Isotretinoin)

8. 32세 남성이 피부과에 내원하였다. 얼굴에 20개의 면포가 있었고, 구진이 20개, 결절이 여러 개 있었다. 중등도 여드름으로 진단되었을 때, 다음 중 환자에게 추가할 수 있는 약물로 가장 적절한 것은?

[병력] 간경화
[투여 약물] 국소 벤조일 퍼옥사이드 (Benzoyl peroxide)
국소 아다팔렌 (Adapalene)

① 국소 살리실산 (Salicylate)
② 국소 트레티노인 (Tretionin)
③ 국소 클린다마이신 (Clindamycin)
④ 경구 미노사이클린 (Minocycline)
⑤ 경구 이소트레티노인 (Isotretinoin)

정답: 5. ① 6. ① 7. ②,③ 8. ③

9. 32세 남성이 피부과에 내원하였다. 얼굴에 20개의 면포가 있었고, 구진이 20개, 결절이 여러 개 있었다. 중등도 여드름으로 진단되었다. 국소 병합요법을 고려중일 때, 다음 중 권고되지 않는 국소 병합요법으로 가장 적절한 것은?

① 벤조일 퍼옥사이드 (Benzoyl peroxide) + 트레티노인 (Tretinoin)
② 벤조일 퍼옥사이드 (Benzoyl peroxide) + 아다팔렌 (Adapalene)
③ 벤조일 퍼옥사이드 (Benzoyl peroxide) + 클린다마이신 (Clindamycin)
④ 벤조일 퍼옥사이드 (Benzoyl peroxide) + 트레티노인 (Tretinoin) + 클린다마이신 (Clindamycin)
⑤ 트레티노인 (Tretinoin) + 클린다마이신 (Clindamycin)

10. 32세 남성이 피부과에 내원하였다. 얼굴에 100개의 면포가 있었고, 농포가 5개, 결절이 여러 개 있었다. 중증의 여드름으로 진단되었고, 환자가 1달마다 주기적으로 헌혈을 한다고 할 때, 다음 중 환자에게 추가할 수 있는 약물로 가장 적절한 것은?

[병력] 간경화
[투여 약물] 국소 벤조일 퍼옥사이드 (Benzoyl peroxide)
국소 아다팔렌 (Adapalene)
국소 에리스로마이신 (Erythromycin)

① 국소 살리실산 (Salicylate)
② 국소 트레티노인 (Tretionin)
③ 경구 클린다마이신 (Clindamycin)
④ 경구 이소트레티노인 (Isotretinoin)
⑤ 경구 스피로노락톤 (Spironolactone)

11. 32세 남성이 반복되는 재발과 중증 난치성 결절 낭포성 여드름을 주소로 피부과에 내원하였다. 여드름으로 인한 흉터가 많았을 때, 다음 중 환자에게 사용할 수 있는 약물로 가장 적절한 것은?

① 국소 벤조일 퍼옥사이드 (Benzoyl peroxide)
② 국소 트레티노인 (Tretionin)
③ 경구 클린다마이신 (Clindamycin)
④ 경구 이소트레티노인 (Isotretinoin)
⑤ 경구 스피로노락톤 (Spironolactone)

12. 다음 중 여드름에 대한 설명으로 적절하지 않은 것은?

① 화장품에 의한 여드름인 경우 oil-free 제품을 사용하도록 권고한다.
② 지성 피부는 알코올(용액, 겔)의 비율이 높은 기제가 좋다.
③ 건성/민감성 피부는 자극이 없는 로션, 크림 기제가 좋다.
④ 국소 Retinoid 제제는 밤에 사용하며 자극성 때문에 처음 시작 1-2주일 동안은 격일로 사용해야 한다.
⑤ Spironolactone은 매우 심한 여드름에 사용할 수 있으며, 남성에게만 사용한다.

정답: 9. ⑤ 10. ③ 11. ④ 12. ⑤

61. 녹내장

1. 50세 남성이 정기검진 차 내원하였다. 안과 검사상 안압이 22mmHg로 측정되었고, 개방각 녹내장으로 진단되었을 때 다음 중 환자에게 필요한 약물로 가장 적절한 것은?

[병력] 천식, COPD

① 티몰롤 (Timolol) 점안제
② 라타노프로스트 (Latanoprost) 점안제
③ 브리모니딘 (Brimonidine) 점안제
④ 브린졸아미드 (Brinzolamide) 점안제
⑤ 아세타졸아미드 (Acetazolamide) 경구제

2. 50세 남성이 정기검진 차 내원하였다. 안과 검사상 안압이 22mmHg로 측정되었고, 개방각 녹내장으로 진단되었다. 이전에 안약을 사용한 적이 있는데, 하루 중 여러 차례 넣는 것을 자주 잊어버리곤 한다고 했다. 다음 중 환자에게 필요한 약물로 가장 적절한 것은?

① 티몰롤 (Timolol) 점안제
② 라타노프로스트 (Latanoprost) 점안제
③ 브리모니딘 (Brimonidine) 점안제
④ 브린졸아미드 (Brinzolamide) 점안제
⑤ 아세타졸아미드 (Acetazolamide) 경구제

3. 50세 남성이 정기검진 차 내원하였다. 안과 검사상 안압이 22mmHg로 측정되었다. 안약을 사용하면서 홍채 부위에 색소 침착이 발생하여 환자가 다른 약으로 변경할 수 없는지 문의하였다. 다음 중 환자에게 권해줄 수 있는 약물로 가장 적절한 것은?

[병력] 개방각 녹내장

① 티몰롤 (Timolol) 점안제
② 라타노프로스트 (Latanoprost) 점안제
③ 브리모니딘 (Brimonidine) 점안제
④ 브린졸아미드 (Brinzolamide) 점안제
⑤ 아세타졸아미드 (Acetazolamide) 경구제

4. 50세 남성이 정기검진 차 내원하였다. 안과 검사상 안압이 22mmHg로 측정되었다. 이전에 개방각 녹내장을 진단받고 점안제로 약물치료를 받은 이력이 있으며 환자가 방수 생성 억제와 방수 유출 증가 두 가지 기전을 통해 안압을 떨어뜨리는 약이 있다고 들었다며 해당 약제로 치료할 수 있는지 문의하였다. 다음 중 환자가 문의한 약제로 가장 적절한 것은?

① 티몰롤 (Timolol) 점안제
② 라타노프로스트 (Latanoprost) 점안제
③ 브리모니딘 (Brimonidine) 점안제
④ 브린졸아미드 (Brinzolamide) 점안제
⑤ 아세타졸아미드 (Acetazolamide) 경구제

정답: 1. ② 2. ② 3. ① 4. ③

5. 50세 남성이 입과 코 점막이 말라서 불편한 증상을 주소로 내원하였다. 이전에 개방각 녹내장을 진단받고 현재 약물치료 중이였다고 했을 때, 다음 중 환자의 증상을 나타나게 한 원인 약제로 가장 적절한 것은?

① 티몰롤 (Timolol) 점안제
② 라타노프로스트 (Latanoprost) 점안제
③ 아프라클로니딘 (Apraclonidine) 점안제
④ 브린졸아미드 (Brinzolamide) 점안제
⑤ 아세타졸아미드 (Acetazolamide) 경구제

6. 50세 남성이 정기검진 차 내원하였다. 안과 검사상 안압이 22mmHg로 측정되었고, 개방각 녹내장으로 진단되었을 때 다음 중 환자에게 금기인 약물로 적절한 것은?

[알러지력] 설폰아미드 과민반응 (+)

① 티몰롤 (Timolol) 점안제
② 라타노프로스트 (Latanoprost) 점안제
③ 브리모니딘 (Brimonidine) 점안제
④ 브린졸아미드 (Brinzolamide) 점안제
⑤ 필로카르핀 (Pilocarpine) 점안제

7. 32세 남성이 헤르페스 바이러스로 각막염으로 인한 녹내장으로 진단되었다. 다음 중 이 환자에게서 사용을 피해야 하는 약물로 가장 적절한 것은?

① 티몰롤 (Timolol) 점안제
② 라타노프로스트 (Latanoprost) 점안제
③ 아프라클로니딘 (Apraclonidine) 점안제
④ 브린졸아미드 (Brinzolamide) 점안제
⑤ 아세타졸아미드 (Acetazolamide) 경구제

정답: 5. ③ 6. ④ 7. ②

62. 임상영양

1. 다음 중 정맥영양의 적응증으로 적절하지 않은 것은?

① 조절되지 않는 구토, 중증의 설사
② 수술 전후
③ 중증 호중구감소 발열의 환자
④ 위장관 출혈
⑤ 모두 맞음

2. 다음 중 신생아에게 필수(조건부) 아미노산이 아닌 것은?

① 타우린 (Taurine)
② 시스테인 (Cysteine)
③ 카르니틴 (Carnitine)
④ 글루타민 (Glutamine)
⑤ 글리신 (Glycine)

3. 다음 중 정맥영양에 대한 설명으로 틀린 설명은?

① 10% 지질유제는 1.1kcal/mL 열량을 공급한다.
② 20% 지질유제는 2 kcal/mL 열량을 공급한다.
③ 20% 지질유제는 인지질 대 중성지방 비율이 낮아 지방 제거에 유리하고, 고열량을 내므로 전체 수분량을 절약하는 효과가 있다.
④ 비타민은 정맥영양을 투여 받는 모든 환자에게 반드시 보충한다.
⑤ 담즙울체 환자는 구리와 망간의 용량을 증량한다.

4. 다음 중 정맥영양에 대한 설명으로 틀린 설명은?

① 설사가 심한 환자는 아연을 증량한다.
② 말초정맥을 이용한 제제는 최종농도가 아미노산은 3-5%, 포도당은 5-10%가 되도록 유지한다.
③ 말초 정맥 투여의 최대 삼투압은 900 mOsm/L로 제한한다.
④ 혈전정맥염 위험 최소화를 위해 Hydrocortisone을 추가하기도 한다.
⑤ 말초정맥은 혈류가 빨라서 고장성 용액을 투여해도 바로 희석시키는 장점이 있다.

정답: 1. ⑤ 2. ⑤ 3. ⑤ 4. ⑤

5. 다음 중 정맥영양에 대한 설명으로 틀린 설명은?

① 정맥용 지질유제는 세균, 진균이 번식할 수 있으므로 주입시간이 12시간을 넘지 않도록 하며, 최대 24시간 이내에 투여를 종료하도록 한다.
② 칼슘과 인의 침전물이 발생하지 않도록 하기 위해 칼슘염은 Calcium gluconate를 사용한다.
③ 인을 먼저 넣은 후 마지막에 칼슘을 추가한다.
④ 낮은 산도 유지를 위해 포도당과 아미노산의 최종 농도는 높게, 지질유제의 최종 농도를 낮게한다.
⑤ 지질유제는 입자크기를 고려하여 0.22 μm filter로 투여한다.

6. 오랜 기간 금식 후 심각한 영양 불량 상태에서 정맥영양 공급 시 재주입증후군(Refeeding Syndrome)이 발생할 수 있다. 다음 중 재주입증후군에서 나타나는 임상증상으로 적절하지 않은 것은?

① 저혈당
② 저인산혈증
③ 저칼륨혈증
④ 저마그네슘혈증
⑤ 티아민 (Thiamine) 결핍

정답: 5. ⑤ 6. ①

63. 진균감염

1. 65세 만성폐쇄성폐질환 (COPD) 병력이 있는 남성이 내원하였다. 그는 최근에 악화 이력이 없으며, 6개월 전 처방받은 흡입기로 잘 치료중이다. 검진시 혀에 흰색 플라크가 관찰되었으며, 쉽게 제거 되었다. 구강인두칸디다증으로 진단되었을 때, 다음 중 환자에게 가장 적절한 약물은?

① 니스타틴 (Nystatin) 가글
② 클로르헥시딘 (Chlorhexidine) 가글
③ 포비돈 (Povidone Iodide) 가글
④ 벤지다민 (Benzydamine) 가글
⑤ 벤제토늄 (Benzethonium) 가글

2. 32세 항암치료를 받고 있는 호중구감소증을 동반한 남성이 내원하였다. 금일 검사 결과 구강인두 병변을 동반한 식도칸디다증으로 진단되었을 때, 환자에게 먼저 권할 수 있는 가장 적절한 약물은?

① 니스타틴 (Nystatin) 가글
② 플루코나졸 (Fluconazole)
③ 이트라코나졸 (Itraconazole)
④ 미카펀진 (Micafungin)
⑤ 암포테리신 B (Amphotericin B)

정답: 1. ① 2. ②